namiętność

Lisa Kleypas

namiętność

POLISH
KLEYPAS X

przełożyła
Ewa Górczyńska

Tytuł oryginału
SUDDENLY YOU

Projekt okładki
Robert Maciej

Redakcja
Krystyna Borowiecka

Skład i łamanie
„Kolonel”

Wydanie I

ISBN 83-89351-20-X

Mojemu bratu
za to, że obdarza mnie nieustanną miłością, wsparciem i zrozumieniem, oraz za to, że zawsze jest przy mnie, kiedy go potrzebuję. Ki, mam szczęście, że jestem twoją siostrą

L.K.

Prolog

Londyn, listopad 1836

Jakich mężczyzn pani lubi, panno Briars? Wolałaby pani blondyna czy bruneta? Ma być wysoki czy średniego wzrostu? Anglik czy cudzoziemiec? – Właścicielka domu publicznego była zadziwiająco rzeczowa, jakby chodziło o ustalenie menu na przyjęcie, a nie o wybór zamawianego na wieczór mężczyzny.

Słysząc te pytania, Amanda wzdrygnęła się. Policzki jej poczerwieniały i poczuła, że twarz pali ją żywym ogniem.

Zastanawiała się, czy mężczyzna też tak by się czuł podczas pierwszej wizyty w domu publicznym. Na szczęście ten przybytek uciech był o wiele bardziej dyskretny i elegancko umeblowany, niż sobie wyobrażała. Nie było tu szokujących obrazów ani wulgarnych grafik, nigdzie też nie dostrzegła klientów ani prostytutek. Salon pani Bradshaw prezentował się całkiem miło. Był wygodnie umeblowany, a ściany obito ciemnozielonym adamaszkiem. Obok zdobionej złoceniami kanapy stał mały stolik o marmurowym blacie.

Gemma Bradshaw sięgnęła po leżący na nim maleńki notatnik ze złotym ołówkiem i wyczekująco spojrzała na Amandę.

– Nie mam ulubionego typu męskiej urody – odrzekła Amanda, zawstydzona, ale zdecydowana. – Zaufam pani osądowi. Proszę przysłać do mnie kogoś w dniu moich urodzin, dokładnie za tydzień.

To zdanie z jakiegoś powodu rozbawiło panią Bradshaw.

– A więc to prezent dla samej siebie? Co za uroczy pomysł. – Kościstą twarz gospodyni rozjaśnił uśmiech. Nie była piękna ani nawet ładna, ale miała gładką cerę, gęste, rude włosy i ponętne ciało o bujnych kształtach. – Pozwoli pani, że zadam jeszcze jedno pytanie. Czy jest pani dziewicą?

– Dlaczego pani pyta? – zdziwiła się Amanda.

Właścicielka domu publicznego z rozbawieniem uniosła starannie wyskubaną brew.

– Skoro chce pani zdać się na mój osąd, to muszę znać wszystkie szczegóły. Kobiety takie jak pani rzadko goszczą w moim przybytku.

– No, dobrze. – Amanda wzięła głęboki oddech i zaczęła mówić szybko i z determinacją, jakby zapomniała o rozwadze, którą zwykle bardzo się szczyciła. – Jestem starą panną. Za tydzień skończę trzydzieści lat. I owszem, nadal jestem dzie... dziewicą. – Przy tym słowie się zająknęła, ale zdecydowanie mówiła dalej: – Nie znaczy to jednak, że muszę nią pozostać na zawsze. Przyszłam tutaj, ponieważ powszechnie wiadomo, że spełnia pani wszelkie życzenia klientów. Wiem, że dziwi panią widok takiej kobiety jak ja...

– Moja droga. – Pani Bradshaw przerwała jej łagodnie. – Od dawna nic już nie jest w stanie mnie zadziwić. Wydaje mi się, że rozumiem pani problem i rzeczywiście będę mogła spełnić pani oczekiwania. Proszę mi tylko powiedzieć, czy ma pani jakieś szczególne wymagania co do wieku i wyglądu?

– Chciałabym, żeby to był ktoś młody, jednak nie młodszy ode mnie. Ale też nie za stary. Nie musi być przystojny, chociaż nie chciałabym, żeby był odpychający. Czysty i schludny – dodała po krótkim namyśle. – Musi być czysty i schludny.

Złoty ołówek poruszał się szybko.

– To nie będzie trudne – odparła pani Bradshaw z błyskiem rozbawienia w oczach.

– Nalegam też na zachowanie pełnej dyskrecji – oznajmiła

z naciskiem Amanda. – Gdyby ktoś się dowiedział, co zrobiłam...

– Moja droga. – Pani Bradshaw usadowiła się wygodniej na kanapie. – Jak pani sądzi, co stałoby się z tym interesem, gdybym nie potrafiła zachować dyskrecji? Moje pracownice obsługują znanych członków parlamentu, że nie wspomnę o najzamożniejszych dżentelmenach... i damach z najlepszego towarzystwa. Nie zdradzę pani sekretu, panno Briars.

– Dziękuję – odrzekła Amanda z ulgą, ale i przerażeniem. Miała okropne przeczucie, że popełnia największy błąd swego życia.

1

Amanda od razu się domyśliła, dlaczego stojący na progu mężczyzna został prostytutką. Od chwili gdy ukradkiem, niczym zbiegłego skazańca, wpuściła go do domu, patrzył na nią w niemym osłupieniu. Najwyraźniej do wykonywania bardziej wymagającego zawodu brakowało mu sprawności umysłowej. Jednak do tego, po co go tu dzisiaj sprowadziła, nie potrzeba wiele rozumu.

– Proszę się pośpieszyć – wyszeptała, wciągnęła go za ramię w głąb korytarza i zatrzasnęła drzwi. – Czy ktoś pana widział? Nie spodziewałam się, że tak po prostu zapuka pan do frontowych drzwi. Czy nikt panu nie powiedział, że w pana zawodzie dyskrecja to ważna rzecz?

– W moim... zawodzie? – powtórzył trochę speszony.

Teraz, kiedy nie mógł już ich dosięgnąć wzrok ciekawskich, Amanda przyjrzała mu się dokładniej. Chociaż najwyraźniej nie błyszczał intelektem, był niezwykle przystojny. Można by nawet powiedzieć – piękny, gdyby to było właściwe słowo do opisania kogoś tak wybitnie męskiego. Był wysoki, szczupły i dobrze zbudowany. Miał gęste, czarne, schludnie przystrzyżone włosy i starannie ogoloną smagłą twarz o prostym nosie i pełnych ustach.

Na dodatek miał niespotykanie niebieskie oczy w odcieniu

błękitu, jakiego Amanda nigdy dotąd nie widziała; może jedynie w pobliskiej aptece, gdzie wytwarzano tusz, przez wiele dni gotując indygowiec w siarczanie miedzi, dopóki roztwór nie stał się tak ciemnoniebieski, że aż niemal fioletowy. Oczy nieznajomego nie miały jednak anielskiego wejrzenia, które zwykle kojarzy się z niewinnym błękitem. Spoglądały bystro i poważnie, jakby nieraz oglądały nieprzyjemną stronę życia, której ona sama nigdy nie widziała.

Amanda łatwo pojęła, dlaczego kobiety płaciły za jego towarzystwo. Myśl, że można wynająć tego pięknookiego mężczyznę dla spełnienia własnych zachcianek, była niezwykle kusząca. Amanda zawstydziła się, że jego obecność wywarła na niej tak wielkie wrażenie. Przebiegały jej po plecach to zimne, to znów gorące dreszcze, na policzki wystąpiły rumieńce. Już dawno pogodziła się ze staropanieństwem i postanowiła znosić je z godnością. Przekonywała nawet samą siebie, że wolny stan daje jej poczucie wolności. Jednak nieposłuszne ciało zdawało się nie rozumieć, że kobieta w jej wieku nie powinna odczuwać zmysłowych pragnień. Przecież nawet niezamężna dwudziestojednolatka uważana była za starą pannę, a cóż dopiero mówić o trzydziestolatce. Najlepsze lata miała dawno za sobą i nie wzbudzała już niczyjego pożądania. O kimś takim jak ona mówiono „małpia królowa". Żałowała, że nie potrafi do końca zaakceptować swojego stanu.

Zmusiła się, żeby spojrzeć prosto w niezwykle niebieskie oczy przybysza.

– Zamierzam być szczera, panie... Nie, proszę mi nie mówić, jak się pan nazywa, nasza znajomość będzie krótka, więc nie muszę znać pańskiego imienia. Widzi pan, zastanowiłam się nad moją dość pośpieszną decyzją i prawdę mówiąc... zmieniłam zdanie. Proszę nie traktować tego jak osobistego afrontu. To nie ma nic wspólnego z panem czy z pana wyglądem. Wyjaśnię to pańskiej pracodawczyni, pani Bradshaw. Jest pan niezwykle przystojny, bardzo punktualny i nie wątpię, że

doskonały... w swoim fachu. Popełniłam błąd. Wszystkim nam się to przytrafia, a ja nie jestem wyjątkiem. Co jakiś czas zdarza mi się podjąć nietrafną decyzję...

– Zaraz, zaraz. – Uniósł dłoń, nie odrywając wzroku od jej zarumienionej twarzy. Zamilkł na chwilę.

W całym dorosłym życiu nikt nigdy w ten sposób nie śmiał się do niej zwrócić. Urwała zaskoczona i z wysiłkiem powstrzymała potok słów, które cisnęły się jej na usta. Nieznajomy splótł ramiona na muskularnej piersi, oparł się o drzwi i patrzył na nią. W świetle wiszącej w korytarzu lampy jego rzęsy rzucały na policzki długi cień.

Mimo woli Amanda pomyślała, że pani Bradshaw wykazała się doskonałym gustem. Przysłany mężczyzna był zaskakująco zadbany i wyglądał zamożnie. Ubrany był modnie, ale z klasyczną elegancją, w czarny surdut i ciemnoszare spodnie, a czarne buty miał wypolerowane do połysku. Wykrochmalona koszula wydawała się śnieżnobiała przy ogorzałej cerze; fular z szarego jedwabiu był zawiązany w nieskazitelny węzeł. Gdyby jeszcze przed chwilą ktoś kazał Amandzie opisać ideał mężczyzny, powiedziałaby, że to blondyn o jasnej karnacji i delikatnej budowie. Teraz musiała całkowicie zmienić zdanie. Żaden płowowłosy Apollo nie mógł się równać z tym rosłym, krzepkim, wyjątkowo przystojnym mężczyzną.

– Panna Amanda Briars – powiedział, jakby oczekiwał potwierdzenia swoich słów. – Pisarka.

– Tak, piszę powieści – odrzekła z wymuszoną cierpliwością. – A pana na moją prośbę przysłała tu pani Bradshaw, tak?

– Zdaje się, że tak – odparł wolno.

– Proszę o wybaczenie, panie... Nie, nie, niech pan nic nie mówi. Jak już wyjaśniłam, popełniłam błąd, więc proszę stąd odejść. Oczywiście zapłacę za usługę, chociaż nie zamierzam z niej skorzystać. Nie wykonał jej pan wyłącznie z mojej winy. Proszę mi tylko powiedzieć, ile wynosi stawka, a natychmiast załatwimy tę sprawę.

Nieznajomy patrzył na nią i wyraz jego twarzy powoli zaczął się zmieniać. Zaskoczenie ustępowało miejsca fascynacji. Niebieskie oczy błyszczały z rozbawieniem, przyprawiając Amandę o coraz większe zdenerwowanie.

– A o jakie usługi dokładnie chodziło? – zapytał łagodnie i podszedł bliżej. – Obawiam się, że nie omówiłem z panią Bradshaw szczegółów.

– Och, nic nadzwyczajnego. – Amandzie coraz trudniej było zachować zimną krew. Jej policzki płonęły ogniem, uderzenia serca odbijały się echem w każdym zakątku ciała. – Zwykła usługa. – Odwróciła się do stojącej przy ścianie konsolki, gdzie wcześniej położyła plik starannie złożonych banknotów. – Zawsze płacę swoje długi. Niepotrzebnie naraziłam pana i panią Bradshaw na kłopoty, więc oczywiście muszę to wynagrodzić... – Urwała i wydała z siebie zduszony okrzyk, kiedy poczuła, że przybysz ścisnął jej ramię. To nie do pomyślenia, żeby obcy mężczyzna dotykał jakiejkolwiek części ciała damy, choć oczywiście jeszcze bardziej nie do pomyślenia było to, że dama uciekła się do wynajęcia męskiej prostytutki. Zdruzgotana Amanda postanowiła, że prędzej się zabije, niż jeszcze kiedykolwiek zrobi coś tak nierozważnego.

Zesztywniała pod jego dotykiem, nie śmiąc się ruszyć, gdy nagle, tuż przy uchu, usłyszała jego głos.

– Nie chcę pieniędzy – powiedział z lekkim rozbawieniem. – Nie płaci się za usługę, która nie została wykonana.

– Dziękuję. – Zacisnęła pięści taka mocno, że aż zbielały jej kostki. – To bardzo uprzejmie z pańskiej strony. Zapłacę przynajmniej za powóz. Nie musi pan wracać do domu piechotą.

– Ależ ja jeszcze nie wychodzę.

Amanda ze zdziwienia aż otworzyła usta. Odwróciła się na pięcie i spojrzała na niego przerażonym wzrokiem. Co to ma znaczyć? Jak to, nie wychodzi? Zaraz zmusi go do wyjścia, nie pytając, czy sobie tego życzy, czy nie! Szybko rozważyła w myślach, co może zrobić w tej sytuacji, niestety, nie miała

wielkiego wyboru. Lokajowi, kucharce i pokojówce dała dzisiaj wychodne, więc nie mogła się spodziewać pomocy z ich strony. Nie mogła też przecież przywołać policjanta. Takie zdarzenie wywołałoby skandal, który zaszkodziłby jej pozycji zawodowej, a przecież pisanie było jej jedynym źródłem utrzymania. W porcelanowym stojaku przy drzwiach spostrzegła parasol z drewnianą rączką i dyskretnie zrobiła krok w tamtą stronę.

Niechciany gość natychmiast zauważył ten manewr.

– Zamierzasz mnie tym uderzyć? – zapytał.

– Jeśli okaże się to konieczne.

Parsknął śmiechem i uniósł do góry jej podbródek, tak że musiała spojrzeć mu w oczy.

– Ależ proszę pana! Co pan robi?

– Nazywam się Jack. – Uśmiechnął się lekko. – I wkrótce sobie pójdę, ale przedtem porozmawiamy o pewnych sprawach. Mam do ciebie kilka pytań.

Westchnęła zniecierpliwiona.

– Panie Jack, nie wątpię, że ma pan jakieś pytania, ale...

– Jack to moje imię.

– No, dobrze... Jack. – Skrzywiła się lekko. – Byłabym ci wielce zobowiązana, gdybyś natychmiast opuścił mój dom.

Zrobił kilka kroków w głąb korytarza; poruszał się tak swobodnie, jakby zaprosiła go na herbatkę. Amanda czuła, że musi zmienić opinię na temat jego stanu umysłowego. Doszedł już do siebie po tym, jak niespodziewanie siłą wciągnęła go do środka, i poziom jego inteligencji wyraźnie wzrósł.

Nieznajomy rozejrzał się wokół, szacując wzrokiem klasyczne meble w kremowo-niebieskim salonie i mahoniowy stół z wiszącym nad nim lustrem, stojący w końcu holu. Jeśli szukał wymyślnych ozdób lub oznak bogactwa, to musiał się rozczarować. Amanda nie znosiła rzeczy pretensjonalnych i niepraktycznych, toteż wybrała meble raczej ze względu na ich funkcjonalność niż styl. Kupując stolik, starała się, aby był na

tyle mocny, żeby utrzymać stos książek i masywną lampę. Nie lubiła złoceń, rzeźbionych ornamentów i hieroglifów, które stały się ostatnio bardzo modne.

Gość zatrzymał się przy wejściu do salonu, więc Amanda oznajmiła oschle:

– Widzę, że nie zamierzasz wypełnić mojego polecenia, więc proszę, wejdź do środka i usiądź. Czym cię mogę poczęstować? Może kieliszek wina?

Chociaż zaproszenie zabrzmiało ironicznie, gość przyjął je z uśmiechem.

– Chętnie, pod warunkiem, że się do mnie przyłączysz.

Białe zęby nieoczekiwanie błysnęły w uśmiechu, a Amanda poczuła się tak, jakby po szarym, zimowym dniu weszła do ciepłej kąpieli. Zawsze było jej zimno. W wilgotnym, chłodnym klimacie Londynu marzła do szpiku kości i chociaż okrywała się pledami, brała gorące kąpiele, piła herbatę z brandy, wiecznie czuła, że marznie.

– Może napiję się trochę wina. – Sama zdziwiła się, że to mówi. – Niech pan siada, panie... to znaczy, siadaj, Jack. – Obrzuciła go ironicznym spojrzeniem. – Skoro jesteś w moim salonie, to może mi zdradzisz, jak masz na nazwisko.

– Nie – odrzekł cicho. Jego oczy nadal błyszczały wesoło. – Biorąc pod uwagę okoliczności, w jakich się poznaliśmy, dochodzę do wniosku, Amando, że możemy sobie mówić po imieniu.

Nie brakowało mu tupetu! Nieco nerwowym gestem nakazała, żeby usiadł, a sama podeszła do kredensu. Jack jednak stał, dopóki nie napełniła dwóch kieliszków czerwonym winem. Dopiero kiedy usiadła na mahoniowej kanapie, zajął stojący nieopodal fotel. Blask ognia buzującego w białym marmurowym kominku migotał na jego czarnych włosach i złocił gładką, smagłą skórę. Biło od niego zdrowie i młodość. Amanda pomyślała, że Jack chyba jest od niej o kilka lat młodszy.

– Czy mogę wznieść toast? – zapytał.

– Widzę, że masz na to wielką ochotę – odrzekła surowo.

Uśmiechnął się i podniósł kieliszek.

– Zdrowie pięknej kobiety, obdarzonej wielką odwagą i fantazją.

Amanda nie spełniła toastu. Ze zmarszczonym czołem patrzyła, jak gość upija łyk wina. Nie dość, że wtargnął do jej domu i nie chciał wyjść, kiedy go o to poprosiła, to jeszcze robił sobie z niej żarty.

Była inteligentną, uczciwą kobietą i miała świadomość swoich wad oraz zalet... i wiedziała, że nie jest pięknością. W najlepszym wypadku można było powiedzieć, że jest niebrzydka, i to tylko wtedy, jeśli nie brało się pod uwagę aktualnie obowiązującego ideału kobiecej urody. Była niska i dość pulchna, chociaż ktoś, patrzący na nią przychylnie, opisałby jej sylwetkę jako kobiecą i zmysłową. Gęste, mahoniowe włosy wiły się niesfornie i nie dały się wyprostować żadnym przyborem fryzjerskim ani miksturą. Owszem, odznaczała się ładną cerą, bez śladów po ospie i wyprysków, i jakiś życzliwy przyjaciel rodziny kiedyś powiedział, że ma ładne oczy, ale były to zwykłe, szare oczy, których nie ożywiał nawet cień błękitu czy zieleni.

Nie mogąc się pochwalić urodą, Amanda postanowiła doskonalić umysł i wyobraźnię, które, jak ponuro przepowiedziała jej matka, sprowadzą na nią tylko nieszczęście.

Dżentelmeni nie chcieli wykształconych żon. Woleli atrakcyjne kobiety, które nie myślały za dużo i zawsze się z nimi zgadzały. A już na pewno nie szukali kobiet z bujną wyobraźnią, które marzyły o fikcyjnych postaciach z książek. Dlatego też dwie starsze i ładniejsze siostry Amandy złowiły mężów, ona zaś zaczęła pisać powieści.

Nieproszony gość nadal patrzył na nią czułym wzrokiem.

– Powiedz mi, dlaczego taka urodziwa kobieta jak ty postanowiła wynająć mężczyznę do łóżka?

To bezpośrednie pytanie uraziło ją, ale jednocześnie... per-

spektywa szczerej, wolnej od zwykłych towarzyskich konwenansów rozmowy z mężczyzną wydała jej się bardzo kusząca.

– Przede wszystkim nie musisz mi wmawiać, że jestem jakąś Heleną trojańską – odrzekła cierpko. – Trudno mnie nazwać pięknością.

Spojrzał jej prosto w oczy.

– Ależ jesteś piękna – oznajmił cicho.

Energicznie potrząsnęła głową.

– Najwyraźniej sądzisz, że jestem głupią gęsią, która da się nabrać na pochlebstwa, albo masz fałszywe wyobrażenie piękna. Jakkolwiek jest, mylisz się.

Uśmiechnął się lekko.

– Nie zostawiasz rozmówcy pola do dyskusji, prawda? Czy na wszystkie tematy masz równie zdecydowane poglądy?

– Niestety, tak – odparła cierpkim głosem.

– Czyżby posiadanie zdecydowanych poglądów było czymś złym?

– U mężczyzn jest to cecha godna podziwu. U kobiet natomiast uważana jest za wadę.

– Ja tak nie myślę. – Wypił łyk wina, wygodniej rozsiadł się w fotelu i przyglądając się jej uważnie, wyciągnął przed siebie długie nogi. Wyglądało na to, że szykuje się do dłuższej rozmowy.

Amandzie wcale się to nie spodobało, ale gość na to nie zważał.

– Nie dam ci wykręcić się od odpowiedzi. Wyjaśnij mi, dlaczego wynajęłaś mężczyznę na dzisiejszy wieczór.

Jego otwarte spojrzenie skłoniło ją do szczerości. Zauważyła, że kurczowo zaciska palce na nóżce kieliszka, więc postarała się je rozluźnić.

– Dziś są moje urodziny – wyznała.

– Tak? – Roześmiał się cicho. – Wszystkiego najlepszego.

– Dziękuję. Czy teraz możesz wyjść?

– Och, nie. Skoro jestem twoim prezentem urodzinowym, dotrzymam ci towarzystwa. Nie spędzisz samotnie tak ważnego wieczoru. Niech zgadnę... Dzisiaj rozpoczęłaś trzydziesty pierwszy rok życia, tak?

– Skąd wiesz, ile mam lat?

– Kobiety zawsze dziwnie reagują na trzydzieste urodziny. Kiedyś znałem pewną panią, która tego dnia zakryła wszystkie lustra czarną materią, jakby umarł jej ktoś bliski.

– Opłakiwała swoją utraconą młodość – wyjaśniła krótko Amanda i pociągnęła spory łyk wina, aż poczuła w piersiach falę gorąca. – Tak zareagowała na to, że wkroczyła w wiek średni.

– Wcale nie stałaś się kobietą w średnim wieku. Jesteś dojrzała jak cieplarniana brzoskwinia.

– Bzdura – wymamrotała, zirytowana tym, że jego puste pochlebstwo sprawiło jej przyjemność. Może spowodowało to wino, a może świadomość, że po dzisiejszym wieczorze nigdy więcej nie zobaczy tego nieznajomego mężczyzny, w każdym razie nagle poczuła, że może powiedzieć mu wszystko, co jej przyjdzie do głowy. – Dojrzała to ja byłam dziesięć lat temu. Teraz jestem tylko dobrze zakonserwowana, a już niedługo spotka mnie taki sam los jak inne przejrzałe owoce.

Jack roześmiał się, odstawił kieliszek, a potem wstał i zdjął surdut.

– Wybacz, ale gorąco tu jak w piecu. Zawsze masz w domu tak ciepło?

Popatrzyła na niego nieufnie.

– Jest tak wilgotno, a ja stale marznę. Często nawet w domu noszę czepek i szal.

– Mógłbym polecić inne metody, które by cię skutecznie rozgrzały. – Nie prosząc o pozwolenie, usiadł tuż obok niej. Amanda cofnęła się w róg kanapy, starając się za wszelką cenę zachować resztki panowania nad sobą.

Czuła niepokój, że to duże, męskie ciało znalazło się tak

blisko niej. Nigdy jeszcze nie siedziała obok obcego mężczyzny, który miał na sobie jedynie koszulę, bez surduta. Poczuła jego zapach i wciągnęła go głębiej w nozdrza... Męska skóra, płótno, lekka, ale wyraźna woń drogiej wody kolońskiej. Dopiero teraz zdała sobie sprawę, jak ładnie może pachnieć mężczyzna. Żaden z mężów jej sióstr nie pachniał tak przyjemnie. W przeciwieństwie do dzisiejszego gościa byli to szacowni nudziarze – jeden uczył w ekskluzywnej szkole, drugi był bogatym kupcem z tytułem szlacheckim.

– A ile ty masz lat? – zapytała impulsywnie, ściągając brwi.

Jack wahał się przez ułamek sekundy, ale odpowiedział:

– Trzydzieści jeden. Dlaczego tak zawracasz sobie głowę liczbami?

Amanda doszła do wniosku, że jak na swój wiek wygląda bardzo młodo, ale w końcu mężczyźni bardzo często nie wyglądają na swoje lata, w przeciwieństwie do kobiet. Życie jest niesprawiedliwe.

– Owszem, dzisiaj myślę o liczbach – przyznała. – Jutro jednak wcale nie będę się nad tym zastanawiać. Będę kroczyć przez resztę swojego życia, ciesząc się nim, jeśli to tylko będzie możliwe.

To pragmatyczne podejście chyba go rozbawiło.

– Dobry Boże, mówisz tak, jakbyś stała nad grobem! Jesteś atrakcyjna, w kwiecie wieku i na dodatek zrobiłaś karierę jako powieściopisarka.

– Nie jestem atrakcyjna. – Westchnęła smutno.

Jack położył ramię na oparciu kanapy, nie dbając o to, że zajmuje jej większą część, podczas gdy Amanda coraz głębiej wciskała się w róg. Z irytującą dokładnością oszacował ją wzrokiem.

– Masz piękną cerę, doskonale wykrojone usta...

– Są za szerokie – oznajmiła.

Przez długą chwilę patrzył na jej wargi, aż w końcu odezwał się trochę niższym głosem niż dotąd.

– Twoje usta doskonale nadają się do tego, o czym w tej chwili myślę.

– Jestem pulchna – dodała Amanda. Postanowiła wyliczyć wszystkie swoje wady.

– To doskonale. – Spuścił wzrok na jej biust. Nikt jeszcze nie patrzył na nią w taki sposób... niegodny dżentelmena.

– A włosy okropnie mi się kręcą.

– Czyżby? Rozpuść je, to się przekonam.

– Co takiego? – To oburzające polecenie wywołało u niej nagły wybuch śmiechu. Jeszcze nigdy nie spotkała tak bezczelnego typa.

Rozejrzał się po przytulnym salonie, a potem jego diabelski wzrok znów spoczął na Amandzie.

– Przecież nikt nie zobaczy – powiedział cicho. – Czy nigdy nie zdarzyło ci się rozpuścić włosów w obecności mężczyzny?

Ciszę panującą w salonie podkreślało ciche trzaskanie ognia w kominku i szmer ich oddechów. Amanda pierwszy raz w życiu czuła, że boi się tego, co może za chwilę zrobić. Serce biło jej tak mocno, myśli zaczynały się plątać. Sztywno potrząsnęła głową. To był nieznajomy człowiek. Była z nim sama w domu, zdana na jego łaskę. Po raz pierwszy od bardzo dawna znalazła się w sytuacji, nad którą nie miała kontroli. Na dodatek sama się w tę sytuację wpędziła.

– Czy ty przypadkiem nie próbujesz mnie uwieść? – wyszeptała.

– Nie musisz się mnie obawiać. Nigdy nie narzucam się damom.

Z pewnością nie zachodziła taka potrzeba. Najprawdopodobniej jeszcze nie spotkał się z odmową ze strony żadnej kobiety.

Amanda pomyślała, że to jest bez wątpienia najciekawsza sytuacja w jej życiu. Było ono wyjątkowo monotonne i tylko

postacie powieści, które pisała, robiły i mówiły to, na co ona sama nigdy by się nie odważyła.

Jakby czytając w jej myślach, gość uśmiechnął się leniwie i oparł podbródek na ręku. Jeśli rzeczywiście chciał ją uwieść, wcale się z tym nie śpieszył.

– Jesteś dokładnie taka, jak sobie wyobrażałem – stwierdził cicho. – Czytałem twoje powieści... przynajmniej tę ostatnią. Niewiele kobiet pisze tak jak ty.

Amanda nie lubiła rozmawiać na temat swojej pracy. Czuła się niezręcznie, kiedy wychwalano jej powieści, a kiedy je krytykowano, była bardzo speszona. Jednak opinia tego mężczyzny bardzo ją zainteresowała.

– Nie spodziewałam się, że pro... że mężczyzna, który... że dżigolacy czytują powieści.

– No cóż, coś musimy robić w wolnym czasie – odrzekł rozsądnie. – Nie możemy całego życia spędzać w łóżku. A tak przy okazji, to słowo wymawia się inaczej.

Amanda wysączyła resztę wina i tęsknie spojrzała w stronę kredensu. Miała ochotę jeszcze się napić.

– Nie teraz – powiedział Jack, odebrał jej pusty kieliszek i odstawił na stolik. Przy tym ruchu znalazł się tuż nad nią i Amanda cofnęła się nerwowo, tak że niemal leżała na oparciu kanapy. – Nie będę mógł cię uwieść, jeśli wypijesz za dużo wina – oznajmił. Ciepły oddech owionął jej policzek i chociaż Jack jej nie dotykał, wyraźnie czuła jego bliskość.

– Nie podejrzewałam, że masz tego rodzaju skrupuły – oznajmiła drżącym głosem.

– Och, nie mam żadnych skrupułów – zapewnił beztrosko. – Po prostu lubię wyzwania. Jeśli wypijesz więcej wina, będziesz zbyt łatwą zdobyczą.

– Ty bezczelny, próżny... – zaczęła z oburzeniem, ale umilkła, widząc łobuzerski błysk w jego oczach. Celowo ją prowokował. Kiedy się od niej odsunął, ucieszyła się, ale zaraz tego

pożałowała. Nie mogąc się powstrzymać, zapytała: – Podobała ci się moja ostatnia powieść?

– Owszem, tak. Z początku myślałem, że to będzie typowa historia z życia wyższych sfer. Najbardziej spodobało mi się, że te szlachetne, dobrze urodzone postacie w miarę rozwoju akcji zaczynają się zmieniać. Przyzwoici ludzie posuwają się w końcu do oszustwa, przemocy, zdrady... Piszesz o wszystkim tak otwarcie, bez uprzedzeń.

– Krytycy twierdzą, że moje powieści są nieprzyzwoite.

– To dlatego, że wszystkie twoje książki mają jeden temat: że zwykli ludzie w prywatnym życiu są zdolni do niezwykłych rzeczy. Takie twierdzenie sprawia, że czują się nieswojo.

– A więc naprawdę czytałeś moje powieści – stwierdziła zaskoczona.

– I zastanawiałem się, jak wygląda prywatne życie układnej panny Briars.

– Teraz już wiesz. Jestem kobietą, która w dniu własnych urodzin wynajmuje zigolaka.

Roześmiał się cicho, słysząc to smutne stwierdzenie.

– Tak też się tego nie wymawia. – Znów przyjrzał jej się uważnie i odezwał się zmienionym głosem. W jego rozbawionym tonie nawet niedoświadczona Amanda usłyszała zmysłową nutę. – Skoro jeszcze nie poprosiłaś mnie, żebym wyszedł, to rozpuść włosy. – Nie poruszyła się, tylko patrzyła na niego rozszerzonymi oczyma, więc zapytał cicho: – Boisz się?

O, tak. Całe życie bała się takiej chwili... ryzyka, możliwości odrzucenia i wyśmiania. Bała się też rozczarowania. Możliwe przecież, że odkryje, iż intymne chwile z mężczyzną są tak obrzydliwe, jak opowiadały siostry. Ostatnio jednak stwierdziła, że jest coś, czego boi się jeszcze bardziej. Najgorzej by było, gdyby nigdy nie poznała tej wielkiej, kuszącej tajemnicy, którą znają chyba wszyscy inni ludzie na świecie. W swoich powieściach doskonale opisywała wywoływaną przez tę tajemnicę namiętność, tęsknotę, szaleństwo i ekstazę. Szczęście jej nie

dopisało i żaden mężczyzna nie zakochał się w niej tak mocno, żeby chcieć związać z nią życie. Ale czy to znaczy, że nikt nigdy jej nie zapragnie, nie będzie pożądał, że do nikogo nie będzie należała? W swoim życiu kobieta przeżywa może dwadzieścia tysięcy nocy. Choć jedną z nich chciała spędzić z kimś.

Ręka sama powędrowała do szpilek. Amanda przez ostatnie szesnaście lat upinała włosy w ten sam sposób. Skręcała wijące się pasma i układała je w ciasny, gładki węzeł. Potrzeba było dokładnie sześciu szpilek, żeby go starannie upiąć. Rano jej włosy układały się dość gładko, jednak w miarę upływu dnia drobne loczki wymykały się z uwięzi i zaczynały tworzyć wokół twarzy puszystą aureolę.

Jedna szpilka, druga, trzecia... wyjmowała je z włosów i ściskała w dłoni, aż ich ostre końce wbijały się w ciało. Kiedy wyjęła ostatnią szpilkę, ciasno splecione pukle rozluźniły się i ciężko opadły na jedno ramię.

W niebieskich oczach nieznajomego zabłysły ogniki. Wyciągnął rękę ku jej włosom, ale w ostatniej chwili się zawahał.

– Czy mogę? – zapytał chrapliwie.

Jeszcze żaden mężczyzna nie prosił o pozwolenie dotknięcia jej.

– Tak – odrzekła, ale dopiero za drugim razem zdołała wypowiedzieć to słowo wyraźnie. Zamknęła oczy i poczuła, że przysunął się bliżej. Przebiegł ją lekki dreszcz, kiedy Jack palcami delikatnie przeczesywał jej włosy, rozdzielając skręcone loki. Jego palce znikały między gęstymi pasmami, lekko muskając skórę jej głowy i rozkładając wijące się pukle na ramionach.

Położył rękę na dłoni Amandy i rozprostował jej palce, aż upuściła metalowe szpilki. Kciukiem wygładził drobne, czerwone ślady, które pozostawiły ostre końce, a potem uniósł jej dłoń do ust i pocałował obolałe miejsca.

Nie odsuwając ust od wnętrza jej dłoni, powiedział:

– Twoja ręka pachnie cytrynami.

Otworzyła oczy i spojrzała na niego poważnie.

– Nacieram dłonie sokiem cytrynowym, żeby usunąć plamy z atramentu.

Ta informacja najwyraźniej go rozbawiła. W jego oczach widać było teraz również iskierki humoru. Wypuścił rękę Amandy i zaczął się bawić jej włosami, mimochodem dotykając grzbietem dłoni jej ramienia. Na chwilę wstrzymała oddech.

– Powiedz mi, dlaczego wynajęłaś mężczyznę od pani Bradshaw, zamiast uwieść któregoś ze swoich znajomych?

– Z trzech powodów. – Mówienie przychodziło jej z trudem, ponieważ nieznajomy cały czas gładził ją po włosach. Na szyi i policzkach poczuła falę gorąca. – Po pierwsze, nie chciałam iść do łóżka z kimś, kogo potem będę musiała widywać na spotkaniach towarzyskich. Po drugie, nie potrafiłabym nikogo uwieść, brakuje mi tej umiejętności.

– Bardzo łatwo się tego nauczyć, Brzoskwinko.

– Nie nazywaj mnie tak – zaprotestowała z niepewnym śmiechem. – To niedorzeczne przezwisko.

– A po trzecie... – podpowiedział, zachęcając ją do dalszych wyjaśnień.

– A po trzecie... Nie pociąga mnie żaden ze znanych mi dżentelmenów. Próbowałam sobie wyobrazić, jak by to było, ale żadnym z nich nie jestem zainteresowana w ten szczególny sposób.

– A jaki mężczyzna mógłby ci się spodobać?

Amanda lekko drgnęła, czując, że ręka Jacka otacza jej ramiona.

– No cóż... Na pewno nie przystojny.

– Dlaczego?

– Ponieważ atrakcyjności fizycznej zawsze towarzyszy próżność.

Uśmiechnął się niespodziewanie.

– I pewnie uważasz, że brzydocie towarzyszą rozliczne zalety?

– Tego nie powiedziałam – zaprotestowała. – Chodzi mi tylko o to, że wolę mężczyzn nie wyróżniających się wyglądem.

– A jeśli chodzi o charakter?

– Musiałby być miły, inteligentny, ale nie zarozumiały, wesoły, ale nie lekkomyślny.

– Coś mi się zdaje, Brzoskwinko, że twój ideał mężczyzny to wcielenie przeciętności. Wydaje mi się też, że nie mówisz prawdy na temat swoich pragnień.

Otworzyła szeroko oczy i z irytacją zmarszczyła czoło.

– Trzeba ci wiedzieć, że zawsze jestem szczera aż do przesady!

– W takim razie powiedz mi, że nie chciałabyś spotkać kogoś takiego jak jedna z postaci z twoich książek. Na przykład podobnego do bohatera ostatniej twojej powieści.

Prychnęła drwiąco.

– Miałby być podobny do tego pozbawionego zasad indywiduum, które wszystkich wokół siebie doprowadza do zguby? Do barbarzyńcy, zdobywającego kobiety wbrew ich woli? To nie był żaden bohater. Opisałam go, żeby pokazać, czym się kończy takie postępowanie. – Amanda zapaliła się do tematu i mówiła dalej z pogardą: – A czytelnicy mieli czelność narzekać, że nie było tam szczęśliwego zakończenia. Przecież to jasne, że ten typ na takie nie zasługiwał!

– A jednak trochę go lubiłaś – stwierdził Jack i spojrzał na nią uważnie. – Poznałem to po tym, jak o nim pisałaś.

Uśmiechnęła się skrępowana.

– Być może w świecie fantazji darzyłam go odrobiną sympatii, ale nie w rzeczywistości.

Jack objął ją mocniej.

– A więc niech to będzie twój prezent urodzinowy, Amando. Noc z krainy fantazji. – Pochylił się nad nią, szerokimi ramionami przesłaniając jej widok na ogień w kominku, i zaczął ją całować.

2

Zaczekaj. – Amanda w panice odwróciła głowę, kiedy usta Jacka znalazły się tuż obok jej ust. Wargi Jacka przylgnęły do jej policzka i poczuła zadziwiające, miłe ciepło. – Zaczekaj – powtórzyła drżącym głosem. Siedziała zwrócona twarzą do ognia, którego żółty blask mocno oślepiał, i starała się unikać pocałunków nieznajomego. Delikatnie muskał ustami jej policzek.

– Amando, czy ktoś kiedyś już cię całował?

– Oczywiście, że tak – odparła z urażoną dumą, ale nie miała zamiaru dodawać, że to były zupełnie inne pocałunki niż dzisiejszy. Całus skradziony w ogrodzie albo symboliczny uścisk i buziak pod świąteczną jemiołą nie były tym samym, co gorące objęcia mężczyzny ogarniętego pożądaniem. – Wy...wydaje mi się, że masz w tych sprawach wielkie doświadczenie – powiedziała. – Trudno się dziwić... W tym zawodzie...

Uśmiechnął się szeroko.

– Chciałabyś się przekonać?

– Najpierw chcę cię o coś zapytać. Jak... jak długo się tym zajmujesz?

Od razu zrozumiał, o co jej chodzi.

– Od kiedy pracuję dla pani Bradshaw? Wcale nie tak długo.

Ciekawa była, co też mogło przywieść takiego mężczyznę do uprawiania prostytucji. Może stracił pracę lub został z niej zwolniony za popełnienie jakiegoś błędu? A może popadł w długi i potrzebował dodatkowych zarobków? Z jego wyglądem, inteligencją i ogładą łatwo znalazłby zajęcie w wielu zawodach. Musiał być naprawdę zdesperowany albo leniwy i rozpustny.

– Masz rodzinę? – wypytywała.

– Nie warto o niej wspominać. A ty?

Słysząc zmianę w tonie jego głosu, Amanda podniosła wzrok. Oczy Jacka spoglądały teraz poważnie, a jego twarz wydała się jej tak pełna surowego piękna, że aż coś ścisnęło ją w sercu.

– Rodzice już nie żyją – odrzekła – ale mam dwie starsze siostry, obie zamężne. Mam też dużą liczbę siostrzeńców i siostrzenic.

– Dlaczego nie wyszłaś za mąż?

– A dlaczego ty się nie ożeniłeś? – odparowała.

– Za bardzo cenię sobie niezależność, żeby się jej wyrzec, nawet częściowo.

– Mną kierowało to samo – przyznała. – Poza tym każdy, kto lepiej mnie poznał, zaświadczy, że jestem bezkompromisowa i uparta.

Uśmiechnął się leniwie.

– Po prostu należy się z tobą odpowiednio obchodzić.

– Odpowiednio się ze mną obchodzić? – powtórzyła cierpko. – Może mi łaskawie wyjaśnisz, co właściwie masz na myśli?

– Tylko to, że mężczyzna, który wie cokolwiek o kobietach, potrafiłby sprawić, żebyś mruczała jak zadowolona kotka.

To stwierdzenie jednocześnie zirytowało ją i rozśmieszyło. Co za drań! Nie dała się jednak zwieść pozorom. Chociaż mówił żartobliwie, było w nim coś – jakieś napięcie, wyrywająca się spod kontroli siła – co kazało jej zachować czujność. Nie był to niedoświadczony chłopak, tylko w pełni dojrzały mężczyzna. Choć Amanda nie była doświadczona, z tego, jak

na nią patrzył, odgadła, że czegoś od niej chce. Może ją sobie podporządkować, może wykorzystać seksualnie, a może po prostu wyciągnąć od niej pieniądze?

Patrząc jej prosto w oczy, rozluźnił węzeł zawiązanego pod szyją fularu z szarego jedwabiu i zdjął go powoli, jakby się bał, że jakikolwiek gwałtowny ruch może ją spłoszyć. Rozpiął trzy górne guziki koszuli, a potem odchylił się i spojrzał uważnie na jej zarumienioną twarz.

W dzieciństwie zdarzało się Amandzie widywać fragment porośniętej siwymi włosami piersi ojca, kiedy ten chodził po domu w szlafroku. Oczywiście widywała też robotników i parobków w rozpiętych koszulach, nie pamiętała jednak, żeby którykolwiek z nich miał pierś niczym odlaną z brązu, o mocnych, wyraźnie zaznaczonych mięśniach, które wprost połyskiwały. Jego ciało wydawało się twarde i gorące. Płomienie tańczące w kominku złociły gładką skórę Jacka, podkreślając trójkątne zagłębienie u nasady szyi.

Miała ochotę go dotknąć. Chciała przyłożyć wargi do tego intrygującego zagłębienia i wchłonąć jeszcze więcej odurzającego zapachu tego mężczyzny.

– Chodź tutaj, Amando. – Jego głos brzmiał cicho, ledwie słyszalnie.

– Nie mogę – odmówiła niepewnie. – Wydaje mi się, że powinieneś już iść.

Jack pochylił się i delikatnie chwycił ją za nadgarstki.

– Nie zrobię ci krzywdy – wyszeptał. – Nie zrobię nic, co by ci się nie podobało, ale nie wyjdę stąd, jeśli przedtem nie wezmę cię w ramiona.

Miała zamęt w głowie, a jednocześnie ogarniało ją pożądanie, i to wszystko sprawiało, że czuła się całkowicie bezradna. Gdy przyciągnął ją bliżej, oparła się o niego, ale dalej siedziała sztywno wyprostowana. Jack pogładził dużą dłonią jej plecy, aż przeszedł ją dreszcz. Skórę miał gorącą, jakby pod tą gładką, złotawą powierzchnią płonął żywy ogień.

Oddech Amandy stał się krótki, urywany. Z zamkniętymi oczami napawała się uczuciem zalewającego ją od stóp do głów ciepła. Po raz pierwszy w życiu bezwładnie wsparła głowę na ramieniu mężczyzny.

Kiedy wyczuł, że drży, przytulił ją mocniej i powiedział pieszczotliwie:

– Nie bój się, *mhuirnin*. Nie skrzywdzę cię.

– Jak mnie nazwałeś? – zapytała ze zdumieniem.

Uśmiechnął się.

– To takie czułe słówko. Czyżbym ci jeszcze nie powiedział, że jestem Irlandczykiem?

To by wyjaśniało jego akcent, staranny, ale trochę śpiewny, złagodzony celtycką nutą. Tłumaczyło to również, dlaczego szukał pracy w przybytku pani Bradshaw. Rzemieślnicy i kupcy często woleli zatrudnić gorzej wykwalifikowanych Anglików niż Irlandczyków, zostawiając dla nich najbrudniejszą i najbardziej niewdzięczną pracę.

– Czyżbyś miała jakieś uprzedzenia wobec Irlandczyków? – zapytał, patrząc jej prosto w oczy.

– Ależ skąd – odrzekła półprzytomnie. – Tylko tak sobie myślałam... że pewnie dlatego jesteś taki ciemny i masz takie niebieskie oczy.

– *A chuisle mo chroi* – wyszeptał, odgarniając z jej czoła wijące się kosmyki.

– Co to znaczy?

– Kiedyś ci wyjaśnię. Kiedyś... – Długo trzymał ją w objęciach, aż poczuła, że ze wszystkich stron otacza ją ciepło jego ciała. Rozluźniła się i uspokoiła. Dotknął palcami obszytej muślinową falbanką wysokiej stójki sukni w brązowe i pomarańczowe pasy. Ostrożnie, bez szczególnego pośpiechu, rozpiął kilka guzików i obnażył miękką, gładką szyję. Amanda nie potrafiła już kontrolować rytmu własnego oddechu. Jej pierś co chwila unosiła się i opadała. Jack pochylił się i nagle Amanda poczuła na szyi dotyk jego ust. Z jej gardła wydarł się cichy jęk.

– Jesteś taka słodka. – Te wypowiedziane szeptem słowa sprawiły, że po plecach przebiegł jej dreszcz. Kiedy wyobrażała sobie intymne chwile z mężczyzną, zawsze na myśl przychodziła jej ciemność i niezdarne, pośpieszne, natarczywe dotknięcia. Nie przyszło jej do głowy, że może się to dziać w blasku i cieple ognia i że ktoś tak cierpliwie i delikatnie będzie się starał rozbudzić jej ciało. Usta Jacka powędrowały w górę, do wrażliwej muszli ucha. Kiedy Amanda poczuła lekkie dotknięcie języka, drgnęła zaskoczona.

– Jack – wyszeptała. – Nie musisz odgrywać roli mojego kochanka. Naprawdę... to bardzo miło z twojej strony, ale nie musisz udawać, że ci się podobam i...

Wyczuła, że się uśmiechnął.

– Musisz być bardzo niewinna, *mhuirnin*, skoro uważasz, że mężczyzna potrafi z grzeczności udawać coś takiego.

W tej samej chwili Amanda zdała sobie sprawę, że coś w intymny sposób uciska jej biodro, i natychmiast znieruchomiała. Twarz jej poczerwieniała, a myśli chaotycznie przebiegały jej przez głowę jak niesione wichurą płatki śniegu po niebie. Była zawstydzona i... nie posiadała się z ciekawości. Siedzieli wtuleni w siebie. Amanda nigdy nie była tak blisko pobudzonego mężczyzny.

– Oto twoja szansa, Amando – szepnął Jack. – Jestem twój. Rób ze mną, co ci się podoba.

– Ale ja nie wiem, co robić – odparła drżąco. – Właśnie dlatego cię wynajęłam.

Roześmiał się i pocałował jej odsłoniętą szyję, tam gdzie można było wyczuć bijący szaleńczo puls. Ta sytuacja wydawała jej się tak nieprawdopodobna, tak niepasująca do jej normalnego życia, że miała wrażenie, iż jest kimś innym, a nie Amandą Briars – wiecznie skrobiącą piórem po papierze starą panną o poplamionych atramentem palcach, grzejącą nogi butelką z ciepłą wodą. Stała się kimś łagodnym... bezbronnym... kobietą zdolną do pożądania i pożądaną.

Nagle zdała sobie sprawę, że zawsze trochę bała się mężczyzn. Niektóre kobiety doskonale rozumieją przeciwną płeć, jej jednak przychodziło to z trudem. Wiedziała tylko tyle, że nawet kiedy była młoda, dżentelmeni nigdy z nią nie żartowali ani nie flirtowali. Rozmawiali z nią o poważnych sprawach, traktowali ją z szacunkiem, zgodnie z zasadami dobrego wychowania, i nigdy nawet nie przyszło im do głowy, że byłoby jej miło, gdyby popatrzyli na nią czasem bardziej frywolnie.

A teraz ten niesamowicie przystojny mężczyzna, choć bez wątpienia zimny drań, najwyraźniej bardzo chciał się dostać pod jej spódnicę. Dlaczego miałaby mu odmówić pocałunków i pieszczot? Co dobrego mogło jej przynieść zachowanie cnoty? Wiedziała, że cnota nie ogrzeje zimnego łóżka.

Odważnie chwyciła Jacka za poły koszuli i przyciągnęła do siebie. Natychmiast się poddał i lekko przylgnął ustami do jej ust. Zalało ją przyjemne ciepło, a on naparł na nią trochę mocniej, aż musiała rozchylić wargi. Kiedy jego język dotknął wnętrza jej ust, zaskoczona zupełnie nowym i dziwnym doznaniem chciała się cofnąć, ale ramię Jacka to uniemożliwiło. W różnych częściach ciała, których nie potrafiła nawet nazwać, zaczęła odczuwać dziwne napięcie. Pragnęła, żeby jeszcze raz zbadał językiem jej usta. Było to tak dziwne, tak intymne i podniecające, że nie potrafiła zdusić cichego jęku. Ciało rozluźniało się z wolna, ręce same spoczęły na jego czarnych, jedwabistych włosach, przyciętych tuż nad karkiem.

– Rozepnij mi koszulę – wyszeptał Jack. Całował ją nieprzerwanie, kiedy niezdarnie rozpinała guziki jego kamizelki i lnianej koszuli. Cienka tkanina była rozgrzana i przesycona zapachem jego ciała. Gładka skóra na torsie lśniła złotawo, twarde mięśnie lekko drgały pod dotykiem kobiecych palców. Ciepło bijące od jego ciała kusiło ją, jak miska pełna śmietanki kusi kota.

– Jack – wyszeptała, z trudem chwytając oddech. – Nie chcę posuwać się jeszcze dalej... Ja... Taki prezent urodzinowy w zupełności mi wystarczy.

Roześmiał się cicho i wtulił usta w jej szyję.

– Dobrze.

Przytuliła się do jego nagiej piersi, łapczywie chłonąc jego ciepło i zapach.

– Och, to okropne.

– Dlaczego? – zapytał. Bawił się jej lokami i lekko gładził wrażliwą skórę na skroniach.

– Ponieważ czasami lepiej jest nie wiedzieć, co się w życiu traci.

– Moja słodka – wyszeptał i skradł jej pocałunek. – Pozwól mi zostać z tobą trochę dłużej.

Nim zdążyła odpowiedzieć, zaczął ją całować śmielej niż poprzednio. Jego duże dłonie delikatnie przytrzymywały jej głowę, zatopione w kaskadzie rozpuszczonych włosów. Amanda pragnęła wtulić się w niego jak najmocniej. Nigdy jeszcze nie czuła tak silnego fizycznego pobudzenia. Jack był taki silny, dobrze zbudowany, tak łatwo mógł ją zniewolić, a jednak obchodził się z nią zadziwiająco delikatnie. Amanda zastanawiała się półprzytomnie, dlaczego się go nie lęka, choć przecież powinna. Od dzieciństwa wbijano jej do głowy, że mężczyznom nie należy ufać, że to niebezpieczne istoty, niezdolne do panowania nad swoimi popędami. A jednak przy tym mężczyźnie czuła się bezpieczna. Położyła dłonie na jego piersi i poczuła szybkie, mocne bicie serca.

Oderwał usta od jej ust i spoglądał na nią oczami tak pociemniałymi, że już nie wyglądały na niebieskie.

– Amando, ufasz mi?

– Oczywiście, że nie – odrzekła. – Nic o tobie nie wiem.

Roześmiał się.

– Rozsądna kobieta. – Zaczął rozpinać guziki jej sukienki, zręcznie wyłuskując z pętelek rzeźbione krążki z kości słoniowej.

Amanda zamknęła oczy. Serce biło jej lekko, a zarazem gwałtownie, niczym trzepoczący się w panice ptak. Powtarzała sobie w myślach, że już nigdy więcej nie zobaczy tego czło-

wieka. Pozwoli sobie na chwilę zapomnienia w jego towarzystwie, a potem zachowa ją na zawsze w najgłębszym, najtajniejszym zakamarku pamięci, tylko i wyłącznie dla siebie. Kiedy już będzie starą kobietą, od dawna przywykłą do samotności, wspomni sobie czasem, że kiedyś przeżyła wspaniały wieczór z przystojnym nieznajomym.

Pod rozpiętą suknią w brązowe pasy ukazała się zwiewna koszulka z cieniutkiej jak mgiełka bawełny, a pod nią lekki gorset na cienkich fiszbinach, zapinany z przodu na haftki. Amanda zastanawiała się, czy nie powinna udzielić Jackowi wskazówek, jak się taki gorset rozpina, ale szybko się przekonała, że czynność ta jest mu dobrze znana. Najwyraźniej nie był to pierwszy gorset, z jakim miał w życiu do czynienia. Lekko ściągnął jego brzegi i cały rząd drobnych haftek rozpiął się z zadziwiającą łatwością. Pomógł Amandzie wyswobodzić ramiona z rękawów sukni, więc teraz półleżała przed nim z piersiami okrytymi jedynie cienkim, niemal przezroczystym batystem. Czuła się całkiem obnażona i musiała siłą woli się powstrzymywać, żeby nie podciągnąć sukni i nie okryć się nią szczelnie.

– Zimno ci? – zapytał Jack z troską, zauważywszy jej niespokojny ruch, i przytulił ją mocniej do piersi. Był silny i pełen energii, ciepło jego ciała przenikało przez koszulę i przyprawiało Amandę o drżenie, które nie miało nic wspólnego ze zdenerwowaniem czy chłodem.

Jack odsunął ramiączko halki i przylgnął ustami do białej skóry na ramieniu Amandy. Dotykał jej delikatnie, obwodząc długimi palcami krągłą pierś. Po chwili nakrył ją dłonią i delikatnie pieścił przez cieniutką materię koszulki. Amanda zamknęła oczy. Przywarłszy ustami do jego policzka, poczuła lekką szorstkość zarostu. Przeciągnęła wargami aż do szyi, gdzie skóra stała się gładka i jedwabista.

Usłyszała, że Jack gorączkowo, zduszonym głosem, szepcze coś po irlandzku. Ujął jej głowę w obie dłonie, odchylił

na oparcie kanapy i zaczął całować jej piersi przez bawełnianą koszulkę.

– Pomóż mi zsunąć w dół tę koszulkę – wyszeptał chrapliwie. – Proszę, Amando.

Zawahała się. Przez chwilę słychać było tylko pośpieszne, urywane oddechy ich obojga. Potem zsunęła cienką halkę aż do talii, zupełnie obnażając piersi. Wydawało jej się niemożliwe, że leży wyciągnięta na kanapie z nieznajomym mężczyzną, półnaga, rzuciwszy gorset na podłogę.

– Nie powinnam tego robić – powiedziała drżącym głosem, na próżno starając się zakryć rękami pulchne piersi. – Nie powinnam była w ogóle wpuścić cię do domu.

– To prawda. – Z uśmiechem zdjął koszulę, ukazując niewiarygodnie piękny, imponująco umięśniony tors. Kiedy się pochylił, Amanda poczuła, że rośnie w niej napięcie. Próbowała nie zważać na swoje zahamowania i poczucie skromności. – Czy mam przestać? – zapytał, przyciągając ją do siebie. – Nie chciałbym cię przestraszyć.

Przycisnęła policzek do ramienia Jacka i przez moment napawała się dotykiem nagiej męskiej skóry. Nigdy jeszcze nie czuła się tak bezbronna, ale bardzo jej się to uczucie podobało.

– Nie boję się – powiedziała, oszołomiona i zdziwiona własną śmiałością. Nie osłaniając się już ramionami, przywarła nagim ciałem do piersi Jacka.

Z jego gardła wydobył się bolesny jęk. Ukrył głowę w zagłębieniu jej ramienia i całując ją, zaczął zsuwać się coraz niżej. Dotykał językiem jej piersi, zataczając leniwe kręgi, a ciepło jego oddechu parzyło ją jak ogień. Wolno, spokojnie przesunął się ku drugiej piersi, a ona załkała cicho, ponaglając go w ten sposób. Jack nie śpieszył się, jakby czas przestał istnieć i jakby miał całą wieczność, żeby cieszyć się ciałem Amandy.

Uniósł spódnicę i przywarł biodrami do jej ciała. Wciągnęła głęboko powietrze, czując jego nacisk dokładnie tam, gdzie najbardziej tego pragnęła. To nieprzyzwoite, że on tak dobrze

zna kobiece ciało. Jego ruchy sprawiały, że przepływały przez nią fale rozkoszy. Czuła, że przepełnia ją jakaś pulsująca energia.

Wciąż oddzielały ich od siebie warstwy ubrania, spodnie, buty, bielizna, nie mówiąc już o uciążliwych fałdach materiału sukni Amandy. Nagle ogarnęło ją szokujące dla niej samej pragnienie, żeby się tego wszystkiego pozbyć i poczuć na sobie całkiem nagie ciało Jacka. Jakby czytając w jej myślach, roześmiał się niepewnie i chwycił ją za rękę.

– Nie, Amando... Dzisiaj nie stracisz dziewictwa.

– Dlaczego?

Położył jej dłoń na piersi i przywarł ustami do jej szyi.

– Ponieważ najpierw powinnaś się o mnie dowiedzieć kilku rzeczy.

Teraz, kiedy wyglądało na to, że Jack jednak nie uwiedzie jej do końca, Amanda strasznie tego zapragnęła.

– Ale przecież my się już nigdy nie spotkamy – odparła rozżalona. – No i dziś są moje urodziny.

Jack roześmiał się. Pocałował ją w usta i mocno przytulił, szepcząc do ucha czułe słówka. Jeszcze nikt do niej tak nie mówił. Mężczyzn onieśmielało jej opanowanie i zasadniczy sposób bycia. Żaden dżentelmen nie ośmielił się nazwać jej swoim kochaniem, ślicznotką, słodkim skarbem... i przy żadnym nie czuła, że te określenia naprawdę do niej pasują. Była wdzięczna Jackowi, że wprawił ją w taki nastrój, ale zarazem miała to sobie za złe. Teraz już dokładnie wiedziała, dlaczego nie powinna była sprowadzać tego tajemniczego osobnika do swojego domu. Lepiej było w ogóle nie zaznać takich wrażeń, skoro nigdy więcej nie miały być jej udziałem.

– Amando – wyszeptał, źle sobie tłumacząc przyczynę jej nagłego smutku. – Zaraz poczujesz się lepiej. Zaczekaj chwilę... Pozwól mi... – I wprawnie wsunął rękę pod spódnicę.

Amandzie kręciło się w głowie. Leżała nieruchomo, obejmując Jacka ramionami, kiedy dotykał aksamitnej skóry jej

brzucha, a potem tam, gdzie nawet sama nigdy się nie dotykała. Nie mogąc się opanować, konwulsyjnie poruszała biodrami.

Irlandzki akcent Jacka był teraz dużo wyraźniejszy.

– Czy właśnie tutaj cię boli, *mhuirnin*?

Wtulona w jego szyję, wydała stłumiony okrzyk. Palce Jacka błądziły po najwrażliwszym miejscu jej ciała, a ona miała wrażenie, że zaczyna w niej płonąć ogień. Zniewolona, chętnie poddawała się jego pieszczotom. Odchyliła głowę do tyłu i wpatrzyła się w niego półprzytomnym wzrokiem. Jego oczy przybrały kolor, którego nigdy dotąd nie widziała, może jedynie w snach... Były jasne, jaskrawoniebieskie. Krzyknęła cicho i wygięła się w łuk, poddając się zalewającej ją fali rozkoszy.

Dała się unosić ekstazie, gdy wtem Jack z jękiem odsunął się od niej, usiadł i odwrócił głowę. Tak nagle przerwał pieszczoty, że czuła niemal fizyczny ból. Zrozumiała, że chociaż doprowadził ją do szczytu rozkoszy, sam nie mógł tego osiągnąć. Niepewnie położyła rękę na jego udzie, dając mu znać, że pragnie dostarczyć mu takiej samej przyjemności, jaką on dał jej. Nadal na nią nie patrząc, uniósł jej dłoń do ust i ucałował wnętrze.

– Amando – powiedział szorstkim głosem. – Nie mogę już dłużej sobie ufać. Muszę wyjść, dopóki jestem w stanie to zrobić.

– Zostań ze mną. Zostań na całą noc. – Zdziwiła się, słysząc w swoim głosie rozmarzony, tęskny ton.

Jack spojrzał na nią z ukosa i zobaczył rumieniec, który nie znikał z jej policzków. Pogładził jej dłoń, jakby chciał wetrzeć w skórę odcisk pocałunku, który przed chwilą tam złożył.

– Nie mogę.

– Czy... czy chodzi o to... że masz dziś jeszcze jedną wizytę? – zapytała z wahaniem. Na myśl o tym, że z jej ramion pójdzie prosto do innej kobiety, poczuła się okropnie.

Roześmiał się krótko.

– Dobry Boże, nie. Tylko że... – Urwał i spojrzał na nią

przeciągle. – Wkrótce to zrozumiesz. – Pochylił się i pocałował ją lekko w podbródek, policzki i powieki.

– Już więcej... po ciebie nie poślę – oznajmiła zażenowana.

Sięgnął po leżący obok pled i okrył ją starannie.

– Tak, wiem – odrzekł, wyraźnie rozbawiony.

Nie otwierając oczu, słuchała szelestu lnianej tkaniny, kiedy Jack ubierał się przy kominku. Ze wstydem, ale i z przyjemnością, rozmyślała o tym, co jej się przydarzyło tego wieczoru.

– Dobranoc, Amando – powiedział cicho i odszedł, a ona została sama, półnaga, w pomiętej sukni, oświetlona tylko blaskiem ognia. Miękki, kaszmirowy pled otulał jej nagie ramiona. Rozpuszczone, wijące się włosy spływały na oparcie kanapy.

Przychodziły jej do głowy bezsensowne myśli... Miała ochotę odwiedzić Gemmę Bradshaw i wypytać ją o mężczyznę, którego tu dziś przysłała. Chciała dowiedzieć się o Jacku czegoś więcej. Ale czemu miałoby to służyć? On żył w zupełnie innym świecie – podejrzanym i zagadkowym. Nie mogłaby się z nim zaprzyjaźnić i choć dziś nie wziął od niej pieniędzy, następnym razem na pewno by to zrobił. Nie spodziewała się, że ogarną ją takie uczucia. Miała wyrzuty sumienia, ale czuła też jakąś tęsknotę. W całym ciele nadal rozpływało się rozkoszne ciepło, a po skórze przebiegały lekkie dreszcze, jakby ktoś lekko dotykał jej piórkiem. Przypomniała sobie jego śmiałe dłonie, usta na swoich piersiach i z jękiem wstydu zakryła pledem twarz.

Jutro rozpocznie resztę swojego życia, tak jak to sobie obiecała. Ale tej nocy pozwoli sobie na fantazje o mężczyźnie, który już w tej chwili wydawał jej się bardziej postacią ze snu niż człowiekiem z krwi i kości.

– Wszystkiego najlepszego z okazji urodzin – wyszeptała sama do siebie i uśmiechnęła się.

3

Po śmierci ojca Amanda bez wahania podjęła decyzję o przeprowadzce do Londynu. Mogła zostać w Windsorze. W tym mieście, oddalonym zaledwie około czterdziestu kilometrów od Londynu, znalazłaby również kilku zasługujących na uwagę wydawców. Mieszkała tam od urodzenia. Siostry wraz z rodzinami osiedliły się w najbliższej okolicy, jej natomiast ojciec zapisał w testamencie mały, ale wygodny rodzinny dom Briarsów.

Jednak po pogrzebie ojca Amanda niezwłocznie sprzedała dom, wywołując głośne protesty sióstr, Helen i Sophii. Tłumaczyły jej ze złością, że tutaj się urodziły, więc Amanda nie ma prawa pozbywać się domu, z którym tak mocno związana jest historia rodziny Briarsów.

Słuchała ich krytycznych uwag ze spokojną miną, ale w głębi duszy kryła ponurą satysfakcję. Uważała, że ma prawo rozporządzać domem według własnej woli. Może Helen i Sophia nadal czuły do niego sentyment, ale dla niej przez pięć lat był on więzieniem. Siostry wyszły za mąż i przeprowadziły się do własnych domów, natomiast Amanda została przy rodzicach i pielęgnowała każde z nich w chorobie, aż do ich śmierci. Matka przez trzy lata umierała na suchoty. Odchodziła długo, boleśnie i w przykry dla wszystkich sposób. Potem zaniemógł ojciec, nękany najróżniejszymi przypadłościami, które w końcu całkowicie wyniszczyły jego organizm.

Cały ciężar opieki nad rodzicami spoczywał na barkach Amandy. Siostry były zbyt zajęte własnymi rodzinami, żeby zaoferować jej jakąkolwiek pomoc, a większość krewnych i przyjaciół uznała, że Amanda jest wystarczająco zaradna i silna, żeby mogła dać sobie ze wszystkim radę sama. Była przecież starą panną, więc cóż innego miała w życiu do roboty?

Jedna poczciwa ciotka oznajmiła jej nawet w dobrej wierze, że jest przekonana, iż to sam Pan Bóg nie dopuścił do jej zamążpójścia właśnie po to, żeby schorowani rodzice mieli na stare lata właściwą opiekę. Amanda żałowała, że dobry Pan Bóg nie wpadł na jakiś lepszy pomysł. Najwyraźniej nikomu jakoś nie przyszło do głowy, że Amanda być może złapałaby męża, gdyby ostatnich lat przemijającej młodości nie poświęciła na zajmowanie się matką i ojcem.

Te lata były dla niej bardzo trudne, zarówno psychicznie, jak i fizycznie. Matka, która zawsze miała cięty język i była wiecznie ze wszystkiego niezadowolona, znosiła ciężką, wyniszczającą chorobę z zadziwiającym spokojem i godnością. Pod koniec życia stała się łagodniejsza i bardziej kochająca niż kiedykolwiek przedtem, więc jej odejście było dla córki wyjątkowo bolesne.

Ojciec, dla odmiany, zmienił się w chorobie z pogodnego człowieka w najbardziej nieznośnego pacjenta, jakiego można sobie wyobrazić. Amanda bezustannie biegała po całym domu, żeby coś mu przynieść, przygotowywała posiłki, które nigdy mu nie smakowały, i spełniała setki wydawanych płaczliwym głosem poleceń. Była tak zajęta, że nie miała ani chwili dla siebie.

Żeby nie zgorzknieć z powodu poczucia krzywdy, zaczęła pisać powieści. Znajdowała na to czas wczesnym rankiem i późnym wieczorem. To, co z początku miało być sposobem na oderwanie myśli od codziennego uciążliwego życia, z każdą

zapisaną stroną zmieniało się w poważną twórczość. Amanda nabrała nadziei, że powieść okaże się godna publikacji.

Kiedy zmarli oboje rodzice, miała już za sobą publikację dwóch książek i mogła robić to, na co miała ochotę. Chciała spędzić resztę życia w najruchliwszym, największym mieście świata, dołączyć do półtoramilionowej rzeszy jego mieszkańców. Korzystając z dwóch tysięcy funtów, które ojciec zostawił jej w spadku, jak też z pieniędzy, które uzyskała ze sprzedaży domu, zamieszkała w eleganckiej, zachodniej dzielnicy Londynu. Z Windsoru zabrała ze sobą dwoje służących, którzy od dawna pracowali dla rodziny – lokaja Charlesa i pokojówkę Sukey. Na miejscu zatrudniła też Violet, kucharkę.

Londyn z nawiązką spełnił wszystkie jej oczekiwania i nadzieje. Choć mieszkała tu już pół roku, nadal budziła się każdego ranka z miłym uczuciem zaskoczenia i oczekiwania. Lubiła uliczny kurz, zgiełk i zdumiewająco szybkie tempo londyńskiego życia. Lubiła też to, że każdy dzień zaczynał się od głośnych krzyków ulicznych handlarzy za oknem, a kończył turkotaniem kół po bruku, kiedy prywatne i wynajęte powozy wiozły ludzi do wieczornych zajęć. Bardzo jej się podobało, że każdego dnia w tygodniu mogła pójść na jakąś proszoną kolację, wieczór recytatorski lub wziąć udział w dyskusji literackiej.

Ku swojemu zaskoczeniu stwierdziła, że w literackim światku Londynu jest postacią dość popularną. Wielu wydawców, poetów, dziennikarzy i innych powieściopisarzy znało jej nazwisko i czytało jej książki. W Windsorze znajomi uważali jej pisarstwo za coś niepoważnego. Nie pochwalali takich powieści i dawali jej do zrozumienia, że są zbyt pospolite dla przyzwoitych ludzi.

Prawdę mówiąc, Amanda sama nie mogła zrozumieć, dlaczego świat, który przedstawia w swoich książkach, tak bardzo różni się od tego, w którym się obraca. Kiedy siadała nad nie zapisaną kartką papieru, pióro w jej dłoni nagle zaczynało żyć

własnym życiem. Opisywała ludzi zupełnie innych od tych, których spotykała na co dzień. Niekiedy byli gwałtowni, brutalni, ale zawsze pełni pasji. Niektórzy kończyli źle, inni odnosili sukcesy, mimo całkowitego braku moralności. Ponieważ swoich fikcyjnych postaci nie wzorowała na nikim z rzeczywistości, doszła do wniosku, że ich uczucia i pasje musiały mieć swoje odpowiedniki w jej sercu. Kiedy głębiej się nad tym twierdzeniem zastanawiała, zaczynało ją ono napawać niepokojem.

Jack wspomniał coś o powieściach z wyższych sfer... Przeczytała takich wiele, opisywały ludzi zajmujących wysoką pozycję społeczną, ich dostatnie życie, romanse, stroje i biżuterię. Amanda jednak tak naprawdę mało wiedziała o ich życiu, że nie potrafiłaby napisać o nich powieści, nawet gdyby obiecano jej za to górę złota. Pisała natomiast o ludziach z prowincji, farmerach, duchownych, wojskowych i dziedzicach niewielkich majątków ziemskich. Na szczęście jej powieści przemawiały do czytelników i doskonale się sprzedawały.

Tydzień po urodzinach przyjęła zaproszenie na kolację do pana Thaddeusa Talbota, prawnika, który negocjował umowy i załatwiał sprawy formalne wielu pisarzy. Amanda nie spotkała jeszcze bardziej niefrasobliwego sybaryty niż on. Wydawał garściami pieniądze, pił i palił jak smok, uprawiał hazard, uganiał się za spódniczkami, krótko mówiąc, wspaniale się bawił. Na kolacje do niego przychodziły tłumy gości, ponieważ zawsze można było tam liczyć na doskonałe jedzenie w dużych ilościach, lejące się strumieniami wino i wesołą atmosferę.

– Tak się cieszę, że pani dzisiaj wychodzi, panno Amando – powiedziała Sukey, niska, drobna kobieta o żywym usposobieniu, która od wielu lat pracowała w rodzinie Briarsów. – Aż dziw, że nie dostała pani migreny. Tyle pani w tym tygodniu pisała, że strach.

– Musiałam skończyć powieść. – Amanda przeglądała się w lustrze wiszącym w korytarzu. – Nie miałam odwagi nigdzie

się pokazać, bo na pewno ktoś zaraz doniósłby panu Sheffieldowi, że zamiast pracować, hulam sobie w najlepsze.

Sukey parsknęła śmiechem, słysząc nazwisko wydawcy książek Amandy, ponurego, zasadniczego dżentelmena, który nieustannie się zamartwiał, że garstka jego pisarzy wpadnie w wir życia towarzyskiego Londynu i zaniedba pracę nad nowymi powieściami. Prawdę mówiąc, miał powód do niepokoju. Miasto oferowało tyle rozrywek, że łatwo było zapomnieć o obowiązkach.

Amanda zauważyła, że na szybie długiego, wąskiego okna przy drzwiach osadził się szron. Zadrżała. Tęsknie spojrzała na przytulny salon. Nagle zapragnęła włożyć wygodną starą suknię i spędzić wieczór z książką przy kominku.

– Zdaje się, że dziś jest bardzo zimno – stwierdziła.

Sukey pośpiesznie przyniosła czarną, zimową pelerynę z aksamitu. Jej paplanina rozbrzmiewała donośnie w wąskim korytarzu.

– To nic, że zimno, panno Amando. Jeszcze niejeden wieczór i dzień spędzi pani przy kominku, kiedy będzie pani za stara i za słaba, żeby znosić zimowe wiatry. Teraz trzeba się bawić, spotykać z przyjaciółmi. Co znaczy trochę chłodu? Kiedy pani wróci, zadbam, żeby czekała na panią ciepła pościel i gorące mleko z brandy.

– Dobrze, Sukey – odparła posłusznie Amanda i uśmiechnęła się do pokojówki.

– Aha, panno Amando... – Sukey postanowiła udzielić jej kilku pouczeń. – Niech pani trochę powściągnie swój ostry język, kiedy będzie pani w towarzystwie dżentelmenów. Trochę komplementów, kilka uśmiechów, słodka mina, żeby wyglądało, że się pani zgadza z tym, co wygadują o polityce i takich tam innych...

– Sukey! – Amanda przerwała jej cierpko. – Czyżbyś wciąż jeszcze miała nadzieję, że któregoś dnia wyjdę za mąż?

– No przecież to się może zdarzyć. Wszystko możliwe – upierała się pokojówka.

– Wybieram się na to przyjęcie tylko po to, żeby się zobaczyć ze znajomymi i porozmawiać na ciekawe tematy – powiadomiła ją Amanda. – Na pewno nie będę tam polować na męża!

– No tak, ale wygląda pani dzisiaj prześlicznie. – Sukey spojrzała z aprobatą na czarną wieczorową suknię swojej pani. Kreacja uszyta była z połyskliwego jedwabiu, miała głęboki dekolt i ciasno opinała ponętne kształty właścicielki. Gorset i rękawy były ozdobione rzędami połyskliwych dżetów. Stroju dopełniały czarne pantofelki i rękawiczki z miękkiej skórki. Amanda wyglądała elegancko i kusząco. Przedtem nigdy przesadnie nie dbała o stroje, niedawno jednak, po naradzie ze znaną londyńską krawcową, zamówiła kilka modnych, nowych sukien.

Sukey podała jej podbitą gronostajami pelerynę, Amanda wsunęła ramiona w obszyte jedwabiem rozcięcia i zapięła pod szyją złotą klamrę. Na starannie uczesanych włosach ostrożnie umieściła duży, paryski kapelusz z czarnego aksamitu, ozdobiony różowym jedwabiem. Za radą Sukey zdecydowała się dziś upiąć włosy inaczej. Luźniej zwinęła węzeł i wypuściła kilka wijących się loczków na kark i czoło.

– Jestem pewna, że jeszcze złapie pani męża – upierała się pokojówka. – Może nawet spotka go pani dzisiaj wieczorem.

– Nie chcę mieć męża – ucięła krótko Amanda. – Wolę niezależność.

– Niezależność – zawołała Sukey, wznosząc w górę oczy. – Coś mi się wydaje, że bardziej by się pani przydał mąż w ciepłym łóżku.

– Sukey – zganiła ją z dezaprobatą Amanda, ale pokojówka tylko się roześmiała. Pozwalała sobie na takie śmiałe uwagi, ponieważ nie była już młodą dziewczyną i pracowała dla rodziny Briarsów od wielu lat.

– Jestem pewna, że złapie pani lepszego męża niż każda z pani sióstr, niech im Bóg błogosławi – oznajmiła Sukey. –

Zawsze powtarzam, że najlepsze kąski dostają się tym, którzy potrafią cierpliwie czekać.

– Któż mógłby ci zaprzeczyć? – zapytała kpiąco Amanda. Zmrużyła oczy, kiedy lokaj Charles nagle otworzył drzwi i do domu wdarł się podmuch lodowatego wiatru.

– Powóz gotowy, panno Amando – oświadczył radośnie. Na ramieniu trzymał starannie złożony pled do nakrycia kolan pani. Odprowadził ją do starego, ale dobrze utrzymanego powozu, pomógł wsiąść i troskliwie okrył pledem.

Amanda usiadła wygodnie na wysłużonej, obitej skórą ławce, otuliła się ciaśniej peleryną i z uśmiechem pomyślała o czekającym ją przyjęciu. Życie jest takie piękne, pomyślała. Miała przyjaciół, wygodny dom i zawód, nie tylko interesujący, ale na dodatek przynoszący dobry dochód. I tylko te ciągłe upomnienia Sukey, że wreszcie powinna znaleźć sobie męża, bardzo ją zirytowały.

W życiu Amandy nie było miejsca dla mężczyzny. Nie chciała, żeby ktokolwiek kontrolował, co mówi i robi, i w jakikolwiek sposób ograniczał jej wolność. Nieznośna była sama myśl o mężu, którego pozycja, zgodnie z prawem i utartymi zwyczajami, byłaby o wiele wyższa niż żony. Jeśliby wyniknął między nimi jakiś spór, ostatnie słowo zawsze należałoby do męża. Mógłby jej odebrać wszystkie zarobki, gdyby tylko miał taką zachciankę. A kieby pojawiłyby się dzieci, z mocy prawa byłyby jego własnością. Amanda wiedziała, że nigdy z własnej woli nie dałaby drugiemu człowiekowi takiej władzy nad sobą. I nie chodziło o to, że nie lubiła mężczyzn. Przeciwnie, uważała, że skoro potrafili tak urządzić świat, żeby właśnie im żyło się najwygodniej, to muszą być dosyć bystrzy.

A jednak... jak by to było miło chadzać na przyjęcia i wykłady z ukochanym towarzyszem życia. Mieć kogoś, z kim można by dyskutować, spierać się lub dzielić przemyśleniami. Kogoś, z kim jadałaby posiłki i do kogo mogłaby się przytulić w łóżku,

żeby się rozgrzać w mroźną zimową noc. Cóż, wszystko ma swoją cenę, więc tę niezależność opłacała samotnością.

Wspomnienie o tym, co się wydarzyło zaledwie tydzień temu, wciąż do niej wracało, mimo że bardzo się starała o wszystkim zapomnieć.

– Jack – wyszeptała, bezwiednie kładąc rękę na piersi, gdzie poczuła jakiś dziwny ucisk. W pamięci wciąż widziała jego twarz o niespotykanie niebieskich oczach, słyszała głębokie, chrapliwe brzmienie jego głosu. Dla niektórych kobiet taki romantyczny wieczór był czymś zwykłym, ale dla niej było to najbardziej niesamowite doświadczenie całego życia.

Musiała przerwać te tęskne rozmyślania, gdyż powóz zatrzymał się przed ładnym ceglanym domem należącym do pana Talbota. Dwupiętrowy, rzęsiście oświetlony dom o białych kolumnach stał przy pełnym zieleni placyku, a ze środka dobiegały wybuchy śmiechu i ożywione rozmowy. Jak można się było spodziewać po zamożnym prawniku, Talbot urządził swoją siedzibę bardzo elegancko. Owalny hol wejściowy zdobiły stiuki, ściany zaś położonego za nim dużego salonu pomalowano na kojący, jasnozielony kolor. Ciemna dębowa podłoga lśniła jak lustro. Powietrze wypełniały przyjemne wonie, obiecując doskonały posiłek, a pobrzękiwanie kieliszków tworzyło dyskretne tło dla muzyki, wykonywanej przez kwartet smyczkowy.

W pokojach roiło się od gości. Wielu z nich powitało Amandę serdecznym uśmiechem. Zdawała sobie sprawę, że jest popularna w towarzystwie, niczym sympatyczna starszawa ciotka w rodzinie. Czasami drażniono się z nią, wypytując o zamiary względem tego czy innego dżentelmena, jednak tak naprawdę nikt nie wierzył, że mogłaby być kimś poważnie zainteresowana. Wszyscy uznawali, że jej los jako starej panny jest już przesądzony.

– Droga panno Briars! – usłyszała donośny męski głos.

Odwróciła się i zobaczyła roześmianą, czerwoną twarz Talbota. – Bez pani ten wieczór nie byłby w pełni udany.

Choć Talbot był co najmniej dziesięć lat od niej starszy, zachował chłopięcy wdzięk, kontrastujący z gęstą, siwą czupryną. Uśmiechnął się figlarnie, wydymając krągłe policzki.

– Wspaniale dziś pani wygląda – ciągnął. Ujął jej rękę i zacisnął w pulchnych dłoniach. – Swoim blaskiem przyćmiewa pani wszystkie inne damy.

– Panie Talbot, pańskie pochlebstwa nie robią na mnie żadnego wrażenia – oznajmiła z uśmiechem Amanda. – Jestem zbyt rozsądna, żeby się na nie nabrać. Lepiej niech pan skieruje te miłe słówka do jakiejś naiwnej, niedoświadczonej dziewczyny. Może ona w nie uwierzy.

– A jednak to właśnie pani jest moim ulubionym celem – odrzekł.

Amanda tylko uniosła oczy w górę i uśmiechnęła się wymownie. Wzięła Talbota pod ramię i razem podeszli do wielkiego mahoniowego kredensu, na którym stały dwie srebrne wazy. W jednej znajdował się gorący poncz z rumem, w drugiej zimna woda. Talbot z teatralną emfazą polecił służącemu, żeby nalał Amandzie kielich ponczu.

– A teraz, panie Talbot, proszę zająć się innymi gośćmi – poleciła Amanda, wdychając wyrazisty zapach trunku. Przez szklane ścianki kielicha przenikało miłe ciepło i ogrzewało zziębnięte palce, osłonięte jedynie cienkimi rękawiczkami. – Widzę tu kilka osób, z którymi chciałabym porozmawiać, a pana obecność tylko mi w tym przeszkodzi.

Talbot roześmiał się jowialnie, słysząc tę żartobliwą reprymendę, skłonił się głęboko i odszedł. Sącząc parujący poncz, Amanda uważnie rozejrzała się dokoła. Pisarze, wydawcy, ilustratorzy, drukarze, prawnicy, a nawet jeden czy dwóch krytyków, wszyscy krążyli po salonie i rozmawiali, przechodząc od jednej grupki gości do drugiej. Wszędzie słychać było ożywione głosy i częste wybuchy śmiechu.

– Amando! Witaj, moja droga! – rozległ się wesoły, srebrzysty głos. Amanda zobaczyła, że zbliża się do niej Francine Newlyn, atrakcyjna, jasnowłosa wdowa. Francine zdobyła popularność jako autorka sześciu powieści sensacyjnych, w których niepoślednią rolę odgrywała bigamia, morderstwo i cudzołóstwo. Choć osobiście Amanda uważała jej książki za nieco przesadnie sentymentalne, to jednak przeczytała je z przyjemnością. Szczupła, pełna gracji Francine pielęgnowała znajomości z pisarzami, zwłaszcza z tymi, którzy zdobyli uznanie i popularność. Amanda lubiła z nią rozmawiać, ponieważ rozmiłowana w plotkach Francine wiedziała wszystko o wszystkich. Sama Amanda jednak bardzo uważała, żeby nie powiedzieć jej o sobie nic, czego nie chciałaby zdradzić całemu londyńskiemu towarzystwu.

– Moja droga Amando, jak miło cię widzieć – powiedziała miękko Francine. Jej szczupłe palce w rękawiczkach wdzięcznie obejmowały grubą nóżkę kielicha. – Jesteś chyba jedyną rozsądną osobą, która dzisiaj przekroczyła progi tego domu.

– Nie wiem, czy na takim przyjęciu rozsądek może się na cokolwiek przydać – odrzekła z uśmiechem Amanda. – Wdzięk i uroda są tu bez wątpienia o wiele milej widziane.

Francine odpowiedziała jej z szelmowskim błyskiem w oku:

– Jakie to szczęście, że my obie posiadamy wszystkie te trzy cechy. Jesteśmy rozsądne, ale też pełne wdzięku i urodziwe.

– Tak, to wielkie szczęście – przytaknęła Amanda ironicznie. – Powiedz mi, jak ci idzie praca nad najnowszą powieścią?

Francine spojrzała na nią ostro, udając oburzenie.

– Jeśli już musisz wiedzieć, to jak z kamienia.

Amanda uśmiechnęła się współczująco.

– Na pewno wkrótce znów zaczniesz pisać.

– Nie znoszę pracować bez odpowiedniej inspiracji. Postanowiłam, że nie będę dalej tworzyć, dopóki nie znajdę czegoś lub raczej kogoś, kto da mi twórcze natchnienie.

Widząc drapieżną minę Francine, Amanda nie wytrzymała

i roześmiała się. Upodobanie atrakcyjnej wdowy do romansów było w światku wydawniczym szeroko znane.

– Czy masz już kogoś konkretnego na uwadze?

– Jeszcze nie... chociaż kilku kandydatów przychodzi mi na myśl. – Francine wdzięcznie przechyliła kieliszek i wypiła łyczek ponczu. – Na przykład nie miałabym nic przeciwko bliższej przyjaźni z tym fascynującym panem Devlinem.

Amanda nigdy osobiście go nie spotkała, jednak często słyszała, jak w rozmowach wymieniano jego nazwisko. John T. Devlin był postacią szeroko znaną w literackim światku Londynu. Ten człowiek o niejasnej przeszłości w ciągu minionych pięciu lat zmienił niewielki zakład drukarski w największy dom wydawniczy w mieście. Mówiono, że odniósł swój spektakularny sukces, nie licząc się z zasadami moralności ani uczciwej konkurencji.

Posługując się urokiem osobistym, oszustwem oraz przekupstwem, ukradł najlepszych autorów innym wydawcom i zachęcił ich do pisania skandalicznych powieści sensacyjnych. Umieszczał ogłoszenia reklamujące owe książki we wszystkich popularnych czasopismach i płacił ludziom, żeby wyrażali się o nich z zachwytem na przyjęciach i w tawernach. Kiedy krytycy z oburzeniem stwierdzali, że książki z jego wydawnictwa, czytywane przez łatwo poddające się wpływom społeczeństwo, są zagrożeniem dla wszelkich wartości, Devlin posłusznie zaczął publikować oświadczenia, w których ostrzegał potencjalnych czytelników, że dana powieść jest wyjątkowo drastyczna i pełna przemocy. Sprzedaż książek rosła błyskawicznie.

Amanda widziała siedzibę firmy Johna T. Devlina, czteropiętrowy budynek z białego kamienia, stojący na rogu ruchliwej ulicy Holborn i Shoe Lane, lecz nigdy nie weszła do środka. Mówiono jej jednak, że za wahadłowymi szklanymi drzwiami, na piętrzących się aż po sufit półkach, stały setki tysięcy książek, które były do dyspozycji czytelników korzystających z wypożyczalni. Każdy z dwudziestu tysięcy klientów wypo-

życzalni corocznie musiał wnieść pewną opłatę za przywilej korzystania z książek Devlina. W galeriach na piętrze leżały stosy książek na sprzedaż. Mieściły się tam również introligatornia, dział drukarski i oczywiście osobiste biura pana Devlina.

Pół tuzina wozów dostawczych stale dowoziło prenumeratorom zamówione czasopisma i książki. Od nabrzeża codziennie odbijały wielkie statki, żeby dostarczyć zamówione książki do innych krajów. Devlin z pewnością zbił fortunę na swoich podejrzanych interesach, ale Amanda wcale go za to nie podziwiała. Słyszała o tym, jak doprowadził innych, mniejszych wydawców do upadku i jak zniszczył kilka objazdowych wypożyczalni, które z nim konkurowały. Nie podobało jej się, że jest tak wpływową postacią w środowisku literackim i swoje wpływy wykorzystuje w niegodziwy sposób, dlatego też dokładała wszelkich starań, żeby uniknąć spotkania z nim.

– Nie miałam pojęcia, że pan Devlin dziś się tutaj zjawi – powiedziała, ściągając brwi. – Dobry Boże, trudno mi sobie wyobrazić, że pan Talbot się z nim przyjaźni. Z tego, co słyszałam, Devlin to łajdak.

– Moja droga Amando, nikt z nas nie może sobie pozwolić na to, żeby nie przyjaźnić się z panem Devlinem – odparła Francine. – Tobie też by się przydało pozyskać jego sympatię.

– Dotychczas jakoś sobie bez niej dawałam radę. A ty, Francine, zrobisz najlepiej, jeśli będziesz się od niego trzymać z dala. Romans z takim człowiekiem to najgorszy pomysł, jaki...

Urwała nagle, ponieważ w tłumie mignęła jej znajoma twarz. Serce w niej zamarło; ze zdziwienia gwałtownie zamrugała.

– Co się stało, Amando? – spytała wyraźnie zdumiona Francine.

– Wydawało mi się, że widziałam... – Zakłopotanej Amandzie wystąpiły na czoło krople potu. Spoglądała na kłębiący się tłum gości, ale bicie serca głuszyło wszystkie inne dźwięki.

Zrobiła krok do przodu, cofnęła się i zaczęła gorączkowo rozglądać się na boki. – Gdzie on jest? – wyszeptała, oddychając o wiele szybciej niż normalnie.

– Amando, źle się czujesz?

– Nie, ja... – Wiedząc, że zachowuje się dziwnie, starała się odzyskać panowanie nad sobą. – Wydawało mi się, że widziałam... kogoś, z kim nie chciałabym się spotkać.

Francine spoglądała domyślnie to na Amandę, to na krążących wokół gości.

– A dlaczegóż to nie chcesz się z kimś spotkać? Czy to jakiś niesympatyczny krytyk? A może jakaś przyjaciółka, z którą się pokłóciłaś? – Rozciągnęła usta w chytrym uśmiechu. – A może to były kochanek, który nieelegancko zachował się przy rozstaniu?

Ta prowokacyjna sugestia miała na celu jedynie rozdrażnienie Amandy, ale okazała się tak bliska prawdy, że policzki zrobiły się gorące.

– Nie opowiadaj głupstw – odrzekła szorstko, pociągając łyk ponczu. Sparzyła sobie język i do oczu napłynęły jej łzy.

– Nigdy nie zgadniesz, kto się do nas zbliża. – Francine uśmiechnęła się frywolnie. – Jeśli to z panem Devlinem nie chciałaś się spotkać, to obawiam się, że jest już za późno.

Amanda wiedziała, co zobaczy, zanim jeszcze podniosła wzrok.

Zdumiewająco niebieskie oczy spoglądały na nią spokojnie. Usłyszała ten sam głęboki głos, który tydzień temu szeptał jej czułe słówka. Teraz przemówił uprzejmie i beznamiętnie.

– Pani Newlyn, mam nadzieję, że przedstawi mnie pani swojej towarzyszce.

Francine roześmiała się gardłowo.

– Nie jestem pewna, czy ta dama sobie tego życzy. Niestety, usłyszała opinie o panu, nim miała okazję pana poznać.

Amanda nie mogła złapać tchu. Przed nią, choć wydawało się to niemożliwe, stał jej urodzinowy gość, „Jack", człowiek,

który ją obejmował, całował i pieścił w półmroku przytulnego salonu. Wydawał jej się dzisiaj wyższy, większy i smaglejszy, niż zapamiętała. W jednej sekundzie przypomniała sobie ciężar jego ciała, twarde mięśnie ramion... słodkie, gorące, namiętne usta.

Czuła, że robi jej się coraz goręcej i kolana zaczynają się jej trząść. Powtarzała sobie, że nie może urządzić sceny na przyjęciu, nie wolno jej zwrócić niczyjej uwagi. Zrobi wszystko, co może, żeby ukryć ich wspólny, zawstydzający sekret. Chociaż z wielkim trudem wydobywała z siebie głos, udało jej się niepewnie wypowiedzieć kilka słów.

– Francine, możesz mi przedstawić tego pana. – Dostrzegła błysk rozbawienia w oczach Devlina, świadczący o tym, że nie uszedł jego uwagi nacisk, jaki położyła na słowo „pan".

Przyjaciółka przyjrzała się im obojgu z namysłem.

– Nie zrobię tego – powiedziała w końcu, wprawiając Amandę w osłupienie. – Jest dla mnie całkiem oczywiste, że już się kiedyś spotkaliście. Może ktoś zechciałby mi wyjaśnić, w jakich okolicznościach to się wydarzyło?

– Nie będzie żadnych wyjaśnień – odparł Devlin, osładzając szorstką odpowiedź czarującym uśmiechem.

Zafascynowana Francine spoglądała to na Devlina, to na Amandę.

– Niech i tak będzie. Zostawiam was samych, żebyście zadecydowali, czy się znacie, czy nie – stwierdziła i roześmiała się beztrosko. – Ale ostrzegam cię, Amando, że i tak wyciągnę z ciebie tę historię.

Amanda ledwo zauważyła odejście przyjaciółki. Była zmieszana, oburzona, zdenerwowana... zupełnie nie wiedziała, co powiedzieć. Kiedy łapała oddech, powietrze zdawało się palić jej płuca. John T. Devlin... Jack... stał przed nią cierpliwie, wpatrując się w nią czujnie niczym tygrys w ofiarę.

W panice pomyślała, że Devlin z łatwością może ją zniszczyć. Za pomocą kilku słów, potwierdzonych przez panią

Bradshaw, mógł zrujnować jej reputację, karierę, odebrać jej źródło dochodu.

– Proszę pana – wydusiła wreszcie, sztywno i z godnością. – Może zechce mi pan wyjaśnić, jak to się stało, że w zeszłym tygodniu przyszedł pan do mojego domu, i dlaczego mnie pan okłamał?

Jack patrzył na Amandę z coraz większym uznaniem. Chociaż najwyraźniej była wystraszona i nastawiona wrogo, to spoglądała na niego wyzywająco, z błyskiem determinacji w oku. Widać było, że jest odważna.

Spoglądał na nią z takim samym uczuciem nagłego olśnienia, jakiego doznał, kiedy stanął w progu jej domu i zobaczył ją pierwszy raz. Była wspaniale zbudowaną kobietą o aksamitnej skórze, kręconych rudych włosach i krągłych, pociągających kształtach. A Jack potrafił docenić dobry styl. Miała miłe, choć może nie klasycznie piękne rysy, natomiast oczy... jej oczy były niezwykłe. Szare jak deszczowy wiosenny dzień, zdradzające inteligencję i pełne wyrazu.

Na jej widok uśmiech sam wykwitał mu na twarzy. Miał ochotę całować jej surowo zaciśnięte usta, aż staną się miękkie i gorące z pożądania. Chciał ją uwodzić i drażnić się z nią. A przede wszystkim chciał poznać osobę, która w swoich książkach stworzyła postacie kryjące pod powłoką chłodu i dobrego wychowania tak wiele gwałtownych uczuć. Autorka takich powieści powinna być raczej kobietą bywałą w świecie, a nie starą panną z prowincji.

Zanim spotkał ją osobiście, często myślał o tym, co napisała. Teraz, po ostatnim niezapomnianym spotkaniu, chciał bardziej się do niej zbliżyć. Stanowiła dla niego wyzwanie, zaskakiwała go, imponowała mu tym, że samodzielnie osiągnęła sukces. Pod tym względem byli bardzo do siebie podobni.

Na dodatek miała klasę, której Jackowi brakowało, choć

bardzo ją podziwiał. Intrygowało go, w jaki sposób potrafi jednocześnie zachowywać się tak naturalnie i z dystynkcją godną prawdziwej damy. Zawsze mu się wydawało, że te dwie cechy są nie do pogodzenia.

– Amando... – zaczął, lecz ona natychmiast go poprawiła, sycząc z oburzeniem:

– Panno Briars!

– Panno Briars – zaczął jeszcze raz. – Gdybym nie wykorzystał okazji, jaką tamtego wieczoru dał mi los, żałowałbym tego przez resztę swoich dni.

Jej pięknie zarysowane brwi zbiegły się w surowym grymasie.

– Zamierza mnie pan skompromitować?

– Nie planowałem tego – odrzekł z namysłem, ale w jego oczach zamigotały figlarne ogniki. – Niemniej jednak...

– Niemniej jednak... – powtórzyła ostrożnie, czekając na dalszy ciąg.

– To byłaby niezła pożywka dla plotkarzy, prawda? Szacowna panna Briars wynajmuje mężczyznę, żeby zaznać z nim cielesnych uciech. Bardzo bym nie chciał, żeby spotkał panią taki wstyd. – Uśmiechnął się, Amanda jednak ani drgnęła. – Wydaje mi się, że powinniśmy dokładniej tę sprawę omówić. Chciałbym wiedzieć, co może mi pani zaoferować, żeby zachęcić mnie do milczenia.

– Zamierza pan mnie szantażować? – Amanda czuła, że narasta w niej furia. – Ty niegodziwy, zdradziecki, podły...

– Radziłbym ściszyć trochę głos – przerwał z udaną troską. – Właściwie dobrze by było, gdybyśmy trochę później porozmawiali na osobności. I proponuję to w trosce o pani reputację, nie o moją.

– Nigdy – odcięła się zdecydowanie. – Najwyraźniej nie jest pan dżentelmenem i nie zamierzam panu nic oferować ani do niczego pana zachęcać.

Oboje jednak wiedzieli, że Devlin ma nad Amandą przewagę.

Uśmiechnął się leniwie, jak ktoś, kto dobrze wie, jak osiągnąć to, czego się pragnie, i który nie cofnie się przed niczym, żeby dopiąć swego.

– Spotka się pani ze mną – stwierdził z przekonaniem. – Nie ma pani wyboru. Widzi pani... Mam coś, co do pani należy, i zamierzam zrobić z tego użytek.

– Ty łajdaku – wymamrotała z odrazą. – Chcesz powiedzieć, że ukradłeś coś z mojego domu?

Roześmiał się głośno i swobodnie, czym przyciągnął uwagę wielu osób, które teraz spoglądały na nich z zaciekawieniem.

– Mam twoją pierwszą powieść – wyjaśnił.

– Co takiego?

– Twoją pierwszą powieść – powtórzył, z rozbawieniem patrząc, jak na jej oblicze powoli wpełza grymas złości. – Tytuł brzmi *Historia damy*. Właśnie wszedłem w jej posiadanie. To niezła powieść, chociaż wymaga dokładnej redakcji, zanim będzie gotowa do wydania drukiem.

– To niemożliwe, żebyś ją miał! – zawołała, dusząc w sobie potok wyzwisk, żeby jej ostry język nie przyciągnął zbyt wielkiej uwagi zgromadzonych gości. – Wiele lat temu sprzedałam ją za dziesięć funtów panu Groverowi Steadmanowi. Kiedy tylko dał mi pieniądze, zupełnie przestał się nią interesować i o ile wiem, schował rękopis do szuflady.

– Cóż, kupiłem tę powieść niedawno, wraz ze wszystkimi prawami do niej. Steadman słono sobie za nią policzył. Od czasu kiedy odstąpiłaś mu rękopis, twoje akcje bardzo poszły w górę.

– Nie ośmieliłby się sprzedać jej tobie – stwierdziła z przejęciem.

– Obawiam się, że jednak to zrobił. – Jack przybliżył się do niej i powiedział konfidencjonalnie ściszonym głosem: – Prawdę mówiąc, to była przyczyna mojej wizyty w twoim domu. – Stał tak blisko Amandy, że dobiegał go lekki zapach cytryny bijący od jej włosów. Nie dotykał jej, ale wyczuł, że jej ciało stało się sztywne z napięcia. Czyżby wspominała ich gorące pieszczoty? Cierpiał potem przez długie godziny, tęskniąc za dotykiem jej miękkiej, aksamitnej skóry. Niełatwo mu było wtedy wyjść i zostawić ją samą, nie potrafił jednak odebrać jej niewinności, podszywając się pod kogoś innego.

Kiedyś znów weźmie ją w ramiona, tym razem nie uciekając się do podstępu. A wtedy żadna siła na niebie ani na ziemi go nie powstrzyma.

Kiedy Amanda szorstko zadała następne pytanie, jej głos brzmiał dość niepewnie:

– Jak to się stało, że zjawiłeś się dokładnie o tej samej porze, o której się spodziewałam... hmmm... innego gościa?

– Zdaje się, że zostałem celowo wprowadzony w błąd przez naszą wspólną znajomą, panią Bradshaw.

– A skąd się znacie? – Szare oczy Amandy zwęziły się oskarżycielsko. – Jesteś jednym z jej klientów?

– Nie, Brzoskwinko – mruknął Jack. – W przeciwieństwie do ciebie, w tych sprawach nigdy nie uciekałem się do usług profesjonalistek. – Zobaczył, że twarz jej poczerwieniała jak burak i nie zdołał powstrzymać uśmiechu. Uwielbiał wyprowadzać ją z równowagi. Nie chciał jednak dokuczyć jej za bardzo, więc mówił dalej łagodnym tonem: – Znam panią Bradshaw, ponieważ właśnie wydałem jej pierwszą książkę, *Grzechy pani B.*

– Spodziewam się, że to nieprzyzwoita powieść – wymamrotała pod nosem Amanda.

– O, tak – przytaknął radośnie. – Zagraża moralności i wszelkim wartościom. Nie mówiąc już o tym, że to przebój sezonu.

– Nie jest dla mnie zaskoczeniem, że to dla ciebie powód do dumy, a nie do wstydu.

Uniósł brwi, słysząc jej świętoszkowaty ton.

– Czy mam się wstydzić, że dopisało mi szczęście i udało mi się wydać książkę, która cieszy się uznaniem czytelników?

– Czytelnicy nie zawsze wiedzą, co jest dla nich dobre.

Uśmiechnął się leniwie.

– Pewnie chodzi ci o to, że czytanie twoich książek przyniosłoby im większy pożytek?

Amanda zaczerwieniała się z zażenowania i złości.

– Nie możesz porównywać moich powieści z wulgarnymi wspominkami osławionej właścicielki domu publicznego!

– Jasne, że nie – przytaknął szybko i zgodnie. – Od razu widać, że pani Bradshaw nie jest pisarką... Czytanie jej wspomnień przypomina słuchanie kuchennych plotek. Ty natomiast masz talent, który szczerze podziwiam.

Na pełnej wyrazu twarzy Amandy malowały się sprzeczne uczucia. Jak większość pisarzy, łaknęła pochwał, więc w głębi duszy musiała niechętnie przyznać, że ten komplement sprawił jej przyjemność. Nie chciała jednak wierzyć, że Jack mówi szczerze. Spojrzała na niego ironicznie i nieufnie.

– To zbyteczne pochlebstwo i nic dzięki niemu nie zyskasz – oznajmiła. – Proszę, oszczędź sobie trudu i wyjaśnij mi wszystko do końca.

Jack posłusznie wrócił do tematu.

– Podczas niedawnej rozmowy z panią Bradshaw wspomniałem jej, że nabyłem twoją powieść i chciałbym cię poznać osobiście. Zaskoczyła mnie wiadomością, że jesteś jej znajomą. Zasugerowała mi, że powinienem cię odwiedzić dokładnie o ósmej w czwartek wieczorem. Zapewniła, że zostanę miło przyjęty. – Nie potrafił się opanować i dodał: – Jak się zresztą potem okazało, miała rację.

Amanda zerknęła na niego z ukosa.

– Ale dlaczego chciała doprowadzić do takiej sytuacji? Jaki miała w tym cel?

Jack tylko wzruszył ramionami. Nie chciał się przyznać, że jego także od kilku dni dręczyło to samo pytanie.

– Wydaje mi się, że nie było w tym żadnej logicznej przyczyny. Jak większość kobiet, pani Bradshaw zapewne podejmuje decyzje, które nie podlegają prawom logiki.

– Pani Bradshaw chciała się zabawić moim kosztem – stwierdziła Amanda ponuro. – A może miał to być żart z nas obojga?

Potrząsnął głową.

– Wątpię, żeby miała taki zamiar.

– A o cóż innego mogło jej chodzić?

– Może powinnaś sama ją o to zapytać.

– Z pewnością to zrobię – oznajmiła z determinacją, która bardzo go rozśmieszyła.

– Daj spokój – powiedział łagodnie. – Przecież nie było tak źle, prawda? Nikt nie ucierpiał... i muszę podkreślić, że w takich okolicznościach większość mężczyzn nie zachowałaby się z taką dżentelmeńską powściągliwością.

– Dżentelmeńską? – wyszeptała, wrząc z oburzenia. – Gdybyś miał choć odrobinę uczciwości i zasad moralnych, przedstawiłbyś się, kiedy tylko zdałeś sobie sprawę z mojej pomyłki.

– Miałbym ci zepsuć urodziny? – zapytał z udawaną troską i uśmiechnął się od ucha do ucha, kiedy zobaczył, jak Amanda zaciska drobne piąstki. – Nie złość się, Amando. Jestem tym samym mężczyzną co tamtej nocy...

– Panno Briars – poprawiła go, przypominając sobie o etykiecie.

– Panno Briars. Jestem tym samym mężczyzną i wtedy się pani spodobałem. Czy jest jakiś powód, dla którego nie możemy zawrzeć pokoju?

– Owszem, jest. Bardziej mi się pan podobał jako męska prostytutka niż jako nieuczciwy, sprytny wydawca. Nie mogę też zaprzyjaźnić się z kimś, kto zamierza mnie szantażować. Co więcej, nigdy panu nie pozwolę na wydanie *Historii damy*. Wolałabym raczej spalić rękopis, niż zobaczyć go w pańskim posiadaniu.

– Obawiam się, że w tej sprawie nic już pani nie może zrobić. Zapraszam jednak panią jutro do mojego biura. Omówimy plany, jakie mam względem pani książki.

– Jeśli się panu wydaje, że choć przez chwilę dopuszczam możliwość... – zaczęła z gniewem, ale na widok zbliżającego się Talbota natychmiast zamilkła.

Na twarzy prawnika malowała się nieskrywana ciekawość. Patrzył na nich z uspokajającym uśmiechem, który wydymał jego krągłe policzki.

– Przysłano mnie tutaj, żebym was pogodził – oznajmił wesoło. – Bardzo proszę, żadnych kłótni między moimi gośćmi. Niech mi będzie wolno zauważyć, że ledwo się poznaliście, więc chyba nie ma powodu, żebyście patrzyli na siebie z taką wrogością.

Ta próba obrócenia ich sporu w żart zirytowała Amandę. Nie odrywając wzroku od twarzy Jacka, powiedziała:

– Właśnie się przekonałam, że wystarczy zaledwie pięć minut znajomości z panem Devlinem, żeby nawet święty stracił cierpliwość.

– Chce pani powiedzieć, że jest pani święta? – zapytał cicho Jack, patrząc na nią z rozbawieniem.

Zaczerwieniła się, zacisnęła usta i już miała wyrzucić z siebie potok gniewnych słów, ale Talbot pośpiesznie ją ubiegł.

– Och, panno Briars! – zawołał z przesadnie radosnym śmiechem. – Widzę, że przybyli pani przyjaciele, państwo Eastmanowie. Błagam, żeby zechciała pani odegrać rolę gospodyni przyjęcia. Proszę ich powitać razem ze mną. – Rzucił Jackowi ostrzegawcze spojrzenie, ujął Amandę pod ramię i pociągnął ją w stronę drzwi.

Zanim się oddalili, Jack pochylił się ku niej i wyszeptał jej do ucha:

– Przyślę powóz jutro o dziesiątej.

– Nie przyjadę – odrzekła cicho, zesztywniała z oburzenia. Tylko jej piersi pod czarnym, naszywanym dżetami jedwabiem unosiły się miarowo. Ten widok przyprawił Jacka o gorący dreszcz. Czuł, że jego ciało zaczyna niebezpiecznie reagować na bliskość Amandy. Obudziło się w nim nieznane dotychczas

uczucie, coś na kształt chęci posiadania, jakieś dziwne, wewnętrzne ożywienie... może nawet czułość. Chciał jej pokazać swoje najlepsze cechy, nawet jeśli nie miał ich zbyt wiele; pragnął ją skusić i przekonać do siebie.

– Ależ przyjedziesz – powiedział. Miał niejasną świadomość, że ona tak samo nie potrafi się mu oprzeć, jak on jej.

Goście przeszli do jadalni o wykładanych mahoniem ścianach, w której stały dwa długie stoły, każdy nakryty na czternaście osób. Czterech lokajów w rękawiczkach i liberiach uwijało się cicho, usadzając gości, nalewając wino i wnosząc wielkie posrebrzane półmiski pełne ostryg. Później do kieliszków nalano sherry, a na stole pojawiła się gorąca zupa żółwiowa. Po pewnym czasie wniesiono turbota z sosem holenderskim.

Jacka posadzono obok Francine Newlyn. Wyczuwał, że sąsiadka ma wobec niego ukryte zamiary, ale chociaż uznał ją za kobietę atrakcyjną, to jednak nie sądził, by warto było starać się nawiązać z nią romans, zwłaszcza że nie lubił, kiedy ktoś zdradzał szczegóły z jego życia prywatnego gromadzie plotkarzy. Ręka Francine wciąż zsuwała się pod stół i lądowała na jego kolanie. Odsuwał ją za każdym razem, ale uparcie wracała i wędrowała coraz wyżej.

– Pani Newlyn – mruknął w końcu. – Pani zainteresowanie bardzo mi pochlebia, jeśli jednak nie zabierze pani ręki z mojego kolana...

Francine cofnęła rękę i spojrzała na niego z kocim uśmiechem, udając zdumienie.

– Proszę mi wybaczyć – zamruczała. – Po prostu straciłam równowagę i musiałam się o coś oprzeć. – Wzięła kieliszek sherry i delikatnie pociągnęła łyk trunku. Czubkiem języka zlizała złocistą kropelkę, która została na szklanej krawędzi. – Takie silne uda – powiedziała cicho. – Na pewno często pan ćwiczy.

Jack zdusił westchnienie i spojrzał na drugi stół, przy którym

siedziała Amanda Briars. Rozmawiała właśnie z ożywieniem z dżentelmenem siedzącym u jej lewego boku. Dyskutowali o tym, czy nowe, publikowane w comiesięcznych odcinkach powieści to prawdziwa literatura. Ostatnio często nad tym dyskutowano, ponieważ kilku wydawców – włącznie z nim samym – wydawało powieści w odcinkach, jednak bez większego powodzenia.

Z przyjemnością patrzył na oświetloną świecami twarz Amandy, na przemian zamyśloną, rozbawioną, to znów ożywioną. Szare oczy błyszczały jaśniej niż wypolerowane srebro. W przeciwieństwie do innych obecnych na przyjęciu kobiet, które tylko dłubały w potrawach na talerzu ze stosownym dla dam brakiem apetytu, Amanda jadła ze smakiem. Najwyraźniej jednym z przywilejów staropanieństwa była możliwość spożywania w towarzystwie obfitych posiłków. Była naturalna i bezpretensjonalna, odświeżająco odmienna od innych światowych kobiet, które zdarzyło mu się poznać. Pragnął zostać z nią sam na sam. Zazdrościł siedzącemu obok niej dżentelmenowi, który najwyraźniej bawił się dużo lepiej niż inni goście.

Francine Newlyn uparcie przyciskała nogę do nogi Jacka.

– Mój drogi panie Devlin – powiedziała miękkim głosem. – Nie odrywa pan wzroku od panny Briars. Chyba dżentelmen taki jak pan nie może się nią zainteresować.

– A dlaczego nie?

Wybuchnęła perlistym śmiechem.

– Ponieważ jest pan młodym, pełnym temperamentu mężczyzną w kwiecie wieku, a ona to... cóż, to chyba oczywiste, prawda? Owszem, mężczyźni lubią pannę Briars, ale tak, jak się lubi siostrę albo ciotkę. Takie kobiety nie wzbudzają w nikim romantycznych uczuć.

– Skoro pani tak twierdzi – odrzekł bezbarwnie. Uwodzicielska wdowa wyraźnie uważała, że jest nieporównanie bardziej pociągająca od Amandy i do głowy jej nawet nie przyszło, że

ktoś może woleć od niej tę starą pannę. Jack jednak poznał takie kobiety jak Francine i wiedział, co się kryje za piękną powierzchownością... lub, ściśle mówiąc, czego tam na pewno nie znajdzie.

Lokaj nałożył mu na talerz porcję pieczonego bażanta, a Jack westchnął z rezygnacją na myśl o czekającym go długim wieczorze w towarzystwie uwodzicielskiej blondynki. Wydawało mu się, że dzielą go całe wieki od jutrzejszej wizyty Amandy.

4

Przyślę powóz jutro o dziesiątej.

– Nie przyjadę.

– Ależ przyjedziesz.

Ten fragment rozmowy nękał Amandę przez całą noc. Słyszała go w snach, kiedy wreszcie udało jej się zasnąć, i sprawił, że rano obudziła się wcześniej niż zwykle. Och, jak bardzo pragnęła dać panu Johnowi T. Devlinowi zasłużoną nauczkę i odmówić skorzystania z powozu, musiała jednak porozmawiać z nim na temat *Historii damy*, w posiadanie której wszedł tak podstępnie. Nie chciała, żeby ją opublikował.

Napisała tę powieść wiele lat temu, od tego czasu nawet jej nie przeczytała, ale była pewna, że ta wczesna praca miała wiele niedociągnięć w prowadzeniu wątku i przedstawianiu postaci. Bała się, że jeśli *Historia damy* ukaże się teraz drukiem bez żadnych poprawek, nie znajdzie uznania w oczach recenzentów ani czytelników. Amanda nie miała czasu ani ochoty poświęcać się ciężkiej pracy nad powieścią, za którą dostała jedynie dziesięć funtów, dlatego też chciała koniecznie odzyskać ją od Devlina.

Pozostawała jeszcze sprawa potencjalnego szantażu. Jeśli Jack rozniesie po Londynie plotkę, że Amanda wynajmuje męskie prostytutki, to jej reputacja i kariera literacka legną

w gruzach. Musiała jakoś wymóc na Devlinie obietnicę, że nigdy nikomu nie piśnie ani słówka o tym okropnym wieczorze urodzinowym.

Z wielką niechęcią przyznawała przed samą sobą, że obudziła się w niej ciekawość. Chociaż gromiła się w duchu za ciekawską naturę, to bardzo chciała zobaczyć firmę Devlina, jego książki, introligatornię, biura i wszystko inne, co mieściło się w dużym budynku na rogu Holborn i Shoe Lane.

Z pomocą Sukey Amanda upięła włosy w ciasną koronę na czubku głowy i włożyła najskromniejszy ze swoich strojów – wysoko zapinaną suknię z szarego aksamitu, o dostojnie szeleszczącej spódnicy. Jedyną jej ozdobą był wąski pasek, jakby spleciony z jedwabnych sznureczków, zapinany na srebrną klamrę, i biały koronkowy żabot pod szyją.

– Tak musiała wyglądać królowa Elżbieta chwilę przed tym, jak kazała ściąć głowę hrabiemu Essex – stwierdziła pokojówka.

Mimo zdenerwowania, Amanda roześmiała się.

– Ja też mam ochotę ściąć głowę pewnemu panu – przyznała. – Będę jednak musiała ograniczyć się do surowej reprymendy.

– A więc wybiera się pani na spotkanie z wydawcą? – Pociągła twarz Sukey przywodziła na myśl pyszczek jakiegoś czujnego leśnego zwierzątka.

Amanda potrząsnęła głową.

– To nie jest mój wydawca i nigdy nim nie będzie. Mam zamiar dać mu to dzisiaj jasno do zrozumienia.

– Aha. – Pokojówka miała coraz bardziej zaciekawioną minę. – Czy to jakiś dżentelmen, którego poznała pani na wczorajszym przyjęciu? Proszę mi powiedzieć, panno Amando... czy jest przystojny?

– Nie zauważyłam – odparła sucho.

Sukey stłumiła uśmiech zadowolenia i podała chlebodawczyni płaszcz z czarnej wełny.

W tej chwili na progu ukazał się Charles.

– Panno Amando, powóz zajechał – oznajmił. Miał zaczerwienioną twarz od ostrego, listopadowego wiatru. Od jego liberii bił świeży zapach mroźnego powietrza, wymieszany z wonią pudru z białej peruki. Charles wziął pled z krzesła w holu, przełożył przez ramię i poprowadził Amandę do powozu. – Proszę uważać – ostrzegł. – Górny stopień jest oblodzony. Dziś jest bardzo zimno.

– Dziękuję, Charles. – Amanda doceniała troskliwość lokaja. Służący był dość mizernej postury – lokaje na ogół mieli ponad metr osiemdziesiąt wzrostu – ale doskonale wykonywał swoją pracę. Od niemal dwudziestu lat służył wiernie i bez narzekania najpierw rodzinie Briarsów, a teraz samej Amandzie.

Zamglone poranne słońce oświetlało szeregowe domy przy Bradley Square. Pomiędzy dwoma rzędami stojących naprzeciw siebie budynków leżał niewielki ogród, otoczony ogrodzeniem z kutego żelaza. Na rosnących wzdłuż żwirowanych ścieżek roślinach i drzewach bielił się szron. O dziesiątej rano wiele okiennic w oknach sypialni było jeszcze zamkniętych, ponieważ mieszkańcy odsypiali wczorajsze zabawy i przyjęcia.

Oprócz handlarza starzyzną, zmierzającego chodnikiem ku głównej ulicy, i długonogiego policjanta z pałką pod pachą okolica była pusta i cicha. Wiał zimny, orzeźwiający wiatr. Mimo niechęci do zimowych chłodów Amanda cieszyła się, że o tej porze roku odór śmieci i ścieków jest mniej dokuczliwy niż w czasie ciepłych letnich miesięcy.

Widząc powóz, który przysłał po nią Devlin, zatrzymała się na środkowym stopniu schodów, wiodących z chodnika do drzwi wejściowych domu, i spoglądała na wehikuł szeroko otwartymi oczami.

– Panno Amando... – Lokaj niepewnie przystanął obok niej.

Spodziewała się czegoś praktycznego i równie wysłużonego jak jej powóz. Nie sądziła, że Devlin przyśle po nią tak elegancki środek lokomocji. Był przeszklony, pięknie lakiero-

wany, ozdobiony ornamentami z brązu, a schodki opuszczały się automatycznie, kiedy ktoś otwierał drzwi. Każdy centymetr pojazdu wypolerowano do lustrzanego połysku. Okna przesłaniały jedwabne firanki, wnętrze obito kremową skórą.

Cztery idealnie dobrane kasztany biły kopytami o ziemię i niecierpliwie parskały, a ich oddech w mroźnym powietrzu zamieniał się w białe obłoczki. Takimi ekwipażami zwykle jeździli zamożni arystokraci. Jak to możliwe, że należał do wydawcy książek, pół-Irlandczyka? Devlin musiał być jeszcze zamożniejszy, niż głosiły plotki.

Starając się nie okazywać, jakie to na niej robi wrażenie, Amanda podeszła do powozu. Lokaj zeskoczył z rzeźbionego kozła i szybko otworzył drzwi, gdy tymczasem Charles pomógł swej pani wejść do środka. Doskonale resorowany pojazd prawie nie drgnął, kiedy sadowiła się na obitej skórą ławce. Nie musiała korzystać z przyniesionego przez Charlesa pledu, ponieważ w środku przygotowano dla niej podbitą futrem narzutę. Na podłodze stał wypełniony gorącymi węglami ogrzewacz do stóp. Amandę przebiegł rozkoszny dreszcz, kiedy pod suknią poczuła bijące od niego ciepło. Najwyraźniej Devlin nie zapomniał o tym, że źle znosi chłody.

Oszołomiona, usadowiła się wygodniej na miękkiej ławce i spojrzała przez zaparowane okna na rozmyte zarysy swojego domu. Drzwi zamknęły się z cichym trzaskiem i powóz miękko ruszył.

– Cóż, mój panie – powiedziała głośno Amanda. – Jeśli pan myśli, że ogrzewacz do stóp i ciepły koc mnie rozmiękczą, to się srodze zawiedzie.

Powóz zatrzymał się na rogu Shoe Lane i Holborn, pod dużym czteropiętrowym budynkiem. Panował tu ożywiony ruch, wahadłowe szklane drzwi otwierały się co chwila, wypuszczając i wpuszczając do środka nieprzerwany strumień interesantów. Chociaż Amanda wiedziała, że firma Devlina świetnie prosperuje, na coś takiego nie była przygotowana. Zrozumiała,

że to jest coś więcej niż duża księgarnia... to było imperium. Nie miała wątpliwości, że bystry umysł Devlina stale pracuje nad nowymi sposobami powiększenia jego zasięgu.

Lokaj pomógł Amandzie wysiąść z powozu i pośpiesznie otworzył przed nią drzwi z tak wielkim szacunkiem, jakby usługiwał osobie z rodziny królewskiej. Gdy tylko przestąpiła próg, na jej spotkanie wyszedł jasnowłosy dżentelmen około trzydziestki. Chociaż był średniego wzrostu, szczupła, wysportowana sylwetka sprawiała, że wydawał się wysoki. Uśmiechał się ciepło i szczerze, a zielononiebieskie oczy spoglądały bystro zza szkieł okularów w stalowych oprawkach.

– Panno Briars – powitał ją, kłaniając się głęboko. – Poznać panią to dla mnie zaszczyt. Jestem Oscar Fretwell. A to... – z dumą wskazał na tętniące życiem pomieszczenie – jest firma pana prezesa Devlina. Księgarnia, wypożyczalnia, introligatornia, sklep papierniczy, drukarnia i wydawnictwo. Wszystko pod jednym dachem.

Amanda dygnęła i poszła z nim do stosunkowo spokojnego zakątka, gdzie na mahoniowej ladzie piętrzyły się stosy książek.

– Jakie stanowisko zajmuje pan w firmie?

– Jestem tu głównym kierownikiem. Czasami też spełniam funkcję recenzenta i redaktora. Zwracam również uwagę pana prezesa na niewydane powieści, jeśli uznam, że są tego warte. – Znów się uśmiechnął. – Niekiedy mam też szczęście osobiście zajmować się pisarzami pana Devlina, jeśli tylko sobie tego zażyczą.

– Ja nie jestem pisarką pana Devlina – oznajmiła stanowczo.

– Tak, oczywiście. – Fretwell bardzo się starał, żeby jej nie urazić. – Nie to miałem na myśli. Niech mi jednak wolno będzie powiedzieć, że pani książki sprawiły wielką radość nam i naszym czytelnikom. Są nieustannie wypożyczane, a ich sprzedaż stale rośnie. Zamówiliśmy pięćset egzemplarzy ostatniej pani powieści, *Cienie z przeszłości*, a i tak nie starczyło dla wszystkich chętnych.

– Pięćset egzemplarzy? – Ta liczba tak zaskoczyła Amandę, że nie potrafiła ukryć zdziwienia. Książki uchodziły za towar luksusowy, większości ludzi nie było stać na ich kupno i dlatego fakt, że jej powieść rozeszła się w nakładzie trzech tysięcy sztuk, był uważany za ewenement. Do tej chwili jednak nie zdawała sobie sprawy, że znaczącą część tego sukcesu zawdzięcza działalności Devlina.

– Tak, pięćset egzemplarzy – zaczął poważnie Devlin, ale przerwał, kiedy zauważył jakieś zamieszanie przy jednym z kontuarów. Ktoś zwrócił książkę w złym stanie i bibliotekarz głośno dawał wyraz swojemu niezadowoleniu. Czytelniczka, nadmiernie wyperfumowana dama z grubą warstwą pudru na twarzy, bardzo energicznie odpierała jego zarzuty.

– Ach, to pani Sandby. – Fretwell westchnął. – Często wypożycza u nas książki. Niestety, lubi je czytać u fryzjera. Kiedy je zwraca, kartki zwykle są ubrudzone pudrem i sklejone pomadą do włosów.

Amanda roześmiała się na widok niemodnie spiętrzonych i upudrowanych włosów kobiety. Bez wątpienia i ona, i wypożyczona przez nią książka wiele godzin znajdowały się na fotelu fryzjerskim.

– Zdaje się, że jest pan tam potrzebny. Może uda się panu załagodzić ten spór, a ja tymczasem tu zaczekam.

– Nie chciałbym zostawiać pani samej – powiedział, lekko marszcząc czoło. – Ale jednak...

– Nie ruszę się stąd na krok – zapewniła, uśmiechając się lekko. – Mogę zaczekać.

Oscar Fretwell pośpieszył załagodzić spór, Amanda zaś rozejrzała się wokół. Książki były wszędzie, ustawione równo na półkach od podłogi po sufit. Na poziomie pierwszego piętra główną salę otaczała galeria. Oszałamiający zbiór czerwonych, złotych, zielonych i brązowych tomów był ucztą dla oczu, a cudowny zapach papieru welinowego i pergaminu oraz ostra woń skóry sprawiały, że Amandzie niemal zaczęła cieknąć

ślinka. W powietrzu unosił się wspaniały aromat herbacianych liści. Dla każdego, kto lubił czytać, to miejsce było rajem na ziemi.

Czytelnicy i klienci księgarni stali w kolejkach wijących się przed kontuarami, uginającymi się pod ciężarem katalogów i tomów książek. Szpule sznurka i zwoje szarego papieru obracały się nieustannie, kiedy sprzedawcy pakowali zamówione książki. Większe zamówienia umieszczali w pachnących starych skrzynkach po herbacie – one właśnie były źródłem herbacianego aromatu – a potem tragarze zanosili je do powozów bądź układali na wozach.

Oscar Fretwell wrócił z wyrazem ponurego rozbawienia na twarzy.

– Zdaje się, że załatwiłem tę sprawę – wyszeptał konspiracyjnie. – Poprosiłem bibliotekarza, żeby przyjął książkę w takim stanie; postaramy się ją uratować. Powiedziałem też pani Sandby, że w przyszłości musi bardziej dbać o nasze książki.

– Powinien pan jej zasugerować, żeby po prostu przestała używać pudru do włosów – odparła Amanda również szeptem i obydwoje roześmiali się zgodnym chórem.

Fretwell podał jej ramię.

– Czy mogę odprowadzić panią do biura pana Devlina?

Myśl o tym, że za chwilę znów zobaczy Jacka, wywołała w Amandzie mieszane uczucia radości i zdenerwowania. Świadomość, że znajdzie się w jego towarzystwie, dziwnie ją podekscytowała.

Wyprostowała się i ujęła ramię Fretwella.

– Ależ oczywiście. Im szybciej rozmówię się z panem Devlinem, tym lepiej.

Fretwell zerknął na nią trochę zmieszany.

– Zabrzmiało to tak, jakby pani nie lubiła pana prezesa.

– Bo rzeczywiście go nie lubię. Uważam, że jest arogancki i manipuluje ludźmi.

– Cóż... – Fretwell w skupieniu zastanowił się nad jej

słowami. – Pan Devlin potrafi działać agresywnie, jeśli wyznaczy sobie jakiś konkretny cel. Zapewniam jednak panią, że w całym Londynie nie ma lepszego pracodawcy. Jest życzliwy dla znajomych i szczodry dla wszystkich, którzy są u niego zatrudnieni. Ostatnio pomógł jednemu ze swoich autorów kupić dom i zawsze chętnie załatwia bilety do teatru albo wizytę u specjalisty, kiedy ktoś jest chory. Stara się też pomagać przyjaciołom w rozwiązywaniu osobistych kłopotów.

Fretwell nadal wychwalał swojego pracodawcę, a Amanda dodała w myślach jeszcze jeden punkt do swojej listy zarzutów wobec Devlina: lubi rządzić innymi. To jasne, że starał się, żeby jego przyjaciele i pracownicy mieli wobec niego jakieś zobowiązania... w ten sposób mógł potem wykorzystać ten dług wdzięczności przeciwko nim samym.

– W jaki sposób i kiedy pan Devlin został wydawcą? – zapytała. – Nie przypomina innych znanych mi wydawców. To znaczy, wcale nie wygląda na miłośnika książek.

Fretwell zawahał się i Amanda poznała po jego minie, że zastanawia się, czy zdradzić jej jakieś interesujące, ale dość osobiste fakty z przeszłości Devlina.

– Może powinna pani zapytać o to samego pana prezesa – odrzekł w końcu. – Powiem tylko tyle: pan Devlin bardzo lubi czytać i żywi wielki szacunek dla słowa pisanego. Ma też wspaniałą zdolność dostrzegania mocnych stron autorów i wspierania ich w drodze do sukcesu.

– Innymi słowy, zachęca ich do zarabiania pieniędzy – podsumowała ironicznie Amanda.

Fretwell uśmiechnął się trochę łobuzersko.

– Nie ma pani chyba nic przeciwko zarabianiu pieniędzy? – spytał, zerkając na nią z ukosa.

– Owszem, mam, kiedy poświęca się sztukę dla zwykłej komercji.

– Sama się pani przekona, że pan Devlin ma wielki szacunek dla wolności wypowiedzi – zapewnił pośpiesznie Fretwell.

Przeszli na tył budynku i zaczęli wchodzić po schodach, oświetlonych rzędem małych okienek. Wnętrze domu utrzymane było w tym samym stylu co fasada – ładnie, ale praktycznie i solidnie. Mijane pokoje były ogrzewane za pomocą kominków lub pieców. Kominki miały marmurowe obramowania, a na podłogach leżały grube dywany. Zawsze wrażliwa na nastrój otoczenia Amanda wyczuła, że ludzie w introligatorni i drukarni pracują w atmosferze radosnego zapału.

Fretwell zatrzymał się przed okazałymi drzwiami i pytająco uniósł brwi.

– Panno Briars, czy ma pani ochotę obejrzeć naszą kolekcję rzadkich książek?

Amanda skinęła głową i weszła za nim do środka. Za drzwiami zobaczyła salę pełną mahoniowych, przeszklonych szaf na książki. Sufit zdobiły misterne stiuki, a na podłodze leżał puszysty dywan.

– Czy wszystkie te książki są na sprzedaż? – zapytała ściszonym głosem. Czuła się tak, jakby wkroczyła do królewskiego skarbca.

Fretwell skinął głową.

– Można tu znaleźć wszystko, od starodruków po podręczniki zoologii. Mamy tu wielki wybór atlasów i map nieba, foliały i manuskrypty... – Zatoczył krąg ramieniem, jakby zgromadzone tu tomy mówiły same za siebie.

– Mogłabym się tu zamknąć na cały tydzień – oświadczyła Amanda z zapałem.

Fretwell roześmiał się i wyprowadził ją z sali. Weszli jeszcze wyżej, na piętro, gdzie znajdowały się pomieszczenia biurowe. Zanim Amanda zdążyła się zastanowić, dlaczego właściwie jest taka zdenerwowana, Fretwell otworzył przed nią mahoniowe drzwi. Jednym spojrzeniem objęła całe wnętrze... wielkie biurko, duży, marmurowy kominek i stojące przy nim skórzane fotele, ściany obite tapetą w brązowe pasy. Widać było, że urzęduje tu elegancki mężczyzna. Słońce

wpadało przez wąskie, wysokie okna. Wokół rozchodził się zapach skóry, papieru welinowego i lekka woń tytoniu.

– Nareszcie. – Usłyszała znajomy, niski głos. Słychać w nim było lekką nutę rozbawienia. Zapewne tak rozbawił go fakt, że mimo wszystko zjawiła się w firmie. Ale przecież nie miała innego wyboru, prawda?

Devlin skłonił się z teatralną przesadą i uśmiechnął promiennie, pożerając ją wzrokiem.

– Moja droga panno Briars, jeszcze nigdy czas mi się tak nie dłużył jak dzisiejszego ranka, kiedy na panią czekałem. – Jego słowa nie zabrzmiały zbyt przekonująco. – Ledwie zdołałem się powstrzymać, żeby nie czekać na panią na ulicy.

Spojrzała na niego surowo.

– Chciałabym jak najszybciej załatwić interesy i opuścić pana biuro.

Devlin uśmiechnął się, jakby opowiedziała jakiś dowcip.

– Proszę usiąść przy kominku.

Buzujący za pozłacaną kratą ogień wyglądał bardzo zachęcająco. Amanda zdjęła kapelusz i płaszcz, oddała je czekającemu obok Fretwellowi i usiadła w obitym skórą fotelu.

– Napije się pani ze mną kawy? – zapytał z ujmującą troską. – Zwykle o tej godzinie ją pijam.

– Wolę herbatę – odparła krótko.

Devlin zerknął na Fretwella roześmianym wzrokiem.

– Proszę herbatę i kruche ciasteczka – powiedział, a kierownik natychmiast zniknął za drzwiami, zostawiając ich samych.

Amanda dyskretnie zerknęła na swojego towarzysza. Jej dłonie, ukryte w skórkowych rękawiczkach, zwilgotniały. Wydało się wręcz niedopuszczalne, żeby mężczyzna był aż tak przystojny. Jego oczy były jeszcze bardziej niebieskie, niż zapamiętała. Włosy miał przycięte krótko, ale widać było, że są falujące. To dziwne, że taki dobrze zbudowany, zdrowy i silny mężczyzna był miłośnikiem książek. Nie wyglądał na

intelektualistę ani też nie pasował do biurowego wnętrza, nawet tak przestronnego jak to, w którym się znajdowali.

– Ma pan imponującą firmę – stwierdziła. – Na pewno wszyscy panu to powtarzają.

– Dziękuję. Ale to nic w porównaniu z tym, co planuję na przyszłość. Dopiero zacząłem. – Devlin usiadł obok niej, wyciągnął długie nogi i wpatrzył się w czubki swoich wypolerowanych czarnych butów. Był równie elegancko ubrany jak poprzedniego wieczoru, miał na sobie modny szary surdut i pasujące do niego wełniane spodnie.

– A do czego to wszystko ma prowadzić? – spytała, zastanawiając się, czego jeszcze mógłby pragnąć.

– W tym roku otworzę pół tuzina filii w całym kraju. Za dwa lata potroję tę liczbę. Kupię każdą wartą tego gazetę i na dodatek kilka czasopism.

Amanda od razu zrozumiała, że taki stan posiadania wiązałby się z wielkimi wpływami towarzyskimi i politycznymi. Trochę zdziwiona, przyglądała się siedzącemu przed nią młodemu człowiekowi.

– Jest pan dość ambitny – stwierdziła.

Uśmiechnął się lekko.

– A pani nie?

– Wcale nie. – Urwała i przez chwilę zastanawiała się nad tym. – Nie gonię za bogactwem i wpływami. Chcę tylko żyć bezpiecznie i wygodnie, a w przyszłości osiągnąć wysoki poziom biegłości w swoim zawodzie.

Jack lekko uniósł czarne brwi.

– Uważa pani, że jeszcze nie osiągnęła wysokiego poziomu biegłości?

– Jeszcze nie. W swoim pisaniu widzę wiele niedociągnięć.

– Ja nie widzę żadnych – odrzekł cicho.

Pod jego spokojnym spojrzeniem Amanda nie potrafiła opanować rumieńca, który powoli wpełzł jej na szyję i policzki. Wzięła głęboki oddech i starała się pozbierać myśli.

– Może pan do woli prawić mi komplementy, ale to mnie nie zmiękczy. Przyszłam tu dzisiaj z jednym zamiarem. Chcę tylko pana poinformować, że nigdy się nie zgodzę na wydanie *Historii damy*.

– Zanim pani ostatecznie mi odmówi, proszę mnie wysłuchać – zaproponował łagodnie. – Mam dla pani propozycję, która, być może, się pani spodoba.

– Słucham.

– Najpierw chciałbym wydać *Historię damy* jako powieść w odcinkach.

– Powieść w odcinkach?! – powtórzyła z niedowierzaniem. Czuła się urażona tą propozycją, ponieważ powieści wydawane w odcinkach miały opinię gorszych i mniej wartościowych niż tradycyjne trzytomowe wydania. – Chyba pan sobie nie wyobraża, że co miesiąc będzie pan wydawał fragment w formie broszury, jak to pan robi w przypadku czasopism!

– A potem, po wydaniu ostatniego odcinka, wydam ją jeszcze raz – dokończył gładko Devlin. – Tym razem w płóciennej oprawie, z ilustracjami na całą stronę i złoceniami na grzbiecie.

– Dlaczego od razu nie chce jej pan wydać w tej formie? Nie jestem autorką powieści w odcinkach i nigdy nie zamierzałam nią zostać.

– Tak, wiem. – Choć Devlin wydawał się rozluźniony, pochylił się naprzód i patrzył na Amandę roziskrzonym z przejęcia wzrokiem. – Trudno mieć pani za złe takie podejście. Powieści w odcinkach, które zdarzyło mi się przeczytać, były na ogół dość słabe, więc nie przyciągały uwagi czytelników. No i przy ich pisaniu wymagany jest odpowiedni styl. Każdy odcinek musi stanowić osobną całość, a pełne napięcia zakończenie powinno zachęcić czytelnika do zakupu kolejnego comiesięcznego odcinka. Nie jest to łatwe zadanie dla pisarza.

– Moim zdaniem, *Historia damy* w najmniejszym stopniu nie spełnia tych wymagań – odrzekła Amanda, marszcząc czoło.

– Ależ spełnia. Można ją łatwo podzielić na trzydziestostronicowe odcinki i każdy z nich będzie zajmujący i pełen dramatyzmu jako osobna całość. Przy stosunkowo niewielkim nakładzie pracy możemy razem trochę ją przerobić, tak żeby się nadawała na powieść w odcinkach.

– Drogi panie – powiedziała szybko Amanda. – Pod żadnym pozorem nie chcę być znana jako autorka powieści w odcinkach, a na dodatek wcale nie odpowiada mi pomysł, żeby redagował pan moją książkę. Nie zamierzam też marnować czasu na przerabianie powieści, za którą zapłacono mi marne dziesięć funtów.

– Oczywiście – przytaknął Devlin, zanim jednak zdążył coś dodać, do pokoju wszedł Oscar Fretwell, niosąc srebrną tacę z herbatą.

Postawił ja na stoliku obok fotela Amandy, nalał herbatę do filiżanki z cienkiej porcelany i wskazał na talerz z apetycznymi ciasteczkami, na których nęcąco połyskiwały kryształki cukru.

– Proszę spróbować, panno Briars – zachęcił.

– Nie, dziękuję – odmówiła z żalem. Fretwell skłonił się i znów wyszedł z biura. Amanda zręcznie zdjęła rękawiczki i położyła je na brzegu fotela. Wlała do herbaty mleko, wsypała cukier, zamieszała i w skupieniu wypiła łyk. Napój był mocny, aromatyczny i natychmiast przyszło jej na myśl, że jeszcze lepiej smakowałby z ciasteczkiem. Niestety, przy jej budowie wystarczało jedno dodatkowe ciasteczko, żeby następnego dnia suknie z trudem się na niej dopinały. Jedynie dzięki unikaniu słodyczy i szybkim spacerom udawało jej się zachować stosunkowo szczupłą talię.

Siedzący obok niej mężczyzna zdawał się czytać w jej myślach.

– Proszę poczęstować się ciastkiem – zachęcił poufale. – Jeśli się pani martwi o figurę, to zapewniam, że pod każdym względem wygląda pani doskonale. Tak się składa, że ja wiem to najlepiej.

Zawstydziła się i rozzłościła.

– Zastanawiałam się, ile czasu upłynie, zanim znów wróci pan do tematu tego okropnego wieczoru! – Sięgnęła po ciastko i patrząc groźnie na Devlina ze smakiem schrupała kęs.

Uśmiechnął się, wsparł łokcie na kolanach i przyjrzał się jej uważnie.

– Wcale nie był taki okropny.

Energicznie przeżuła ciastko i niemal zakrztusiła się pośpiesznie wypitym łykiem gorącej herbaty.

– A właśnie że był! Zostałam oszukana i wykorzystana, i bardzo bym chciała o tym wszystkim zapomnieć!

– Ale ja nie pozwolę ci o tym zapomnieć – zapewnił. – No a co do wykorzystania... Przecież nie zaatakowałem pani znienacka. Sama mnie pani do wszystkiego zachęciła...

– Bo wzięłam pana za kogoś zupełnie innego! I zamierzam się dowiedzieć, dlaczego pani Bradshaw, ta wstrętna intrygantka, wysłała pana zamiast mężczyzny, którego powinna była do mnie przysłać. Jak tylko stąd wyjdę, udam się prosto do pani Bradshaw i zażądam wyjaśnień.

– Pozwoli pani, że ja to zrobię. – Powiedział to lekkim tonem, ale jasne było, że jest to jego ostateczna i nieodwołalna decyzja. – Mam dziś w planach wizytę u niej. Nie musi pani narażać swojej reputacji, pokazując się w takim miejscu. A poza tym mnie powie więcej, niż powiedziałaby pani.

– I tak wiem, co powie. – Amanda obejmowała palcami filiżankę z gorącą herbatą. – Najwyraźniej zabawiła się naszym kosztem.

– Zobaczymy. – Devlin wstał, podszedł do kominka i poprawił płonące bierwiona kilkoma zręcznymi ruchami pogrzebacza. Ogień na nowo obudził się do życia i od razu zrobiło się cieplej.

Widok Devlina wprawiał Amandę w stan dziwnego oszołomienia. Dostrzegała w nim dzisiaj nie tylko pewność siebie, ale również wytrwałość i nieustępliwość. Zdała sobie sprawę, że taki człowiek jak on dla osiągnięcia wyznaczonego sobie

celu zrobi wszystko, ucieknie się do prośby, groźby, pochlebstwa, może nawet szantażu. Ten pół-Irlandczyk, nisko urodzony, choć jego wygląd i sposób bycia na to nie wskazywały, z pewnością ciężko zapracował na sukces i pozycję, które udało mu się osiągnąć. Na pewno bardzo się trudził i wiele poświęcił. Gdyby nie był takim zarozumiałym, irytującym łajdakiem, to może nawet by go podziwiała.

– Marne dziesięć funtów – powiedział, wracając do ich wcześniejszej dyskusji na temat nie wydanej powieści. – Pewnie podpisała pani umowę na tantiemy autorskie, jeśli książka wyjdzie drukiem, tak?

Uśmiechnęła się kwaśno i wzruszyła ramionami.

– Cóż, wiedziałam, że mam niewielkie szanse na jakiekolwiek pieniądze. Autorzy nie mają możliwości skontrolowania kosztów, jakie ponosi wydawca. Spodziewałam się, że bez względu na liczbę sprzedanychh egzemplarzy, pan Steadman nie przyzna się do żadnego zysku.

Nagle twarz Devlina przybrała nieprzenikniony wyraz.

– Dziesięć funtów to nie taka niska suma, jak na pierwszą powieść. Teraz jednak *Historia damy* jest o wiele więcej warta. Wiem, że nie mogę liczyć na pani współpracę, jeśli nie zaproponuję odpowiedniego wynagrodzenia.

Amanda dolała sobie herbaty do filiżanki i za wszelką cenę starała się zachować znudzony, pozbawiony wszelkiego zainteresowania wyraz twarzy.

– Bardzo jestem ciekawa, jakie wynagrodzenie uznałby pan za odpowiednie.

– Dla zachowania uczciwych i przyjaznych stosunków służbowych jestem gotów zapłacić pięć tysięcy funtów za prawa do publikacji *Historii damy*, w taki sposób, o jakim mówiłem wcześniej – najpierw jako powieść w odcinkach, a potem tradycyjnie, w trzech tomach. Na dodatek wypłacę pani całą sumę z góry, nie dzieląc jej na miesięczne raty. – Pytająco uniósł ciemne brwi. – Co pani o tym sądzi?

Amanda omal nie upuściła łyżeczki. Drżącą ręką wsypała jeszcze trochę cukru do herbaty i niepewnie zamieszała napar. Przez jej głowę przebiegały chaotyczne myśli. Pięć tysięcy... prawie dwa razy tyle, ile zapłacono jej za ostatnią powieść. W dodatku dostanie taką sumę za pracę, którą już prawie wykonała.

Czuła, jak jej serce niecierpliwie trzepocze w piersi. Ta propozycja wydawała się jej zbyt piękna, żeby była prawdziwa... no i jej prestiż jako autorki mógł ucierpieć, jeśli powieść ukaże się w odcinkowej formie.

– Pańska oferta jest warta namysłu – powiedziała ostrożnie. – Choć, prawdę powiedziawszy, niechętnie myślę o tym, że miałabym zostać autorką powieści broszurowych.

– W takim razie podam kilka liczb, żeby pani mogła się nad tym zastanowić. Według moich szacunków pani ostatnia powieść sprzedała się w trzech tysiącach egzemplarzy.

– Sprzedano trzy tysiące pięćset egzemplarzy – poprawiła go Amanda, trochę urażona.

Devlin skinął głową, a kąciki jego ust lekko drgnęły w uśmiechu.

– To imponujący nakład jak na trzytomową powieść. Jeśli jednak pani pozwoli mi wydać swoją książkę w comiesięcznych broszurowych odcinkach, na początek wydrukuję dziesięć tysięcy i jestem pewien, że w następnym miesiącu podwoję tę liczbę. Ostatni odcinek wydam w nakładzie około sześćdziesięciu tysięcy egzemplarzy. Nie, moja droga panno Briars, ja nie żartuję. Kiedy omawiam interesy, zawsze jestem poważny. Na pewno słyszała pani o młodym Dickensie, reporterze z „Evening Chronicle"? Bentley, jego wydawca, co miesiąc sprzedaje co najmniej sto tysięcy egzemplarzy *Klubu Pickwicka*.

– Sto tysięcy – powtórzyła Amanda, nawet nie próbując ukryć zdziwienia. Oczywiście, jak każdy miłośnik literatury w Londynie, znała nazwisko Charlesa Dickensa, ponieważ jego powieść w odcinkach, *Klub Pickwicka*, olśniła czytelników

żywiołowością i humorem. W dniu publikacji kolejnego odcinka księgarze wykupywali cały nakład na pniu, a żarty i powiedzonka z powieści słyszało się w tawernach i cukierniach. Sklepikarze trzymali broszurki pod ladą, żeby móc czytać w przerwach między obsługiwaniem kolejnych klientów. Uczniowie chowali je między kartkami podręczników, mimo surowych kar, jakie ich spotykały w przypadku wykrycia takiego wykroczenia. Amanda była świadoma olbrzymiej popularności tej książki, ale nie spodziewała się, że sprzedano tak wiele egzemplarzy.

– Nie można powiedzieć, żebym była przesadnie skromna – zaczęła z namysłem. – Wiem, że jestem niezłą pisarką. Ale moją pracę trudno porównywać z książkami pana Dickensa. W moich powieściach nie ma humoru. Nie potrafiłabym też naśladować jego stylu.

– Nie chcę, żeby pani kogokolwiek naśladowała. Chcę wydać powieść w odcinkach napisaną pani piórem, panno Briars... coś romantycznego i chwytającego za serce. Zapewniam panią, że czytelnicy będą śledzili *Historię damy* z takim samym zapałem, z jakim czytują bardziej dowcipne powieści.

– Nie może pan być tego pewien – zaprotestowała.

Devlin uśmiechnął się niespodziewanie, błyskając białymi zębami.

– Nie. Ale chętnie zaryzykuję, jeśli i pani jest na to gotowa. Bez względu na to, czy przedsięwzięcie wypali, czy nie, będzie pani miała pieniądze w kieszeni... i będzie pani mogła spędzić resztę życia na pisaniu powieści w trzech tomach, jeśli takie jest pani życzenie.

Podszedł bliżej i wsparł się o mahoniowe poręcze fotela, na którym siedziała Amanda. Nie mogła wstać, nawet gdyby chciała, bo zagrodził jej drogę.

– Zgódź się, Amando – namawiał. – Nie pożałujesz.

Odchyliła się do tyłu. Twarz Devlina, o rozbrajająco niebieskich oczach, przywodziła na myśl rzeźby i portrety przedstawiające ideał męskiej urody. Jednak w jego wyglądzie nie

dostrzegała nic arystokratycznego. Była w nim za to prostolinijność i zmysłowość. Jeśli nawet przypominał anioła, to upadłego.

Jego bliskość wywołała w jej ciele dziwne pulsowanie. Poczuła oszałamiający zapach jego skóry, korzenną męską woń, która już na zawsze miała pozostać w jej pamięci. Trudno jej było myśleć rozsądnie, kiedy miała ochotę tylko na jedno – chciała się do niego przytulić i wsunąć ręce pod jego ubranie. Niejasno zdała sobie sprawę, że urodzinowe spotkanie wcale nie uciszyło w niej fizycznych ciągot.

Jeśli przyjmie jego propozycję, będzie musiała się z nim widywać, rozmawiać, a jednocześnie, ukrywać reakcje swojego zdradzieckiego ciała. Nie ma przecież nic bardziej żałosnego i śmiesznego niż niewyżyta stara panna, uganiająca się za przystojnym mężczyzną. Takie charakterystyczne postacie często występowały w komediach i humorystycznych powieściach. Amanda nie chciała się do nich upodobnić.

– Obawiam się, że nie mogę się zgodzić – odrzekła, starając się wypowiedzieć te słowa stanowczym, surowym tonem. Niestety, jej głos zabrzmiał irytująco słabo i niepewnie. Chciała odwrócić wzrok, ale stojący nad nią Devlin wypełniał jej całe pole widzenia. – Czuję się zobowiązana do lojalności wobec mojego obecnego wydawcy, pana Sheffielda.

Cichy śmiech Devlina wcale nie zabrzmiał przyjemnie.

– Proszę mi wierzyć, że Sheffield wcale nie liczy na lojalność swoich autorów – zapewnił drwiąco. – Nie będzie zaskoczony, jeśli pani go opuści.

Amanda spojrzała na niego gniewnie.

– Sugeruje pan, że można mnie kupić?

– No, chyba tak.

Bardzo chciała mu udowodnić, że się myli, jednak perspektywa zarobienia pięciu tysięcy funtów była zbyt kusząca, żeby się jej oprzeć. Lekko ściągnęła brwi.

– A co pan zrobi, jeśli odrzucę pana propozycję? – zapytała.

– Mimo to wydam pani książkę i wypłacę pani honorarium według umowy, którą zawarła pani ze Steadmanem. Zarobisz jakieś pieniądze, Brzoskwinko, ale nie takie, jakie ja ci proponuję.

– A co z groźbą, że powie pan wszystkim o tamtej nocy... – Słowa uwięzły Amandzie w gardle. Z trudem przełknęła ślinę i mówiła dalej. – Czy nadal zamierza mnie pan szantażować, dlatego że pan i ja...

– Prawie się kochaliśmy? – dokończył uczynnie. Patrzył na nią tak, że aż się zaczerwieniła.

– Miłość nie miała z tym nic wspólnego – odparowała.

– Być może nie – przyznał ze śmiechem. – Ale nie sprowadzajmy naszych negocjacji do takiego poziomu, panno Briars. Niech się pani po prostu zgodzi na moją propozycję, a ja nie będę musiał uciekać się do ostateczności.

Amanda już otworzyła usta, żeby żadać kolejne pytanie, ale nagle drzwi zadrżały od uderzenia pięścią, a może nawet kopniaka.

– Proszę pana – rozległ się przytłumiony głos Oscara Fretwella. – Nie mogę sobie poradzić z...

Zza drzwi dobiegały odgłosy przepychanki i szarpaniny. Devlin odwrócił się od Amandy, uśmiech natychmiast zniknął z jego twarzy.

– Co tam, u diabła? – warknął i podszedł do drzwi. Zatrzymał się jak wryty, kiedy rozwarły się z trzaskiem i ukazał się w nich jakiś zwalisty jegomość z wykrzywioną wściekłością twarzą. Eleganckie ubranie miał w nieładzie, na głowie przekrzywioną perukę. Bił od niego kwaśny odór alkoholu, mocno wyczuwalny nawet tam, gdzie siedziała Amanda. Z niesmakiem zmarszczyła nos, dziwiąc się, jak to możliwie, żeby się upić o tak wczesnej porze.

– Devlin! – ryknął przybysz. Z wściekłości drżała mu szczęka. – Osaczyłem cię jak lisa w jamie! Już mi nie uciekniesz! Zapłacisz mi za to, co zrobiłeś!

Fretwell cały czas starał się wyrwać jakiemuś osiłkowi,

wyglądającemu na zbira wynajętego przez rozzłoszczonego gościa.

– Niech pan uważa, panie prezesie – wykrztusił zasapany Fretwell. – To jest lord Tirwitt... ten, który... to znaczy, wydaje mu się, że został oczerniony w książce pani Bradshaw.

Tirwitt zatrzasnął Fretwellowi drzwi przed nosem i zwrócił się do Devlina, wymachując ciężką, srebrną laską. Niezdarnie nacisnął jakiś ukryty przycisk przy rączce i z końca laski wysunęło się obosieczne ostrze, zamieniając laskę w śmiercionośną broń.

– Ty diable wcielony – wysyczał Tirwitt. Małe, ciemne oczka błyszczały groźnie w zaczerwienionej twarzy. – Zemszczę się na tobie i tej wrednej suce Bradshaw. Za to, co napisała o mnie w tej książce, posiekam cię na kawałki i rzucę na pożarcie...

– Lord Tirwitt, nieprawdaż? – Devlin nie odrywał wzroku od nabrzmiałej twarzy intruza. – Jeśli odłoży pan to niebezpieczne narzędzie, porozmawiamy o pańskiej sprawie jak rozsądni ludzie. Jeśli pan jeszcze nie zauważył, znajdujemy się w towarzystwie damy. Poprosimy ją, żeby wyszła, a wtedy...

– Kobieta, która przebywa w twoim towarzystwie, na pewno nie jest damą – stwierdził z pogardą Tirwitt, machając ostrzem na wszystkie strony. – Nie jest ani trochę lepsza od tej zdziry Gemmy Bradshaw.

Twarz Devlina skamieniała w morderczym grymasie. Zrobił krok naprzód, nie zważając na grożące mu niebezpieczeństwo.

Amanda postanowiła interweniować.

– Panie prezesie – odezwała się zdecydowanym tonem. – Co za wspaniałe przedstawienie. Czyżby zaaranżował pan tę farsę, żeby mnie wystraszyć i zmusić do podpisania umowy? A może codziennie przyjmuje pan w biurze szalonych interesantów?

Udało jej się zwrócić na siebie uwagę Tirwitta.

– Jeśli jestem szalony, to tylko dlatego, że moje życie

zostało zrujnowane – warknął Tirwitt. – Ta plugawa mieszanina kłamstw i fantazji, którą wydał ten szubrawiec, uczyniła ze mnie pośmiewisko. Tak zniszczyć człowiekowi życie dla zysku... Ale dzisiaj ten łajdak dostanie za swoje!

– Pańskie nazwisko nie zostało ani razu wymienione w książce pani Bradshaw – zauważył spokojnie Devlin. – Wszystkie postacie mają zmienioną tożsamość.

– Bezwstydnie ujawniono pewne szczegóły z mojego życia osobistego... to wystarczyło, żebym został rozpoznany. Żona mnie rzuciła, przyjaciele się odsunęli. Odebrano mi wszystko, co się w życiu liczy. – Tirwitt oddychał ciężko, jego furia rosła z każda chwilą. – Teraz już nie mam nic do stracenia – bełkotał. – I pociągnę cię za sobą, Devlin.

– To jakiś nonsens – przerwała mu bezceremonialnie Amanda. – Wpada pan tu jak burza... Co za niedorzeczne zachowanie. Nigdy jeszcze nie widziałam, żeby ktoś zachowywał się tak skandalicznie. Mam ochotę również pana opisać w swojej powieści.

– Może lepiej by było – wtrącił ostrożnie Devlin – gdyby pani nie zabierała głosu. Pozwoli pani, że sam zajmę się tą sprawą.

– Tu się nie ma czym zajmować! – krzyknął Tirwitt i rzucił się przed siebie jak ranny byk. Złowrogie ostrze zarysowało łuk w powietrzu. Devlin uskoczył w bok, ale ostrze go dosięgło, przecinając kamizelkę i koszulę.

– Schowaj się za biurko! – krzyknął do Amandy.

Ona jednak tylko cofnęła się pod ścianę i w zdziwieniu obserwowała całą scenę. Ostrze musiało być wyjątkowo dobrze naostrzone, skoro z taką łatwością przecięło dwie warstwy ubrania. Nagle na kamizelce ukazała się czerwona plama. Devlin zdawał się nie zauważać rany; czujnie okrążał przeciwnika.

– Już pan powiedział, co miał pan do powiedzenia – oznajmił niskim głosem, nie odrywając wzroku od Tirwitta. – Teraz

niech pan odłoży tę laskę, bo inaczej trafi pan do aresztu na Bow Street.

Widok krwi najwyraźniej podsycił w napastniku chęć do dalszej walki.

– Dopiero zacząłem – wybełkotał. – Pokroję cię jak świąteczną gęś, zanim zrujnujesz życie innym ludziom. Społeczeństwo mi podziękuje.

Śmiercionośna laska jeszcze raz ze świstem przecięła powietrze, ale Devlin z imponującą sprawnością odskoczył w tył.

– Społeczeństwo z przyjemnością też zobaczy, jak zadyndasz na szubienicy... Czy jest ciekawszy spektakl niż publiczna egzekucja?

Amandzie zaimponowało, że nawet w takiej chwili Devlin zachował przytomność umysłu. Jednak lord Tirwitt był zbyt rozwścieczony, żeby przejmować się konsekwencjami swoich czynów. Nadal atakował Devlina, usiłując dosięgnąć go ostrzem laski, najwyraźniej postawiwszy sobie za cel pozbawienie przeciwnika jakiejś części ciała. Devlin cofał się, aż dotarł do biurka. Chwycił oprawny w skórę słownik i zasłonił się nim niczym tarczą. Ostrze przecięło okładkę, ale Devlin zdołał rzucić ciężkim tomem w napastnika. Ten odsunął się nieco w bok i księga z impetem trafiła go w ramię. Ryknął z bólu i gniewu, i znów rzucił się na Devlina.

Kiedy mężczyźni się bili, Amanda gorączkowo rozglądała się wokół, aż jej wzrok natrafił na zestaw narzędzi do rozpalania ognia w kominku.

– Doskonale – mruknęła pod nosem i chwyciła długi pogrzebacz o mosiężnej rączce.

Lord Tirwitt był tak zaabsorbowany próbami nadziania Devlina na ostrze laski, że nie zauważył zachodzącej go od tyłu Amandy. Trzymając pogrzebacz oburącz, uniosła go wysoko i wymierzyła mu cios w tył głowy, starając się nie uderzyć zbyt mocno. Chciała go pozbawić przytomności, a nie życia, nie była jednak wprawiona w sztuce walki, więc pierwszy

cios był zbyt słaby. Dziwnie się czuła, wymierzając cios pogrzebaczem w głowę człowieka. Odgłos uderzenia niemal przyprawił ją o mdłości. Ku jej przerażeniu, lord Tirwitt odwrócił się i spojrzał na nią mocno zdziwiony. Zakończona ostrzem laska zadrżała w jego pulchnych dłoniach. Amanda uderzyła ponownie, tym razem w czoło.

Tirwitt wolno osunął się na podłogę, powieki mu opadły. Oszołomiona Amanda natychmiast wypuściła z rąk pogrzebacz.

Devlin pochylił się nad leżącym.

– Zabiłam go? – spytała niepewnie.

5

Nie, nie zabiłaś go – odpowiedział Devlin na jej pełne niepokoju pytanie. – Niestety będzie żył. – Przestąpił przez nieprzytomnego i szybko otworzył drzwi. Zobaczył wynajętego zbira w pełnej gotowości do ataku i błyskawicznie, z rozmachem, wymierzył mu cios w brzuch. Podejrzany typ stęknął, zgiął się we dwoje i upadł na podłogę. – Fretwell! – zawołał Devlin, lekko tylko podnosząc głos. Postronny obserwator mógłby pomyśleć, że wzywa podwładnego, żeby mu przyniósł następny dzbanek z herbatą. – Fretwell, gdzie jesteś?

Kierownik zjawił się po niecałej minucie, lekko dysząc z wysiłku. Z wyraźną ulgą zobaczył pracodawcę całego i zdrowego. Za nim stało dwóch krzepkich, muskularnych młodych ludzi.

– Właśnie posłałem po policjanta z posterunku przy Bow Street – wysapał. – I przyprowadziłem dwóch chłopców z magazynu, żeby pomogli mi uporać się z tą... – Z odrazą spojrzał na zbira. – Z tą kanalią – dokończył, krzywiąc się.

– Wielkie dzięki – ironicznie odrzekł Devlin. – Dobra robota, Fretwell. Zdaje się jednak, że panna Briars zdążyła już opanować sytuację.

– Panna Briars? – Zaskoczony kierownik spojrzał na Amandę, stojącą nad bezwładnym ciałem Tirwitta. – Chce pan powiedzieć, że...

– Przyłożyła mu w głowę pogrzebaczem – wyjaśnił Devlin. Kąciki ust zadrżały mu z rozbawienia.

– Widzę, że panowie świetnie się bawią moim kosztem – wtrąciła Amanda. – Ale może najpierw należałoby zająć się raną, zanim wykrwawi się pan na śmierć.

– Dobry Boże! – wykrzyknął Fretwell, widząc, że czerwona plama na szarej kamizelce zwierzchnika powiększa się z każdą sekundą. – Zaraz poślę po doktora. Nie zauważyłem, że ten szaleniec pana zranił.

– To tylko draśnięcie. – Devlin machnął ręką. – Nie potrzebuję lekarza.

– Wydaje mi się, że jednak pan potrzebuje. – Twarz Fretwella niepokojąco poszarzała. Jak zahipnotyzowany wpatrywał się w krwawą plamę na ubraniu pracodawcy.

– Obejrzę tę ranę – oznajmiła stanowczo Amanda. Po latach opieki nad chorymi rodzicami krew nie robiła na niej najmniejszego wrażenia. – Niech się pan zajmie usunięciem lorda Tirwitta z biura – poleciła Fretwellowi. – Ja tymczasem opatrzę pańskiego szefa. – Zwróciła się do Devlina: – Proszę zdjąć surdut i usiąść.

Devlin posłuchał i krzywiąc się nieco, zaczął się rozbierać. Amanda pośpieszyła mu z pomocą. Domyśliła się, że teraz rana musi go już piec żywym ogniem. Nawet jeśli było to tylko draśnięcie, należało je opatrzyć. Któż mógł wiedzieć, do czego jeszcze lord Tirwitt używał ostatnio swojej laski.

Wzięła surdut i przewiesiła przez oparcie stojącego obok krzesła. Był przesycony zapachem i ciepłem ciała Jacka. Ten zapach wabił ją niczym narkotyk i przez krótką chwilę miała ochotę wtulić twarz w fałdy miękkiej wełny.

Devlin czujnie patrzył na chłopców z magazynu, którzy właśnie wynosili z biura bezwładne ciało. Gdy Tirwitt jęknął w cichym proteście, twarz Devlina przybrała wyraz posępnej satysfakcji.

– Mam nadzieję, że ten drań ocknie się z piekielnym bólem głowy – wymamrotał. – Życzę mu, żeby...

– Proszę pana – przerwała mu Amanda i lekko pchnęła go w tył, tak że przysiadł na skraju mahoniowego biurka. – Proszę nad sobą panować. Nie wątpię, że zna pan najwymyślniejsze przekleństwa, ale nie życzę sobie ich słuchać.

Devlin uśmiechnął się, rozbawiony. Siedział nieruchomo, a Amanda zręcznymi, drobnymi palcami rozwiązała mu jedwabny fular. Zsunęła z szyi szary jedwab i zaczęła rozpinać guziki koszuli. Kiedy poczuła na sobie wzrok Devlina, zrobiło jej się nieswojo. W jego błękitnych oczach widziała serdeczność, ale i wesołe błyski. Bez wątpienia ta sytuacja bardzo go bawiła.

Kiedy Fretwell i chłopcy z magazynu opuścili biuro, powiedział:

– Widzę, że rozbieranie mnie to jedna z twoich ulubionych rozrywek, Amando.

Zatrzymała się przy trzecim guziku koszuli. Policzki jej poczerwieniały, ale nie odwróciła wzroku, tylko śmiało patrzyła Jackowi w oczy.

– Niech pan nie bierze mojego współczucia dla rannych stworzeń za przejaw osobistej sympatii do pana. Kiedyś zabandażowałam łapę bezdomnemu psu, którego znalazłam we wsi. Pan należy do tej samej kategorii co to nieszczęsne zwierzę.

– Mój anioł miłosierdzia – wymamrotał Devlin z rozbawieniem. Nic więcej nie powiedział, tylko patrzył, jak rozpina mu koszulę i kamizelkę.

Amanda nieraz pomagała ubierać się i rozbierać choremu ojcu, więc teraz wcale nie czuła się skrępowana. Niemniej jednak co innego pomagać choremu członkowi rodziny, a całkiem co innego zdejmować ubranie z młodego, zdrowego mężczyzny.

Pomogła mu zdjąć poplamioną krwią kamizelkę i do końca rozpięła koszulę. Im więcej ukazywało się nagiego ciała, tym bardziej paliły ją policzki.

– Ja to zrobię – niespodziewanie szorstko powiedział Jack, kiedy sięgnęła do guzików przy mankietach koszuli. Rozpiął je zręcznie, chociaż widać było, że każdy ruch sprawia mu ból. – Przeklęty Tirwitt – stęknął. – Jeśli ta rana się zaogni, znajdę łajdaka i...

– Nie zaogni się – zapewniła Amanda. – Dokładnie ją oczyszczę i zabandażuję. Za dzień lub dwa będzie pan mógł wrócić do normalnego trybu życia. – Delikatnie zsunęła koszulę z jego szerokich ramion; złotawa skóra zalśniła w świetle kominka. Zwiniętą koszulą osuszyła ranę. Cięcie miało około piętnastu centymetrów długości i znajdowało się na lewym boku, tuż pod żebrami. Tak jak zapewniał Devlin, było to tylko draśnięcie, ale dość głębokie. Amanda mocno przycisnęła zwiniętą koszulę do krwawiącej rany i przytrzymała ją na miejscu.

– Ostrożnie – powiedział cicho Devlin. – Zaplamisz sobie suknię.

– Spierze się – uspokoiła go obojętnym tonem. – Czy ma pan w biurze jakiś alkohol? Może brandy?

– Mam whisky. Stoi w tej małej szafce obok biblioteczki. Ale po co to? Czyżby widok mojego nagiego ciała tak cię osłabił, że musisz się trochę wzmocnić?

– Ależ z pana nieznośny zarozumialec – odrzekła surowo, chociaż nie potrafiła ukryć uśmiechu. – Nic podobnego. Zamierzam użyć alkoholu do dezynfekcji.

Nadal trzymała zwiniętą koszulę przyłożoną do rany. Stała tak blisko, że lewe kolano Jacka kryło się w obfitych fałdach jej szeleszczącej spódnicy. Siedział nieruchomo, nie próbując jej dotknąć. Szare, wełniane spodnie opinały jego umięśnione nogi. Jakby chciał pokazać, że nie jest dla niej zagrożeniem, odchylił się nieco w tył, rozluźnił się i oparł dłonie o krawędź biurka.

Amanda starała się nie patrzeć na niego zbyt otwarcie, ale przeklęta ciekawość zwyciężyła. Devlin był kształtny i pięknie umięśniony, jak czarno-złoty tygrys, którego kiedyś widziała

w parkowej menażerii. Bez ubrania wydawał się jeszcze lepiej zbudowany. Ciało miał sprężyste, muskularne, skóra wydawała się mocna, a zarazem jedwabista. Na brzuchu wyraźnie rysowały się pasma mięśni. Widziała już rzeźby i rysunki przedstawiające męskie ciała, ale żadne nie przekazywały ciepła ani kryjącej się w nich siły.

Z jakiegoś powodu artystyczne wyobrażenia nie odzwierciedlały fascynujących szczegółów, takich jak pokrywające tors drobne, ciemne włoski.

Amanda przypomniała sobie żar jego ciała, gładkość nagiej skóry. Zanim Devlin wyczuł drżenie jej rąk, odsunęła się i podeszła do stojącej za biurkiem szafki. Znalazła w niej kryształową karafkę wypełnioną bursztynowym płynem i uniosła ją do góry.

– Czy to jest whisky? – zapytała, a Devlin skinął głową. Z ciekawością przyjrzała się karafce. Znani jej dżentelmeni pijali porto, sherry, maderę i brandy. Ten trunek nie był jej znany. – A co to właściwie jest?

– To alkohol wytwarzany ze słodu jęczmiennego – wyjaśnił cicho. – Może mi pani przynieść szklaneczkę.

– Czy nie jest na to trochę za wcześnie? – zapytała sceptycznie Amanda, wyjmując z rękawa chusteczkę.

– Jestem Irlandczykiem – przypomniał jej. – A poza tym mam za sobą trudny poranek.

Ostrożnie wlała niewielką ilość alkoholu do szklaneczki, a chusteczkę zmoczyła, wylewając na nią whisky prosto z butelki.

– Tak, zdaje się... – zaczęła, odwracając się ku niemu, ale zamilkła, kiedy w całej okazałości zobaczyła jego nagie plecy. Słowa zamarły jej na wargach. Miał piękne, szerokie i umięśnione, zwężające się ku dołowi plecy. Jednak skórę znaczyły jaśniejsze pasy, ślady po dawnych ranach. Takie blizny mogła pozostawić tylko brutalna chłosta. Kilka zgrubień bieliło się na otaczającej je ciemniejszej skórze.

Devlin zerknął przez ramię, zaniepokojony jej nagłym mil-

czeniem. Popatrzył na nią pytająco, ale zaraz uprzytomnił sobie, co zobaczyła. Przybrał nieprzenikniony wyraz twarzy i wyraźnie napiął mięśnie ramion. Jedna brew uniosła się lekko do góry, a rysy, ku zdziwieniu Amandy, stały się dumne, niemal arystokratyczne. W tej chwili można go było wziąć za członka jakiegoś starego magnackiego rodu.

Amanda z trudem zachowała kamienną twarz. Próbowała sobie przypomnieć, na czym skończyli rozmowę. Aha, Devlin mówił coś o trudnym poranku.

– Tak – powiedziała spokojnie, podchodząc do niego ze szklaneczką whisky. – Zdaje się, że nie jest pan przyzwyczajony do tego, by ktoś próbował pana zamordować w pana własnym biurze.

– Przynajmniej nie w dosłownym sensie – odrzekł ironicznie. Wyraźnie się rozluźnił, kiedy zobaczył, że Amanda nie ma zamiaru wypytywać go o blizny na plecach. Wziął od niej szklaneczkę i jednym haustem wypił cały trunek.

Amandę zahipnotyzował ruch mięśni na jego długiej szyi. Miała ochotę jej dotknąć, przycisnąć usta do trójkątnego zagłębienia u nasady. Mocno zacisnęła dłonie. Dobry Boże, musi zapanować nad swoimi popędami!

Jack odstawił szklaneczkę i utkwił wzrok w Amandzie.

– Ściśle mówiąc, wtargnięcie tu lorda Tirwitta nie było najtrudniejszą chwilą dzisiejszego dnia. O wiele więcej kłopotu sprawia mi utrzymanie rąk przy sobie, kiedy ty znajdujesz się tak blisko.

Nie było to zbyt eleganckie stwierdzenie, ale wywołało efekt. Amanda zamrugała ze zdziwienia. Ostrożnie zdjęła z rany poplamioną krwią koszulę i zaczęła przytykać do skaleczenia nasączoną alkoholem chusteczkę.

Przy pierwszym dotknięciu Devlin podskoczył i syknął boleśnie. Amanda znów delikatnie przyłożyła chusteczkę. Jack zaklął pod nosem i cofnął się przed nasączonym whisky skrawkiem materiału.

Amanda nadal dezynfekowała ranę.

– W moich powieściach bohater nic by sobie nie robił z bólu, choćby nie wiem jak silnego – stwierdziła swobodnym tonem.

– Ale ja nie jestem bohaterem – warknął Devlin. – A to boli jak diabli! Może trochę delikatniej, co?

– Ma pan imponującą posturę – zauważyła. – Natomiast pański charakter pozostawia wiele do życzenia.

– Nie każdy może być człowiekiem ze stali, panno Briars – zauważył z sarkazmem.

Zirytowana Amanda bezceremonialnie przytknęła ociekającą whisky chusteczkę do rany, a Jack jęknął głośno, chociaż najwyraźniej bardzo się starał dzielnie znieść ból. Spojrzeniem dał Amandzie do zrozumienia, że poprzysiągł jej słodką zemstę.

Ich uwagę przyciągnął jakiś cichy, niewyraźny szloch, który rozległ się gdzieś przy drzwiach. Obejrzeli się jednocześnie i zobaczyli, że do pokoju wszedł Oscar Fretwell. Z początku Amanda myślała, że młodego kierownika przeraził widok krwi Devlina, dostrzegła jednak, że Fretwell z całej siły zaciska usta, oczy ma lekko zmrużone... po prostu powstrzymywał głośny śmiech. Cóż go tak, u diabła, rozbawiło?

Fretwell po mistrzowsku starał się zachować panowanie nad sobą.

– Przyniosłem... przyniosłem bandaże i świeżą koszulę dla pana prezesa – oznajmił.

– Zawsze trzyma pan w pracy ubranie na zmianę? – zapytała Amanda.

– O, tak – potwierdził radośnie Fretwell, zanim Jack zdążył odpowiedzieć. – Plamy z atramentu, rozlane płyny, rozwścieczeni arystokraci... nigdy nie wiadomo, czego się spodziewać. Należy więc być przygotowanym na wszystko.

– Wyjdź, Fretwell – polecił krótko Devlin. Uśmiech nie zniknął z twarzy podwładnego, jednak posłuchał natychmiast.

– Pan Fretwell robi bardzo miłe wrażenie. Polubiłam go –

przyznała Amanda. Skończyła dezynfekować ranę i sięgnęła po zwinięty bandaż.

– Wszyscy go lubią – odrzekł Devlin.

– Jak to się stało, że znalazł u pana posadę? – Amanda starannie bandażowała tors Jacka.

– Znam go od wczesnej młodości – wyjaśnił Devlin, przytrzymując na miejscu koniec lnianego opatrunku. – Chodziliśmy razem do szkoły. Kiedy zdecydowałem się wydawać książki, on wraz z kilkoma szkolnymi kolegami postanowił robić to razem ze mną. Jeden z tych kolegów, Guy Stubbins, kieruje działem księgowości, inny, Basil Fry, nadzoruje moje interesy za granicą. A Will Orpin zajmuje się introligatornią.

– Do jakiej szkoły pan chodził?

Przez długą chwilę nie było odpowiedzi. Twarz Devlina nic nie wyrażała. Amandzie wręcz wydawało się, że nie usłyszał jej pytania, więc postanowiła je powtórzyć.

– Do jakiej...

– Do takiej niewielkiej szkoły na pustkowiu – wyjaśnił krótko. – Na pewno pani o niej nie słyszała.

– Może mi więc pan o niej opowie... – Zawiązała końce bandaża, żeby opatrunek się nie zsunął.

– Proszę mi dać koszulę – przerwał jej.

Nie było wątpliwości, że coś bardzo go rozgniewało. Postanowiła nie drążyć dalej tego tematu, tylko spokojnie spełniła polecenie. Devlin jednym ruchem rozłożył koszulę i rozpiął górny guzik. Z przyzwyczajenia pomogła mu ją włożyć, niczym doświadczony pokojowiec. Często w ten sposób pomagała niedomagającemu ojcu.

– Świetnie daje sobie pani radę z męską garderobą – skomentował Devlin, bez jej pomocy zapinając guzik. Piękne muskuły skryły się pod świeżą, białą tkaniną.

Amanda odwróciła wzrok, kiedy wsuwał dół koszuli za pasek spodni. Po raz pierwszy doceniła, jaką wolność daje bycie trzydziestoletnią starą panną. Nie do pomyślenia było,

żeby jakaś skromna pensjonarka znalazła się w takiej sytuacji. Groziłaby jej kompromitacja na całe życie. Jednak zaawansowany wiek Amandy pozwalał na sporo więcej.

– Opiekowałam się ojcem przez ostatnie dwa lata jego życia – wyjaśniła. – Niedomagał i trzeba mu było pomagać w ubieraniu się. Byłam lokajem.

Twarz Devlina zmieniła się, zniknęły z niej wszelkie oznaki irytacji.

– Bardzo dzielna z pani kobieta – powiedział cicho, bez cienia ironii.

Poczuła na sobie jego ciepłe spojrzenie i zdała sobie sprawę, że zrozumiał, co się kryło pod tym krótkim wyjaśnieniem. Pojmował, że dla obowiązku i z miłości do ojca poświęciła bezcenne, ostatnie lata młodości. Odgadł, że nie potrafiła zaniedbać swoich powinności, choć oznaczało to, że przez długie lata nie miała okazji do flirtów, śmiechu i beztroskiej zabawy.

Uśmiechnął się lekko, unosząc w górę kąciki ust. Miał w oczach figlarne ogniki, świadczące o skłonności do żartów i beztroski. Nie przestawało jej to zadziwiać. Wszyscy znani jej mężczyźni, zwłaszcza jeśli odnieśli sukces w interesach, byli śmiertelnie poważni. Jack Devlin wciąż ją zadziwiał.

Gorączkowo szukała czegoś do powiedzenia, żeby przerwać krępującą ciszę, jaka między nimi zapanowała.

– A co takiego pani Bradshaw napisała o lordzie Tirwitcie, że sprowokowało go to do tak gwałtownych czynów? – zapytała w końcu.

– Znam twój sposób myślenia, Brzoskwinko, więc nie zaskoczyłaś mnie tym pytaniem. – Podszedłszy do biblioteczki, przebiegł wzrokiem rząd książek. Wyjął tom w płóciennej oprawie i podał go Amandzie.

– *Grzechy pani B.* – przeczytała Amanda i zmarszczyła brwi.

– Niech to będzie prezent – powiedział Jack. – Perypetie

lorda T. są opisane w rozdziale szóstym lub siódmym. Przekona się pani, że mogła się w nim obudzić żądza mordu.

– Nie mogę zabrać takiej nieprzyzwoitej książki do domu – zaprotestowała, wpatrując się w skomplikowany, złocony motyw na okładce. Po krótkiej chwili odkryła, że jeśli się spogląda na splątane zawijasy wystarczająco długo, można się w nich dopatrzyć dość obscenicznych kształtów. Spojrzała gniewnie na Jacka: – Skąd panu przyszło do głowy, że zechcę coś takiego przeczytać?

– W ramach gromadzenia materiałów do swoich nowych powieści – wyjaśnił niewinnie. – Jest pani kobietą światową, prawda? A poza tym ta książka wcale nie jest taka znowu nieprzyzwoita. – Pochylił się, a jego cichy szept sprawił, że poczuła na karku dziwne mrowienie. – Jeśli chce pani przeczytać coś naprawdę dekadenckiego, to mogę pokazać kilka egzemplarzy, po których przeczytaniu rumieniłaby się pani przez miesiąc.

– Nie wątpię, że ma pan takie „dzieła" – odrzekła chłodno, chociaż dłonie jej zwilgotniały, a po plecach przebiegł gorący dreszcz. Ze złością zdała sobie sprawę, że nie może mu zwrócić tej przeklętej książki, ponieważ na pewno zostaną na okładce ślady wilgotnych dłoni. – Jestem pewna, że pani Bradshaw doskonale opisała przeżycia związane z uprawianiem swojej profesji. Dziękuję za dostarczenie mi materiałów, które być może wykorzystam w swoich przyszłych pracach.

Roześmiał się głośno.

– Przynajmniej tak się mogę odwdzięczyć za to, że sprawnie pozbyła się pani lorda Tirwitta.

Wzruszyła ramionami, jakby nie przywiązywała do tego najmniejszego znaczenia.

– Gdybym pozwoliła, żeby pana zamordował, nigdy bym nie dostała swoich pięciu tysięcy funtów.

– A więc zdecydowała się pani przyjąć moją ofertę?

Amanda zawahała się, ale skinęła głową, choć minę miała niezbyt zadowoloną.

– Wygląda na to, że miał pan rację. Rzeczywiście można mnie kupić.

– No, cóż... Może pocieszy panią fakt, że wyznaczyła pani bardzo wysoką cenę.

– Nie chciałam sprawdzać, czy naprawdę zniżyłby się pan do szantażu, żeby nakłonić niechętnego autora do współpracy.

– Zwykle nie uciekam się do takich środków – zapewnił – no ale też nigdy nie pragnąłem żadnego autora tak bardzo.

Ruszył ku niej z wolna, a Amanda jeszcze mocniej zacisnęła dłoń na książce. Jack przypominał podkradającego się sprężystym krokiem tygrysa. Nagle poczuła, że znów ogarnia ją zdenerwowanie.

– Zgodziłam się z panem współpracować, ale to nie znaczy, że może pan sobie za dużo pozwalać.

– Oczywiście.

Cofała się przed nim, aż poczuła za plecami biblioteczkę. Oparła głowę o grzbiety oprawnych w skórę tomów.

– Chciałem tylko przypieczętować naszą umowę uściskiem dłoni.

– Uściskiem dłoni – powtórzyła drżącym głosem. – Chyba mogę pozwolić... – Nerwowo chwyciła powietrze i przygryzła wargę, kiedy poczuła, że jego duża ręka zaciska się na jej dłoni. Wiecznie zmarznięte palce otoczyło przyjemne ciepło. Trzymał jej rękę w uścisku i nie chciał wypuścić. Czuła się tak, jakby ją brał w posiadanie. Dzieliła ich tak wielka różnica wzrostu, że chcąc spojrzeć mu w oczy, musiała unieść głowę pod bardzo niewygodnym kątem. Choć figurę miała pełną, przy nim wyglądała jak krucha, porcelanowa laleczka.

Nie potrafiła zapanować nad przyśpieszonym oddechem i po chwili zaczęło jej się kręcić w głowie.

– Dlaczego koniecznie chce pan wydać moją powieść w odcinkach? – wydusiła w końcu.

Devlin nadal ściskał jej dłoń.

– Ponieważ, moim zdaniem, kupowanie książek nie powinno

być przywilejem bogaczy. Chcę drukować takie książki, na które wszyscy będą mogli sobie pozwolić. Biedak o wiele bardziej niż bogacz potrzebuje ucieczki od rzeczywistości.

– Ucieczka od rzeczywistości... – Nigdy nie słyszała, żeby ktoś w ten sposób określił literaturę.

– Tak, dzięki książce można zapomnieć, gdzie, kim i czym się jest. Każdy tego potrzebuje. W przeszłości zdarzyło mi się raz czy dwa, że jedynie książka uchroniła mnie przed szaleństwem. Ja...

Urwał nagle i Amanda zdała sobie sprawę, że to zwierzenie wyrwało mu się mimowolnie. W pokoju zapanowała niezręczna cisza, przerywana tylko wesołym trzaskaniem ognia na kominku. Amanda miała wrażenie, że powietrze aż drga od niewyrażonych emocji. Chciała mu powiedzieć, że doskonale rozumie, o co mu chodzi, że ona również doświadczyła zbawiennej mocy słowa pisanego. W jej życiu również zdarzały się chwile, w których książka była jedyną przyjemnością.

Stali tak blisko siebie, że czuła bijące od niego ciepło. Zagryzła wargę, żeby nie zapytać o jego tajemniczą przeszłość. Ciekawiło ją, od czego musiał uciekać w świat książek i czy miało to coś wspólnego z bliznami na plecach.

– Amando – wyszeptał.

Chociaż w jego głosie ani spojrzeniu nie było nic dwuznacznego, przypomniał jej się dzień urodzin... delikatny dotyk skóry... słodycz ust, jedwabistość ciemnych włosów.

Szukała odpowiednich słów, żeby przerwać zaklętą ciszę. Czuła, że musi natychmiast położyć kres tej dziwacznej sytuacji, bała się jednak, że jeśli spróbuje coś powiedzieć, zacznie się jąkać i zacinać niczym zdenerwowany podlotek. Ten człowiek wywierał na nią przerażający wpływ.

Na szczęście ciszę przerwało nadejście Oskara Fretwella, który zapukał krótko do drzwi i nie czekając na zaproszenie, wszedł do środka. Wydawał się nie zauważać, że Amanda nerwowo odskoczyła od Jacka i poczerwieniała ze wstydu.

– Bardzo pana przepraszam – zwrócił się do Devlina. – Ale właśnie przybył policjant, pan Jacob Romley. Aresztował lorda Tirwitta i chce zadać panu kilka pytań jako uczestnikowi tego zamieszania.

Devlin nic nie odpowiedział, tylko patrzył na Amandę jak wygłodniały kot, któremu właśnie wyrwała się z pazurów wyjątkowo smakowita mysz.

– Muszę już iść – powiedziała Amanda. Wzięła rękawiczki z fotela przy kominku i zaczęła śpiesznie wciągać je na dłonie. – Nie będę panu dłużej przeszkadzać. I byłabym wdzięczna, gdyby nie wspominał pan mego nazwiska panu Romleyowi. Nie chcę, żeby pisano o mnie w brukowcach czy innych tego rodzaju pismach. Niech chwała za pokonanie lorda Tirwitta przypadnie tylko panu.

– Rozgłos pomógłby sprzedać pani książkę w większym nakładzie – zauważył Devlin.

– Chcę, żeby moje książki sprzedawały się dlatego, że są dobre, a nie z powodu jakichś pospolitych plotek.

Wydawał się szczerze zdziwiony.

– A czy to ma jakieś znaczenie? Grunt, żeby się sprzedawały.

Roześmiała się i spojrzała na młodego człowieka, czekającego przy drzwiach.

– Odprowadzi mnie pan do wyjścia?

– Z największą przyjemnością. – Fretwell szarmancko podał jej ramię i razem wyszli z biura.

Jack zawsze lubił Gemmę Bradshaw. Byli do siebie podobni: dwoje zaprawionych w bojach ludzi, którzy bez żadnej pomocy doszli do czegoś w świecie, rzadko obchodzącym się łaskawie z nisko urodzonymi. Każde z nich wcześnie w życiu przekonało się, że szansę na sukces musi sobie dać samo. Ta świadomość, połączona z odrobiną szczęścia, pozwoliła im

wspiąć się na szczyty w wybranych przez siebie dziedzinach. W jego przypadku było to wydawanie książek, w jej – prostytucja.

Choć Gemma zaczęła jako uliczna prostytutka i bez wątpienia była w tym doskonała, szybko doszła do wniosku, że zagrożenie chorobami, przemoc i przedwczesne starzenie, tak powszechne w tym fachu, wcale jej nie odpowiadają. Znalazła sobie opiekuna na tyle bogatego, że kupił jej niewielki dom. Tam właśnie założyła najlepszy dom publiczny w Londynie.

Zarządzała swoim interesem bardzo inteligentnie i świadczyła usługi na najwyższym poziomie. Starannie dobierała i szkoliła swoje dziewczyny. Udało jej się sprawić, że traktowano je jak luksusowy towar do nabycia za astronomiczne wręcz sumy. Nigdy nie brakowało dżentelmenów chętnych do skorzystania z ich usług za duże pieniądze.

Chociaż Jack doceniał urodę dziewcząt pracujących w dużym ceglanym domu o sześciu białych kolumnach na froncie, nigdy nie skorzystał z oferty Gemmy, która stale proponowała mu darmową noc z jakąś swoją pracownicą. Nie interesowało go spędzenie nocy z kobietą, która oddawała się za pieniądze. Lubił zdobywać swoją partnerkę, uwielbiał sztukę flirtowania i uwodzenia. Nic nie podniecało go tak jak wyzwanie.

Prawie dwa lata minęły od dnia, w którym Jack zwrócił się do pani Bradshaw i zaproponował, żeby napisała książkę o swoim niesławnym przybytku i o własnej zagadkowej przeszłości. Pomysł ten bardzo spodobał się Gemmie. Od razu wyczuła, że taka książka przysłuży się jej interesom i umocni reputację najlepszej burdelmamy w całym Londynie. Co więcej, rozpierała ją całkiem uzasadniona duma z własnych osiągnięć, więc odczuwała naturalną potrzebę pochwalenia się nimi.

Tak więc, z pomocą autora pisującego dla Jacka, wypełniła strony swojej wspominkowej powieści humorem i pikantnymi wyznaniami. Sukces książki przeszedł najśmielsze oczekiwania,

przyniósł olbrzymi dochód i szybko sprawił, że dom Gemmy zaczął się cieszyć międzynarodową sławą.

Jack i Gemma Bradshaw zostali przyjaciółmi, zwłaszcza że oboje cenili sobie możliwość rozmowy szczerej aż do bólu. W towarzystwie Gemmy Jack mógł zapomnieć o towarzyskich konwenansach, które nie pozwalają ludziom rozmawiać ze sobą prosto i szczerze. Przyszła mu nawet do głowy zabawna myśl, że oprócz Gemmy jedyną kobietą, z którą mógł rozmawiać równie swobodnie, była panna Amanda Briars. To dziwne, ale stara panna i właścicielka domu publicznego miały tę samą cechę charakteru – otwartość i bezpośredniość.

Choć Gemma była zwykle bardzo zajęta, a Jack przyszedł z niezapowiedzianą wizytą, bez zwłoki zaprowadzono go do jej prywatnego saloniku. Tak jak podejrzewał, Gemma przeczuła, że ją odwiedzi. Nie wiedział, czy śmiać się, czy złościć, kiedy zobaczył, że już na niego czeka, wyciągnięta z gracją na szezlongu.

Jak cała reszta domu, salonik był urządzony w kolorach podkreślających urodę właścicielki. Ściany pokryto zielonym brokatem, pozłacane meble były obite złotawoszmaragdowym aksamitem, na tle którego upięte wysoko rude włosy Gemmy lśniły niczym ogień.

Gemma była wysoka, miała zgrabną, kobiecą sylwetkę i pociągłą twarz o zbyt dużym nosie, ale nosiła się z taką elegancją i pewnością siebie, że powszechnie uważano ją za piękność. Jej najbardziej pociągającą cechą była szczera sympatia dla mężczyzn.

Chociaż większość kobiet twierdzi, że lubi i szanuje mężczyzn, to tylko bardzo nieliczne rzeczywiście to czują. Gemma należała właśnie do tej mniejszości. Potrafiła sprawić, że czuli się przy niej swobodnie, ich wady traktowała jako urocze słabostki, a nie powód do irytacji, i potrafiła ich przekonać, że wcale nie chce nic w nich zmieniać.

– Jack, kochany, właśnie na ciebie czekałam – zamruczała, podchodząc do niego z rozłożonymi ramionami. Jack wziął ją za ręce i spojrzał na nią z ironicznym uśmiechem. Jej dłonie były jak zwykle tak upierścienione, że spod złota i drogich kamieni prawie nie było widać palców.

– Nie wątpię, że czekałaś – powiedział cicho. – Mamy sobie kilka rzeczy do wyjaśnienia.

Roześmiała się radośnie, najwyraźniej zadowolona ze swojego sprytnie obmyślonego psikusa.

– Ależ Jack, chyba się na mnie nie gniewasz? Naprawdę sądziłam, że się wam obojgu dobrze przysłużę. Czy inaczej miałbyś okazję odegrać rolę ogiera przed tak zachwycającą kobietą?

– Uważasz, że panna Briars jest zachwycająca? – zapytał sceptycznie.

– Oczywiście – odrzekła bez cienia sarkazmu, z rozbawieniem mrużąc ciemne oczy. – Panna Briars odważyła się tu do mnie przyjść i śmiało zażądała mężczyzny na prezent urodzinowy, jakby zamawiała u rzeźnika kawałek mięsa na pieczeń. Bardzo ją za to podziwiam. I rozmawiała ze mną niezwykle uprzejmie. Wyobrażam sobie, że tak właśnie rozmawiają ze sobą przyzwoite kobiety. Od razu bardzo ją polubiłam.

Z wdziękiem usiadła na szezlongu i dała mu znak, żeby usiadł na krześle obok. Z przyzwyczajenia, które stało się już jej drugą naturą, ułożyła długie nogi tak, żeby ich zgrabne kształty odznaczały się pod spódnicą z aksamitu w kolorze wina.

– Tolly! – zawołała i natychmiast, nie wiadomo skąd, pojawiła się pokojówka. – Tolly, przynieś panu Devlinowi szklaneczkę brandy.

– Wolałbym kawę – oznajmił Jack.

– W takim razie przynieś kawę z cukrem i śmietanką. – Czerwone usta Gemmy – których naturalny kolor zręcznie podkreślała szminką – wygięły się w słodkim, ujmującym uśmiechu. Zaczekała, aż pokojówka wyjdzie z saloniku, i do-

piero wtedy znów się odezwała. – Oczekujesz pewnie wyjaśnienia, jak doszło do tej sytuacji. Cóż, to był czysty przypadek, że zjawiłeś się u mnie zaledwie kilka godzin po wyjściu panny Briars. Wspomniałeś o książce, do której prawa właśnie kupiłeś, i o tym, że chciałbyś poznać autorkę. Wtedy przyszedł mi do głowy cudowny pomysł. Panna Briars chciała mężczyzny, a ja nie miałam takiego, który by jej odpowiadał. Mogłam wysłać Neda albo Jude'a, ale żaden z tych głupiutkich przystojniaków się dla niej nie nadawał.

– Dlaczego? – spytał ponuro Jack.

– Och, daj spokój. Obraziłabym ją, gdybym jej przysłała któregoś z tych bezmózgich pięknisiów, żeby ją pozbawił dziewictwa. Myślałam nad tym wszystkim, zastanawiałam się, skąd wziąć odpowiedniego dla niej mężczyznę, a wtedy zjawiłeś się ty. – Wzruszyła z wdziękiem ramionami, najwyraźniej bardzo z siebie zadowolona. – Bez trudu wszystko obmyśliłam. Postanowiłam wysłać tam ciebie. A ponieważ nie usłyszałam od panny Briars słowa skargi, domyślam się, że spisałeś się, jak należy, i była z ciebie zadowolona.

Być może z powodu niezwykłości tej sytuacji, lub zafascynowania Amandą Briars, Jackowi dotychczas na myśl nie przyszło, że ma wobec Gemmy dług wdzięczności. Mogła przecież wysłać jakiegoś aroganckiego gówniarza, który nie doceniłby urody i klasy Amandy. Odebrałby jej niewinność bez najmniejszego zastanowienia, tak jak się zrywa jabłko z jabłoni. Na samą myśl o tym czuł, że dzieje się z nim coś niepokojącego.

– Mogłaś mnie powiadomić o swoim planie – warknął. Czuł złość, ale i coś w rodzaju ulgi. Dobry Boże, a gdyby tamtego wieczoru na progu domu Amandy niespodziewanie zjawił się jakiś inny mężczyzna, a nie on?

– Nie chciałam ryzykować. Bałam się, że odmówisz. I wiedziałam, że kiedy już poznasz pannę Briars, nie będziesz w stanie się jej oprzeć.

Jack nie miał zamiaru dawać jej satysfakcji i nie przyznał, że się ani trochę nie pomyliła.

– Gemmo, skąd ci przyszło do głowy, że trzydziestoletnie stare panny to coś w moim guście?

– Jak to skąd? Przecież jesteście do siebie podobni jak dwie krople wody! – zawołała. – To od razu widać.

Ze zdziwienia uniósł wysoko brwi.

– Podobni? Pod jakim względem?

– Zacznijmy od tego, że oboje uważacie swoje serce za rodzaj mechanizmu, który wymaga naprawy. – Prychnęła rozbawiona i mówiła dalej nieco łagodniejszym tonem. – Amanda Briars potrzebuje kogoś, kto by ją pokochał, a jednak wydaje jej się, że łatwo rozwiąże ten problem, jeśli zapłaci za jedną noc w towarzystwie męskiej prostytutki. A ty, mój drogi, od dawna robisz wszystko, żeby nie zdobyć tego, czego ci najbardziej potrzeba – towarzyszki życia. Ożeniłeś się ze swoją firmą, z której chyba nie masz wiele pożytku w pustym łóżku w środku nocy.

– Mam tyle towarzystwa, ile tylko zapragnę. Przecież nie jestem mnichem.

– Nie mówię o stosunkach cielesnych, osiołku. Nigdy nie brakowało ci prawdziwej towarzyszki życia, kogoś, komu mógłbyś zaufać, zwierzyć się... kogo mógłbyś pokochać?

Jack z irytacją zdał sobie sprawę, że nie znajduje odpowiedzi na to pytanie. Miał niemal nieograniczony wybór znajomych, przyjaciółek, nawet kochanek. Nigdy jednak nie spotkał kobiety, która umiałaby zaspokoić jego potrzeby fizyczne i uczuciowe, a wina leżała po jego stronie, a nie którejkolwiek ze znanych mu dam. Czegoś mu brakowało... nie potrafił się otworzyć i dlatego jego stosunki z kobietami były bardzo powierzchowne.

– Trudno nazwać Amandę Briars idealną partnerką dla takiego samolubnego łajdaka jak ja – powiedział.

– Doprawdy? – Gemma uśmiechnęła się prowokacyjnie. – A może byś spróbował? Rezultaty mogłyby cię zaskoczyć.

– Nigdy bym się nie spodziewał, że zechcesz odgrywać rolę swatki.

– Od czasu do czasu lubię eksperymentować – odparła lekkim tonem. – A ten eksperyment będę obserwowała z wielkim zainteresowaniem. Bardzo jestem ciekawa, czy się uda.

– Nie uda się – zapewnił ją. – A nawet gdyby się udał, to prędzej się powieszę, niż ci o tym powiem.

– Kochanie – zamruczała. – Tak okrutnie pozbawiłbyś mnie odrobiny rozrywki? Przecież miałam dobre intencje. A teraz opowiedz mi, co się wydarzyło tamtego wieczoru. Umieram z ciekawości.

Devlin starał się, żeby jego twarz nie wyrażała żadnych uczuć.

– Nic się nie wydarzyło.

Gemma wybuchnęła perlistym śmiechem.

– Mogłeś wymyślić jakąś sprytniejszą odpowiedź. Być może bym ci uwierzyła, gdybyś twierdził, że trochę poflirtowaliście lub nawet pokłóciliście się... Ale to, że nic się nie wydarzyło, jest zupełnie niemożliwe.

Jack nie miał zwyczaju zwierzać się ze swoich prawdziwych uczuć. Już dawno nauczył się, jak gawędzić niezobowiązująco, nie ujawniając nic o sobie. Zawsze twierdził, że nie warto nikomu powierzać swoich sekretów, ponieważ ludzie nie potrafią dochować tajemnicy.

Amanda Briars to piękna kobieta, która udawała brzydką. Była dowcipna, inteligentna, odważna, rozsądna i przede wszystkim interesująca. Dręczyło go jednak to, że nie wiedział, czego od niej chce. W jego świecie każda kobieta spełniała jasno określoną rolę. Jedne były partnerkami do interesującej rozmowy, inne służącymi rozrywce kochankami, z niektórymi prowadził interesy, a większość była tak nudna lub tak otwarcie polowała na męża, że należało za wszelką cenę ich unikać. Amanda nie pasowała do żadnej z tych kategorii.

– Pocałowałem ją – przyznał nagle Jack. – Jej dłonie pach-

niały cytryną. Czułem... – Nie znajdując słów na wyrażenie tego, co chciał powiedzieć, zamilkł. Ku swemu narastającemu zdumieniu coraz wyraźniej widział, że spotkanie z Amandą mocno nim wstrząsnęło.

– Tylko tyle powiesz? – zapytała z żalem Gemma, zirytowana jego milczeniem. – Cóż, skoro nie potrafisz się zdobyć na lepszy opis, nie dziwię się, że nigdy nie napisałeś powieści.

– Pragnę jej, Gemmo – powiedział cicho. – Ale to nie jest dobrze. Ani dla mnie, ani dla niej. – Urwał i uśmiechnął się ponuro. – Gdybyśmy nawiązali romans, źle by się to skończyło dla obu stron. Wkrótce zapragnęłaby rzeczy, których nie mógłbym jej dać.

– A skąd to wiesz? – zapytała z dobroduszną kpiną.

– Bo nie jestem głupcem. Amanda Briars to kobieta, która potrzebuje czegoś więcej niż namiastki mężczyzny. I w pełni na kogoś takiego zasługuje.

– Namiastka mężczyzny – powtórzyła rozbawiona tym wyrażeniem Gemma. – Dlaczego tak mówisz? Z tego, co słyszałam o twojej anatomii, kochany, jako mężczyzna jesteś bardzo dobrze wyposażony.

Jack postanowił nie wdawać się w dalsze tłumaczenia, wiedząc, że Gemma nie lubi ani nie potrafi rozmawiać o problemach, które nie znajdują konkretnego rozwiązania. On sam też nie widział rozwiązania tej sytuacji. Uśmiechnął się do pokojówki, która weszła do saloniku, niosąc kawę, śmietankę i cukier.

– Cóż – wymamrotał pod nosem. – Dzięki Bogu, na świecie są też inne kobiety, nie tylko Amanda Briars.

Gemma litościwie pozwoliła mu zmienić niewygodny dla niego temat.

– Powiedz tylko słowo, jeśli kiedyś zapragniesz towarzystwa którejś z moich dziewcząt. Przynajmniej tyle mogę zrobić dla swojego drogiego wydawcy.

– To mi o czymś przypomniało... – Jack urwał, wypił łyk

gorącej kawy, a po chwili mówił dalej, rozmyślnie zachowując obojętny wyraz twarzy. – Dziś rano w biurze złożył mi wizytę lord Tirwitt. Był niezadowolony z opisu własnej osoby w twojej książce.

– Doprawdy? – spytała Gemma bez większego zainteresowania. – Co ten stary piernik miał do powiedzenia?

– Chciał mnie nadziać na swoją laskę z ostrzem.

Gemma wybuchnęła niepohamowanym śmiechem.

– Coś podobnego! – Z trudem chwytała oddech. – A ja potraktowałam go tak łagodnie. Nie uwierzyłbyś, o ilu jego wyczynach nie napisałam. Były po prostu zbyt niesmaczne, żeby wydać je drukiem.

– No tak, a przecież trudno ci zarzucić przesadnie dobry smak. Na twoim miejscu nakazałbym personelowi zwiększyć czujność, na wypadek gdyby nasz lord zechciał cię odwiedzić, kiedy już opuści areszt przy Bow Street.

– Nie przyjdzie tu – powiedziała Gemma, ocierając łzę śmiechu, która spłynęła z jej podkreślonego henną oka. – To by tylko potwierdziło te nieprzyjemne plotki. Ale dziękuję ci za ostrzeżenie, kochany.

Jeszcze przez chwilę gawędzili przyjaźnie o interesach, inwestycjach i polityce. Jack lubił ironiczne poczucie humoru Gemmy i jej daleko posunięty pragmatyzm. Oboje zgadzali się, że nie należy w sobie pielęgnować przywiązania do jakiejkolwiek osoby, partii czy ideału. Popierali liberałów lub konserwatystów w zależności od tego, co było korzystniejsze dla ich własnych interesów. Gdyby znaleźli się na tonącym okręcie, byliby pierwszą parą szczurów, która by z niego uciekła, a po drodze ukradliby jeszcze łódź ratunkową.

W końcu kawa w dzbanku wystygła, a Jack przypomniał sobie, że ma jeszcze różne sprawy do załatwienia.

– Już dość czasu ci zająłem – stwierdził, wstając. Gemma nadal półleżała na szezlongu. Pochylił się i ucałował jej

wyciągniętą dłoń, dotykając ustami nie skóry, ale licznych pierścieni pobrzękujących na palcach.

Wymienili przyjacielskie uśmiechy i Gemma zapytała z pozorną niedbałością:

– Czy panna Briars będzie dla ciebie pisała?

– Owszem, ale jeśli o nią chodzi, to złożyłem śluby czystości.

– Bardzo mądrze, kochany, bardzo mądrze. – W jej głosie słychać było ciepłą nutę aprobaty, ale w oczach błyszczało rozbawienie, jakby w głębi duszy śmiała się z niego. Jack przypomniał sobie z niepokojem, że tego ranka Oscar Fretwell patrzył na niego z podobnym rozbawieniem. Ciekawe, co też aż tak zabawnego widzieli ludzie w jego stosunku do Amandy Briars?

6

Ku zdziwieniu Amandy umowę z Jackiem Devlinem przyniósł jej do domu nie posłaniec, tylko Oscar Fretwell. Był równie ujmujący jak podczas ich pierwszego spotkania; jego turkusowe oczy spoglądały przyjaźnie i ciepło, a uśmiech wydawał się całkiem szczery. Jego elegancja zrobiła wielkie wrażenie na Sukey, która przyglądała mu się tak bezceremonialnie, że Amanda z trudem tłumiła śmiech. Widać było, że bacznemu spojrzeniu pokojówki nie umknie żaden szczegół, począwszy od starannie ostrzyżonych jasnych włosów, błyszczących niczym moneta prosto z mennicy, a skończywszy na czubkach wypolerowanych czarnych butów.

Sukey uroczyście wprowadziła Fretwella do salonu, jakby chodziło co najmniej o członka rodziny królewskiej.

Zachęcony przez Amandę Fretwell usiadł na fotelu i sięgnął do skórzanej torby, którą miał u boku.

– Pani umowa – oznajmił, wyjmując ciężki plik papierów i szeleszcząc nimi triumfalnie. – Wystarczy, że pani to przejrzy i podpisze. – Uśmiechnął się przepraszająco, kiedy Amanda z uniesionymi brwiami wzięła od niego gruby plik dokumentów.

– Jeszcze nigdy nie widziałam takiej długiej umowy – powiedziała cierpko. – To bez wątpienia sprawka mojego prawnika.

– Pani przyjaciel, pan Talbot, rozważył wszystkie szczegóły i dodał swoje zastrzeżenia, więc umowa rzeczywiście jest niezwykle obszerna.

– Przeczytam ją bez zwłoki. Jeśli wszystko będzie w porządku, podpiszę ją i odeślę jutro. – Odłożyła dokument na bok. Ogarnął ją nastrój radosnego oczekiwania. Nie wyobrażała sobie, że perspektywa współpracy z takim łobuzem jak Jack Devlin tak na nią podziała.

– Mam pani przekazać osobistą wiadomość od pana Devlina – oznajmił Fretwell. Zielononiebieskie oczy błyszczały za szkłami wypolerowanych okularów. – Prosił, żebym pani powiedział, że rani go pani swoją nieufnością.

Amanda roześmiała się.

– Równie dobrze mogłabym zaufać wężowi. Przy podpisywaniu umowy ani jednego punktu nie pozostawiłabym bez szczegółowego wyjaśnienia, bo na pewno by to wykorzystał przeciwko mnie.

– Ależ panno Briars! – Fretwell wydawał się szczerze wstrząśnięty. – Jeśli rzeczywiście ma pani takie zdanie o panu Devlinie, to zapewniam panią, że się pani myli! To wspaniały człowiek... gdyby pani tylko wiedziała...

– Gdybym co wiedziała? – zapytała nieufnie, unosząc brew. – No, proszę, niech mi pan powie, cóż takiego wspaniałego widzi pan w swoim szefie? Zapewniam pana, że ma fatalną opinię i chociaż potrafi zachowywać się z pewnym dość wątpliwym wdziękiem, do tej pory nie udało mi się u niego wykryć żadnych oznak prawego charakteru czy sumienia. Chętnie posłucham, dlaczego uważa go pan za wspaniałego człowieka.

– Cóż, zgadzam się, że pan Devlin jest wymagający i pracuje w takim tempie, że trudno dotrzymać mu kroku, ale zawsze jest sprawiedliwy i szczerze nagradza za dobrze wykonane zadania. Ma wybuchowy temperament, przyznaję, ale jest również bardzo rozsądny. W rzeczywistości ma o wiele miększe

serce, niż to okazuje. Na przykład, jeśli któryś z jego pracowników długo choruje, po powrocie do zdrowia ma zagwarantowane swoje dawne miejsce pracy. Rzadko który pracodawca tak postępuje.

– Zna go pan już dość długo – stwierdziła Amanda, lekko unosząc głos, przez co jej słowa zabrzmiały jak pytanie.

– Tak, chodziliśmy do tej samej szkoły. Po jej skończeniu, wraz z kilkoma kolegami, pojechałem za nim do Londynu, kiedy nam powiedział, że chce zostać wydawcą książek.

– Wszyscy byliście zainteresowani sprawami wydawniczymi? – zapytała sceptycznie.

Fretwell wzruszył ramionami.

– Rodzaj zajęcia nie miał dla nas najmniejszego znaczenia. Gdyby Devlin nam powiedział, że chce być dokerem, rzeźnikiem czy handlarzem ryb, i tak chcielibyśmy dla niego pracować. Gdyby nie on, wiedlibyśmy zupełnie inne życie. Prawdę mówiąc, kilku z nas nie byłoby już wśród żywych.

Amanda starała się ukryć zdziwienie jego słowami, ale czuła, że oczy coraz szerzej jej się otwierają.

– Dlaczego pan tak mówi? – Z fascynacją patrzyła, jak Fretwell nagle się zmieszał, jakby zdradził o wiele więcej, niż zamierzał.

Uśmiechnął się smutno.

– Pan Devlin przykłada wielką wagę do zachowania dyskrecji. I tak za dużo już powiedziałem. Z drugiej jednak strony... jest kilka rzeczy, które powinna pani o nim wiedzieć, żeby lepiej go zrozumieć. Wyraźnie widać, że bardzo panią polubił.

– A mnie się wydaje, że on lubi wszystkich – odparła bez emocji, przypominając sobie swobodne zachowanie Devlina na przyjęciu u Talbota i stale otaczający go krąg znajomych. Z pewnością doskonale układały się jego stosunki z płcią przeciwną. Nie uszło jej uwagi, że obecne na przyjęciu panie trzepotały rzęsami i chichotały zalotnie, kiedy odezwał się do nich lub choćby spojrzał w ich stronę.

– To tylko pozory – zapewnił ją Fretwell. – Stara się utrzymywać kontakty towarzyskie z szerokim gronem znajomych, ale lubi niewielu, a ufa bardzo nielicznym. Gdyby znała pani jego przeszłość, nie byłaby pani tym zaskoczona.

Amanda zwykle nie uciekała się do kobiecych sztuczek, żeby zdobyć informacje. Wolała bardziej bezpośrednie podejście. Teraz jednak obdarzyła swojego gościa najsłodszym i najbardziej ujmującym uśmiechem, na jaki ją było stać. Bardzo chciała z niego wydobyć wszystko, co wiedział na temat przeszłości Jacka.

– Może jednak pan mi zaufa i coś mi opowie o przeszłości swojego szefa? – zapytała niewinnie. – Obiecuję, że nie pisnę nikomu ani słówka.

– Wierzę pani. Ale to nie jest temat do salonowej pogawędki.

– Nie jestem naiwnym dziewczęciem ani delikatną cieplarnianą istotką, która z byle powodu wpada w histerię. Obiecuję panu, że nie zemdleję z wrażenia.

Fretwell uśmiechnął się lekko, lecz jego głos zabrzmiał poważnie.

– Czy pan Devlin opowiadał pani coś o szkole, w której się uczył... w której obaj się uczyliśmy?

– Tylko tyle, że jest to niewielka szkoła na pustkowiu. Nie chciał mi zdradzić jej nazwy.

– Szkoła nazywała się Knatchford Heath. – Wymówił tę nazwę jak wulgarne przekleństwo. Urwał, jakby wspominał jakiś koszmar, który śnił mu się dawno temu, a Amanda zastanawiała się nad jego słowami. Nazwa szkoły wydała jej się znajoma. Może występowała w jakiejś okropnej, popularnej rymowance?

– Nie znam tej szkoły – powiedziała po namyśle. – Mam tylko niejasne wrażenie... czy nie zginął tam kiedyś jakiś chłopiec?

– Wielu chłopców tam zginęło. – Fretwell uśmiechnął się

ponuro. Widać było, że z wysiłkiem stara się zachować spokój. Zmuszał się, żeby mówić obojętnym, cichym głosem. – Dzięki Bogu, ta instytucja już nie istnieje. Otaczała ją atmosfera narastającego skandalu, więc w końcu rodzice przestali wysyłać tam swoich synów, bojąc się, że ludzie ich za to potępią. Gdyby ta szkoła nadal istniała, osobiście bym ją podpalił. – Jego twarz przybrała twardy wyraz. – Posyłano tam niechcianych synów, często z nieprawego łoża, których rodzice pragnęli się pozbyć. Bardzo wygodny sposób, żeby ukryć swoją życiową pomyłkę. Ja byłem właśnie kimś takim – synem pewnej zamężnej damy, która przyprawiła mężowi rogi, a potem starała się ukryć dowód swojej niewierności. A Jack Devlin... to syn szlachcica, który zgwałcił biedną irlandzką służącą. Kiedy matka Jacka zmarła, ojciec nie chciał mieć nic wspólnego z bękartem, więc wysłał chłopca do Knatchford Heath. Dla nas to było piekło. – Zamilkł, pochłonięty gorzkimi wspomnieniami.

– Proszę mówić dalej – ponagliła go łagodnie. – Niech mi pan opowie o tej szkole.

– Było tam może dwóch nauczycieli, którzy traktowali uczniów stosunkowo dobrze. Ale większość to były nieludzkie potwory. A kierownika szkoły uważaliśmy za wcielonego diabła. Jeśli jakiś uczeń wystarczająco dobrze nie wyuczył się lekcji, narzekał na spleśniały chleb lub pomyje, które tam uchodziły za owsiankę, wymierzano mu bolesną chłostę, pozbawiano jedzenia, przypalano albo poddawano jeszcze gorszym torturom. Jeden z pracowników wydawnictwa, pan Orpin, jest niemal głuchy, ponieważ zbyt mocno bito go po głowie. Inny chłopiec oślepł z niedożywienia. Czasami przywiązywano ucznia do bramy i zostawiano na całą noc, wystawionego na mróz i wiatr. To cud, że w ogóle ktoś przeżył, a jednak nam się udało.

Amanda patrzyła na niego z przerażeniem i współczuciem.

– Czy rodzice chłopców wiedzieli, co się dzieje z ich

dziećmi? – zapytała, z trudem wydobywając głos ze ściśniętego gardła.

– Ależ oczywiście. I nic ich to nie obchodziło. Nawet śmierć dziecka nie robiła na nich wrażenia. Wydaje mi się, że właśnie mieli nadzieję, że tak się to skończy. Nie było wakacji ani przerw w nauce. Nie zdarzyło się, żeby ktoś z rodziców przyjechał do syna na święta. Żaden wizytator nigdy nie skontrolował panujących tam warunków. Jak już mówiłem, tam były same niechciane dzieci. Życiowe pomyłki.

– Dziecko nie może być życiową pomyłką – powiedziała Amanda drżącym głosem.

Fretwell uśmiechnął się lekko, słysząc to idealistyczne stwierdzenie. Po chwili cicho mówił dalej:

– Kiedy zjawiłem się w Knatchford Heath, Jack Devlin przebywał tam już od ponad roku. Od razu wiedziałem, że różni się od innych chłopców. Wszyscy bali się nauczycieli i kierownika, ale nie on. Był silny, bystry, pewny siebie... jeśli istniał tam ktoś, kogo można by nazwać ulubieńcem całej szkoły, uczniów i nauczycieli, to on nim był. Nie znaczyło to, oczywiście, że nie spotykały go żadne kary. Bito go i głodzono tak samo jak wszystkich. Właściwie nawet częściej niż resztę. Wkrótce zauważyłem, że bierze na siebie winy innych chłopców i ponosi karę zamiast nich. Wiedział, że ci mniejsi nie przeżyliby ciężkiej chłosty. Namawiał silniejszych, większych chłopców, żeby robili to samo. Mówił, że musimy się troszczyć o siebie nawzajem. Przypominał nam, że poza szkołą czeka na nas inny świat, musimy tylko przetrwać...

Fretwell zdjął okulary i starannie przetarł chusteczką szkła.

– Czasami od śmierci chroni nas jedynie ostatnia iskierka nadziei. Devlin nie pozwalał tej iskierce zgasnąć. Składał nam obietnice, niemożliwe do spełnienia, a jednak udało mu się ich dotrzymać.

Amanda milczała jak zaklęta. Nie mogła pogodzić obrazu

znanego jej Jacka Devlina, bezczelnego łajdaka, z chłopcem, którego przed chwilą opisał Fretwell.

Widząc na jej twarzy niedowierzanie, Fretwell włożył na nos okulary i uśmiechnął się.

– Zdaję sobie sprawę, jaki on się pani wydaje. Devlin stara się uchodzić za wyrzutka społeczeństwa. Zapewniam panią jednak, że to najlojalniejszy i najbardziej godzien zaufania człowiek, jakiego znam. Raz ocalił mi życie, narażając własne. Przyłapano mnie na kradzieży jedzenia ze szkolnej spiżarni i za karę przywiązano mnie na całą noc do bramy. Panowało przeraźliwe zimno, wiał silny wiatr, a ja byłem przerażony. Tuż po zapadnięciu zmroku Devlin wymknął się z budynku, przynosząc ze sobą koc. Odwiązał mnie i został ze mną do samego rana. Siedzieliśmy skuleni pod kocem i rozmawialiśmy o dniu, kiedy wreszcie będziemy mogli opuścić Knatchford Heath. O świcie, kiedy miał po mnie przyjść nauczyciel, Devlin znów przywiązał mnie do bramy i ukradkiem wrócił do szkoły. Gdyby został złapany na pomaganiu koledze, ukarano by go śmiercią.

– Dlaczego? – zapytała cicho Amanda. – Dlaczego dla pana ryzykował życie? Dlaczego narażał się dla innych? Nigdy bym nie pomyślała...

– Że potrafi coś zrobić dla innych? – dokończył za nią Fretwell, a ona potakująco skinęła głową. – Wyznam, że nigdy do końca nie zrozumiałem, co kieruje Jackiem Devlinem. Jedno natomiast wiem na pewno – być może nie jest to człowiek religijny, ale wyjątkowo dobry.

– Skoro pan tak twierdzi, to wierzę – odrzekła półgłosem Amanda. – Jednakże... – zerknęła na niego sceptycznie. – Trudno mi pojąć, jak ktoś, kto kiedyś dobrowolnie wystawiał się na bolesne chłosty za innych, mógł tak jęczeć i narzekać przy opatrywaniu lekkiego zadraśnięcia na boku.

– Chodzi pani o to, co się działo w zeszłym tygodniu w biurze, kiedy lord Tirwitt zaatakował i ranił pana Devlina laską z wysuwanym ostrzem?

– Tak.

Fretwell niespodziewanie się uśmiechnął.

– Widziałem, jak bez mrugnięcia okiem znosi sto razy silniejszy ból. Ale w końcu to mężczyzna i chciał po prostu skorzystać z okazji i zdobyć trochę kobiecego współczucia.

– Chciał obudzić we mnie współczucie? – zdumiała się Amanda.

Widać było, że Fretwell chciał coś jeszcze dodać do tej interesującej informacji, ale nagle doszedł do wniosku, że nie byłoby to zbyt mądre posunięcie. Uśmiechnął się, spoglądając w okrągłe, szare oczy Amandy.

– Chyba dość już powiedziałem – oznajmił.

– Ależ proszę pana – zaprotestowała. – Nie skończył pan jeszcze opowiadać. Jak to się stało, że chłopak bez rodziny i majątku został w końcu właścicielem wydawnictwa? I jak...

– Myślę, że pan prezes sam dokończy tę opowieść, kiedy będzie już do tego gotowy. A nie wątpię, że kiedyś tak się stanie.

– Ależ nie może pan przerwać w połowie! – Amanda miała tak nieszczęśliwą minę, że Fretwell wybuchnął śmiechem.

– To historia pana Devlina, więc niech on ją opowie. – Odstawił filiżankę i odłożył serwetkę. – Bardzo przepraszam, ale wzywają mnie obowiązki. Inaczej dostanie mi się od szefa.

Amanda niechętnie wezwała Sukey, która wkrótce się zjawiła, niosąc kapelusz, płaszcz i rękawiczki gościa. Fretwell zapiął się szczelnie, dla ochrony przed panującym na zewnątrz chłodem.

– Mam nadzieję, że jeszcze mnie pan odwiedzi – powiedziała Amanda.

Skinął głową, jakby doskonale rozumiał, że pragnie dowiedzieć się od niego więcej o Jacku Devlinie.

– Z pewnością się postaram. Och, byłbym zapomniał... – Sięgnął do kieszeni płaszcza i wyjął jakiś mały przedmiot w aksamitnym woreczku, związanym jedwabnym sznureczkiem. – Szef prosił mnie, żebym to pani przekazał. Pragnie

upamiętnić dzień, w którym podpisała pani pierwszą umowę z jego wydawnictwem.

– Nie mogę przyjąć żadnego osobistego prezentu od pana Devlina – stwierdziła ostrożnie Amanda.

– To obsadka do stalówki – rzeczowo wyjaśnił Fretwell. – Trudno nazwać ten przedmiot osobistym prezentem.

Amanda ostrożnie wzięła woreczek i wysypała jego zawartość na otwartą dłoń. Zobaczyła srebrną obsadkę i pasujący do niej komplet stalówek. Zamrugała, zaskoczona i zmieszana. Choć Fretwell twierdził, że jest inaczej, ten prezent był dość osobisty, kosztowny i wykonany misternie niczym klejnot. Ciężar świadczył o tym, że obsadkę w całości wykonano ze srebra, jej powierzchnia była grawerowana i wysadzana turkusami. Kiedy ostatni raz otrzymała prezent od mężczyzny, coś więcej niż symboliczny gwiazdkowy podarek? Nie mogła sobie przypomnieć. Ku swojemu niezadowoleniu stwierdziła, że ogarnia ją miłe ciepło, a w głowie zaczyna jej się lekko kręcić. Ostatni raz czuła się tak, kiedy była młodą dziewczyną. Chociaż instynkt jej podpowiadał, że powinna zwrócić to piękne cacko, to jednak nie posłuchała go. Dlaczego nie miałaby go zatrzymać? Dla Devlina nie miał pewnie żadnego znaczenia, a jej sprawił wielką przyjemność.

– Jakie to śliczne – powiedziała sztywno, zaciskając palce na obsadce. – Rozumiem, że pan Devlin wysyła podobne upominki wszystkim swoim autorom?

– Nie, panno Briars. – Oscar Fretwell z uśmiechem otworzył sobie drzwi i wyszedł wprost w londyński gwar zimowego dnia.

Ten fragment trzeba usunąć. – Siedzący za biurkiem Devlin wskazał długim palcem na leżącą przed nim zapisaną kartkę papieru.

Amanda podeszła bliżej i zajrzała mu przez ramię. Lekko mrużąc oczy, przeczytała wskazane przez niego akapity.

– Wykluczone. Tutaj zawarłam bardzo ważne informacje na temat charakteru bohaterki.

– Ale to spowalnia tempo narracji – sucho stwierdził Devlin i wziął pióro, żeby przekreślić krytykowaną stronę rękopisu. – Mówiłem już pani, nawet dzisiaj, że to ma być powieść w odcinkach. Szybkie tempo ma dla niej podstawowe znaczenie.

– Przedkłada pan szybkie tempo akcji ponad rozwinięcie opisu postaci? – zapytała wzburzona i porwała kartkę z biurka, zanim zdążył cokolwiek skreślić.

– Wierz mi, jest tu sto innych akapitów, które opisują charakter bohaterki. – Jack wstał zza biurka i podszedł do cofającej się Amandy. – Ten fragment jest całkiem zbędny.

– Wręcz przeciwnie. Ma podstawowe znaczenie – upierała się Amanda, obronnym gestem ściskając w dłoni kartkę.

Jack patrzył na nią i z trudem powstrzymywał uśmiech. Była tak urzekająco pewna siebie, taka śliczna i wojownicza. Dziś pierwszy raz zaczęli redagować *Historię damy* i na razie bardzo mu się ta praca podobała. Okazało się, że przystosowanie powieści Amandy do wydania w odcinkach jest całkiem proste. Do tej chwili zgadzała się na niemal każdą sugerowaną przez niego zmianę i doskonale rozumiała jego argumenty. Niektórzy z jego autorów z oślim uporem nie pozwalali na żadne zmiany, jakby redagowany tekst był Biblią. Z Amandą pracowało się łatwo. Widać było, że nie ma przesadnie wygórowanego mniemania o sobie i swoich książkach. O swoich zdolnościach zaś wyrażała się z rezerwą, a nawet wydawała się zaskoczona, kiedy ją chwalił.

Główną postacią *Historii damy* była młoda kobieta, dokładająca wszelkich starań, żeby żyć zgodnie z zasadami społecznymi, która jednak nie mogła zaakceptować sztywnych ograniczeń, narzucanych przez powszechne wyobrażenie o tym, co jest słuszne i stosowne. Popełniła w życiu fatalne błędy – grała w gry hazardowe, miała kochanka, urodziła nieślubne

dziecko – a wszystko to stało się dlatego, że goniła za czymś tak ulotnym jak szczęście.

Spotkał ją tragiczny koniec – umarła na chorobę weneryczną, chociaż było jasne, że do jej śmierci równie mocno jak choroba przyczynił się surowy osąd społeczeństwa. W powieści Jacka najbardziej fascynowało to, że Amanda jako autorka nie osądzała postępowania bohaterki, nie chwaliła jej, ale też nie potępiała. Widać było, że lubi tę postać, i Jack podejrzewał, że opisywany bunt wewnętrzny odzwierciedla niektóre uczucia samej Amandy.

Chociaż proponował, że będzie przychodził do niej, żeby pracować nad tekstem, ona wolała spotykać się z nim w biurze przy Holborn Street. Był przekonany, że postąpiła tak przez zdarzenia, które między nimi zaszły w jej salonie. Kąciki ust zadrgały mu w tłumionym uśmiechu, kiedy pomyślał, że Amanda zapewne uważa, iż tutaj nic jej nie grozi z jego strony.

– Proszę mi oddać tę stronę – powiedział, rozbawiony jej determinacją. Nadal uparcie cofała się przed nim. – To trzeba usunąć.

– Ten fragment zostanie – oświadczyła wojowniczo, zerkając przez ramię, żeby się upewnić, czy Jack nie zapędzi jej w róg pokoju.

Miała dzisiaj na sobie suknię z miękkiej, różowej wełny, obszytą jedwabną tasiemką w nieco ciemniejszym kolorze. Nakrycie głowy, które leżało teraz na biurku, zdobiły chińskie róże, a służące do wiązania go pod brodą długie wstążki spływały aż na podłogę. Różowy kolor sukni podkreślał rumieńce na policzkach Amandy, a prosty krój pozwalał w całej pełni docenić jej kobiece kształty. Jack podziwiał jej inteligencję, ale dzisiaj widział w niej przede wszystkim pociągającą, słodką istotę.

– Pisarze – zauważył z ponurym uśmiechem. – Wszyscy uważacie, że wasze powieści są bez skazy, a ten, kto chce zmienić w nich choćby jedno słowo, to skończony idiota.

– A wydawcy uważają siebie za najinteligentniejszych ludzi pod słońcem – odcięła Amanda.

– Czy mam posłać po kogoś innego, żeby rzucił na to okiem? – Wskazał na kartkę, którą trzymała w ręku. – Usłyszałaby pani opinię trzeciej osoby.

– Wszyscy tutaj pracują dla pana – zauważyła Amanda. – Każdy poprze pańskie zdanie.

– Masz rację – przyznał beztrosko. Wyciągnął rękę po kartkę, a ona jeszcze mocniej zacisnęła na niej palce. – Oddaj mi to, Amando.

– Panno Briars – poprawiła go ostro, ale chociaż się nie uśmiechała, wyczuł, że ta sprzeczka również jej sprawia przyjemność. – I nie oddam tej kartki. Nalegam, żeby ten fragment pozostał w tekście. I co pan teraz zrobi?

Jack nie potrafił się oprzeć takiemu wyzwaniu. Od rana ciężko pracowali i teraz nabrał ochoty na trochę rozrywki. W Amandzie było coś, co sprawiało, że miał chęć wyprowadzić ją z równowagi.

– Jeśli nie oddasz mi tej kartki, to cię pocałuję – powiedział cicho.

Zdziwiła się.

– Co takiego?

Jack milczał. Słowa nadal drgały między nimi w powietrzu jak kręgi na wodzie, kiedy ktoś wrzuci kamień do stawu.

– Niech pani wybiera, panno Briars. – Jack zdał sobie sprawę, że bardzo by chciał, żeby sprowokowała go do gwałtowniejszej reakcji. Bardzo niewiele brakowało, żeby swoje słowa wprowadził w czyn. Pragnął ją pocałować, od chwili gdy przestąpiła próg biura. Sposób, w jaki surowo zaciskała pełne wargi, doprowadzał go niemal do szaleństwa. Chciał ją całować do zawrotu głowy, dopóki nie osunęłaby się w jego ramiona i nie zaczęła odpowiadać na jego pieszczoty.

Spostrzegł, że Amanda wyprostowała się sztywno, próbując

zachować panowanie nad sobą. Policzki jej poczerwieniały, palce zacisnęły się kurczowo na kartce, której tak broniła.

– Jestem pewna, że nie prowadzi pan takich gierek z innymi pisarzami – powiedziała czystym, dźwięcznym głosem, który tak mu się podobał.

– Nie, panno Briars – odrzekł poważnie. – Obawiam się, że tylko pani nastraja mnie tak romantycznie.

Słysząc ostatnie słowa, zaniemówiła. Jej srebrnoszare oczy zrobiły się okrągłe ze zdziwienia. W tej samej chwili Jack z takim samym zdumieniem stwierdził, że chociaż zamierzał dać jej już spokój, to nie potrafi zapanować nad swoimi reakcjami. Nagle przeszła mu ochota do żartów, a obudziła się w nim jakaś głębsza, silniejsza potrzeba.

Chociaż w jego najlepiej pojętym interesie leżało zachowanie harmonii między nimi, stwierdził, że nie chce, żeby łączyło ich zawodowe koleżeństwo czy namiastka przyjaźni. Pragnął ją drażnić, zbijać z tropu, tak żeby ona również miała zamęt w głowie, taki sam jak on, kiedy była w pobliżu.

– To zapewne swego rodzaju komplement, że zostałam zaliczona do licznego grona dam, które obdarza pan swoimi względami – powiedziała w końcu Amanda. – Zapewniam jednak pana, że wcale się o tego rodzaju względy nie ubiegam.

– Dostanę wreszcie tę kartkę? – zapytał ze zwodniczą łagodnością.

Amanda nagle podjęła decyzję. Zmięła kartkę w ciasną kulę, podeszła do kominka i cisnęła ją w ogień, gdzie papier spłonął w kilka sekund. Niebiesko-białe płomyki tańczyły na brzegach zgniecionej kuli, środek zaś gwałtownie zwęglił się i sczerniał.

– Tej kartki już nie ma – oznajmiła Amanda beznamiętnie. – Postawił pan na swoim. Zadowolony?

Zrobiła tak, żeby rozładować powstałe między nimi napięcie. Atmosfera pozostała jednak dziwnie ciężka i naładowana elektrycznością, jak nieruchome powietrze przed burzą z piorunami. Uśmiech Jacka nie był już taki swobodny.

– Tylko kilka razy w życiu żałowałem, że postawiłem na swoim. Teraz zdarzyło się to po raz kolejny.

– Nie chcę się z panem bawić w jakieś gierki. Chcę tylko skończyć pracę nad powieścią.

– Skończyć pracę – powtórzył i zasalutował jak żołnierz przyjmujący rozkaz od dowódcy. Stanął za biurkiem, oparł się dłońmi o mahoniowy blat i spojrzał na swoje notatki. – W zasadzie praca jest już skończona. Z tych pierwszych trzydziestu stron będzie doskonały pierwszy odcinek. Jak tylko wstawi pani poprawki, o których mówiliśmy, prześlę to do druku.

– Wyda pan dziesięć tysięcy egzemplarzy? – zapytała badawczo, przypominając sobie, że właśnie taki nakład jej obiecał.

– Tak. – Jack uśmiechnął się, widząc jej niepokój. Dobrze wiedział, co ją niepokoi. – Panno Briars, cały nakład sprzeda się doskonale. W tych sprawach mam niezawodny instynkt.

– Możliwe, że pan go ma – odrzekła bez przekonania. – Jednak... ta historia... Wielu czytelników będzie miało wobec niej pewne zastrzeżenia. Jest bardziej sensacyjna i... bardziej drastyczna, niż mi się kiedyś wydawało. Nie oceniłam moralności bohaterki wystarczająco krytycznie...

– I właśnie dlatego powieść świetnie się sprzeda.

Amanda nagle się roześmiała.

– Można powiedzieć, że podobnie jak książka pani Bradshaw.

Jack z przyjemnością i zaskoczeniem stwierdził, że Amanda potrafi śmiać się sama z siebie. Odszedł od biurka i stanął obok niej. Speszona jego bliskością, nie potrafiła mu patrzyć prosto w oczy. Uciekała wzrokiem to do okna, to ku drzwiom, aż wreszcie utkwiła spojrzenie w górnym guziku jego surduta.

– Pani powieść rozejdzie się w większym nakładzie niż głośna książka pani Bradshaw – zapewnił z uśmiechem. – I to nie ze względu na tak zwane drastyczne treści. Opowiedziała pani ciekawą historię w bardzo zręczny sposób. Podoba mi się, że nie wygłasza pani moralizujących komentarzy na temat

błędów bohaterki. Czytelnikowi trudno będzie jej nie współczuć.

– Ja jej współczuję – szczerze przyznała Amanda. – Zawsze mi się wydawało, że małżeństwo bez miłości to najgorszy koszmar w życiu. Tak wiele kobiet zmusza się do zamążpójścia z powodów czysto materialnych. Gdyby większa ich liczba była w stanie samodzielnie się utrzymać, nie mielibyśmy tylu panien młodych z niechęcią idących do ołtarza i tylu nieszczęśliwych żon.

– Panno Briars, co za niekonwencjonalne poglądy – zauważył łagodnie.

Ze zdziwieniem spojrzała na jego rozbawioną minę.

– To przecież rozsądne stwierdzenie.

Jack nagle zrozumiał, co jest główną cechą charakteru Amandy. Praktyczność i zdrowy rozsądek nie pozwalały jej akceptować hipokryzji i przestarzałych społecznych przesądów, którym większość ludzi bezmyślnie się podporządkowywała. Właściwie dlaczego kobieta miała wychodzić za mąż tylko dlatego, że tego od niej oczekiwano, skoro mogła uczynić inny wybór?

– Być może większość kobiet uważa, że łatwiej jest wyjść za mąż, niż samodzielnie zarabiać na utrzymanie – powiedział, celowo starając się ją sprowokować.

– Łatwiej? – prychnęła. – Nie widziałam jeszcze najmniejszego dowodu na to, że życie w domowym kieracie jest łatwiejsze niż praca w jakimś zawodzie. Kobietom potrzeba lepszego wykształcenia, możliwości wyboru, a wtedy będą mogły w pełni świadomie decydować, czy wychodzić za mąż, czy nie.

– Ale kobieta bez mężczyzny jest niekompletna – stwierdził wyzywająco i roześmiał się na widok jej groźnej miny. Uniósł ramiona w obronnym geście. – Proszę się uspokoić, panno Briars. Żartowałem sobie. Nie chcę od pani oberwać, jak to się przydarzyło lordowi Tirwittowi. Właściwie zgadzam się z pani zdaniem. Nie jestem zbyt gorącym zwolennikiem in-

stytucji małżeństwa. Prawdę mówiąc, zamierzam jej unikać za wszelką cenę.

– Nie chce więc pan mieć żony i dzieci?

– O Boże, nie. – Uśmiechnął się do niej szeroko. – Każda, nawet średnio rozgarnięta kobieta od razu pozna, że nie jestem zbyt dobrym kandydatem na męża.

– Tak, to dość oczywiste – przyznała Amanda i uśmiechnęła się smutno.

Kiedy Amanda kończyła jedną powieść, zwykle natychmiast zaczynała następną. Inaczej czuła się zagubiona, dokuczał jej brak sensu życia. Bez pomysłu na nową książkę miała wrażenie, że dryfuje bez celu. W przeciwieństwie do większości ludzi, nie złościło jej czekanie na kogoś, długie podróże czy godziny bezczynności. Dla niej stanowiły one okazję do refleksji nad powstającą powieścią, układania dialogów, wymyślania wątków.

A teraz, pierwszy raz od wielu lat, nie potrafiła ułożyć fabuły, która pobudziłaby jej wyobraźnię na tyle, żeby skłonić ją do pisania. Skończyła już poprawiać *Historię damy* i nadszedł czas rozpoczęcia pracy nad nową książką, jednak ta perspektywa wydawała jej się dziwnie mało zachęcająca.

Zastanawiała się, czy przyczyną takiej sytuacji nie jest Jack Devlin. Odkąd go poznała, jej życie wewnętrzne stało się mniej interesujące niż świat zewnętrzny. Nigdy przedtem nie stanęła przed takim problemem. Może powinna powiedzieć Devlinowi, żeby przestał ją odwiedzać? Nie, ta myśl wcale jej się nie spodobała. Jack nabrał zwyczaju wpadania do niej z wizytą co najmniej dwa razy w tygodniu, i to bez jakiejkolwiek zapowiedzi, choć wymagała tego zwykła grzeczność. Czasami zjawiał się w środku dnia, a czasem nawet w porze kolacji. Wtedy musiała proponować mu wspólne zjedzenie wieczornego posiłku.

– Zawsze mnie uczono, że nie należy karmić błąkających się zwierząt – rzekła ponuro, kiedy trzeci raz zjawił się nieproszony na kolacji. – To je tylko zachęca i będą wracały po więcej.

Devlin zwiesił głowę w bezskutecznej próbie udawania skruchy i posłał jej uwodzicielski uśmiech.

– Czyżby to była pora kolacji? Nie zauważyłem, że już jest tak późno. Pójdę sobie. Na pewno kucharka zostawiła mi w domu porcję zimnego purée z ziemniaków albo odgrzewaną zupę.

Amandzie nie udało się zachować surowego wyrazu twarzy.

– Jest pan zamożnym człowiekiem i jestem pewna, że zatrudnia pan lepszą kucharkę, niż to wynika z pana słów. Prawdę mówiąc, niedawno słyszałam, że mieszka pan we wspaniałej rezydencji i ma pan armię służących. Wątpię, żeby pozwolili panu głodować.

Zanim Devlin zdążył odpowiedzieć, przez otwarte drzwi wpadł podmuch lodowatego wiatru i Amanda szybko dała znać pokojówce, żeby je zamknęła.

– Niech pan wejdzie, zanim zamienię się w sopel lodu – ponagliła gderliwie.

Z wielce zadowoloną miną wkroczył do ciepłego domu i z aprobatą pociągnął nosem.

– Gulasz wołowy? – wymruczał, rzucając Sukey pytające spojrzenie. Pokojówka uśmiechnęła się od ucha do ucha.

– Pieczeń wołowa, proszę pana. Z duszoną rzepą i szpinakiem. A na deser pudding morelowy, jakiego pan jeszcze nie jadł. Kucharka przeszła dzisiaj samą siebie. Sam się pan przekona.

Amandę nieco drażniła bezceremonialność Jacka, ale na widok jego wyczekującej miny jej irytacja zniknęła.

– Zjawia się pan w moim domu tak często, że nigdy nie miałam okazji sama pana zaprosić. – Wzięła go pod ramię i razem ruszyli do niewielkiej, lecz elegancko urządzonej jadalni. Chociaż często zasiadała do stołu sama, zawsze jadała

przy świecach, na najlepszej porcelanowej zastawie i srebrnymi sztućcami. Mówiła sobie, że brak męża nie oznacza, że ma jadać w spartańskich warunkach.

– A zaprosiłaby mnie pani, gdybym zaczekał wystarczająco długo? – zapytał Devlin z łobuzerskim błyskiem w oku.

– Nie, nie zaprosiłabym – odrzekła zadziornie. – Niechętnie goszczę przy swoim stole bezwzględnych szantażystów.

– Wcale pani mnie za takiego nie uważa. Proszę mi powiedzieć, jaki jest prawdziwy powód? Nadal czuje się pani niezręcznie z powodu tego, co między nami zaszło w dzień pani urodzin?

Nawet teraz, po wielu wspólnie spędzonych godzinach, kiedy słyszała choćby najmniejszą wzmiankę o ich zmysłowym spotkaniu, czerwieniła się po uszy.

– Nie – bąknęła pod nosem. – To nie ma z tym nic wspólnego. Ja... – Urwała i krótko westchnęła. Odważnie postanowiła wyznać prawdę. – W męskim towarzystwie czuję się trochę niepewnie. Na tyle niepewnie, że nie zaprosiłabym żadnego dżentelmena na kolację, chyba żeby chodziło o spotkanie w interesach. Bałabym się, że mi odmówi.

Przekonała się już, że Jack Devlin lubił się z nią drażnić i przekomarzać, gdy na jego zaczepki reagowała bojowo. Kiedy natomiast odsłaniała wrażliwą, bezbronną stronę swojej osobowości, stawał się zaskakująco łagodny i miły.

– Jest pani kobietą zamożną, urodziwą i inteligentną. Cieszy się też pani doskonałą reputacją. Dlaczego, na litość boską, mężczyzna miałby odrzucić pani zaproszenie?

Amanda spojrzała na niego badawczo, sprawdzając, czy sobie z niej nie kpi, ale na jego twarzy malowało się jedynie szczere zainteresowanie i troska, co wprawiło ją w lekkie zakłopotanie.

– Trudno mnie jednak nazwać uwodzicielską nimfą, zdolną do usidlenia każdego mężczyzny – odrzekła z wymuszoną beztroską. – Zapewniam pana, że istnieją panowie, którzy odrzuciliby moje zaproszenie.

– Jeśli tak, to wcale nie warto ich zapraszać.

– Oczywiście. – Prychnęła nienaturalnym śmiechem. Starała się rozproszyć atmosferę intymności, która nagle między nimi zapanowała. Devlin odsunął jej krzesło, a ona usiadła przy mahoniowym stole, zastawionym zielono-złotą porcelaną i srebrnymi sztućcami o rączkach z macicy perłowej. Między talerzami stała maselniczka z zielonego szkła, zdobiona srebrnymi ornamentami; pokrywkę wieńczył srebrny uchwyt w kształcie krowy. Amanda lubiła elegancką prostotę, nie potrafiła się jednak oprzeć i kupiła ten zabawny drobiazg, kiedy dostrzegła go w którymś z londyńskich sklepów.

Devlin usiadł naprzeciw niej i widać było, że czuje się tu bardzo swobodnie. Najwyraźniej lubił ją odwiedzać i jadać kolacje w jej towarzystwie. Amanda nie mogła się temu nadziwić. Ktoś taki jak Jack Devlin byłby chętnie widziany przy wielu stołach... Dlaczego wolał odwiedzać właśnie ją?

– Ciekawa jestem, czy przyszedł pan tutaj, bo pragnie pan mojego towarzystwa, czy też odpowiadają panu kulinarne talenty mojej kucharki? – zastanowiła się na głos. Kucharka Violet nie miała jeszcze trzydziestu lat, ale potrafiła tak przygotować zwykłą, tradycyjną potrawę, że każda smakowała wyjątkowo. Nauczyła się tego, pracując jako podkuchenna w wielkim domu pewnego arystokraty. Robiła szczegółowe notatki na temat ziół i przypraw, zapisywała setki przepisów w swojej stale rozrastającej się książce kucharskiej.

Devlin uśmiechnął się leniwie.

– Doceniam kulinarne talenty pani kucharki – przyznał. – Ale w pani towarzystwie nawet skórka od chleba zmieniłaby się w posiłek godny króla.

– Nie pojmuję, dlaczego moje towarzystwo jest dla pana takie atrakcyjne – odparła kwaśno, starając się stłumić w sobie przyjemny dreszczyk, który wywołały jego słowa. – Nie pochlebiam panu, nie staram się panu dogodzić. W zasadzie dotychczas każda nasza rozmowa kończyła się jakimś sporem.

– Lubię się spierać – stwierdził pogodnie. – Pewnie odzywa się w ten sposób moje irlandzkie pochodzenie.

Rzadko nawiązywał do swojej przeszłości, więc Amanda natychmiast wykorzystała sytuację.

– Czy pańska matka miała wybuchowy temperament?

– Jak wulkan – odparł, a potem roześmiał się, jakby przypomniał sobie coś z odległej przeszłości. – To była kobieta o zdecydowanych przekonaniach, pełna pasji i bardzo uczuciowa. Nic nie robiła połowicznie.

– Pański sukces na pewno bardzo by ją ucieszył.

– Wątpię. – Z oczu Devlina nagle zniknęła wesołość, a pojawiła się w nich zaduma. – Mama nie umiała czytać. Nie wiedziałaby, co myśleć o synu, który został wydawcą. Była bogobojną katoliczką. Jedyną rozrywką, jaką pochwalała, było słuchanie historii z Biblii i śpiewanie hymnów. Gdyby wiedziała, co wydaję, pewnie miałaby ochotę przyłożyć mi patelnią.

– A pański ojciec? – Nie mogła się powstrzymać przed zadaniem tego pytania. – Jest zadowolony, że został pan prezesem i właścicielem wydawnictwa?

Devlin posłał jej długie, szacujące spojrzenie, a potem odpowiedział z chłodnym namysłem.

– Nie rozmawiamy ze sobą. Właściwie nigdy nie znałem ojca. Jest dla mnie niemal obcym człowiekiem, który po śmierci mamy posłał mnie do szkoły i opłacał czesne.

Amanda zdawała sobie sprawę, że rozmowa o przeszłości jest dla Jacka bolesna i może przywołać gorzkie wspomnienia. Zastanawiała się, na ile zdecydowałby się jej zaufać, gdyby zaczęła wypytywać go bardziej natarczywie. Fascynowała ją myśl, że być może ona jedyna jest w stanie wydobyć zwierzenia z tego opanowanego, skrytego człowieka. Ale skąd jej to w ogóle przyszło do głowy? A jednak jego obecność w tym domu czegoś dowodziła. Lubił jej towarzystwo i wyraźnie czegoś od niej chciał, chociaż nie umiała powiedzieć, co to jest takiego.

Na pewno nie przychodził tutaj jedynie dlatego, że pociągała go seksualnie, chyba że tak bardzo lubił wyzwania, iż nagle zaczęły mu się podobać pyskate stare panny.

Do jadalni wszedł Charles i zręcznie ustawił na stole szklane i srebrne półmiski z pokrywami. Pomógł im nałożyć na talerze soczystą wołowinę i warzywa duszone z masłem, nalał do kieliszków wino i wodę.

Amanda zaczekała, aż służący wyjdzie, i dopiero wtedy odezwała się:

– Nieraz już odpowiedział pan wymijająco na moje pytanie o pańskie spotkanie z panią Bradshaw. Zawsze zniechęcał mnie pan do dalszej rozmowy żartem lub kpiną. Czy jednak, mając na uwadze okazaną panu gościnność, nie wypadałoby wreszcie opowiedzieć, co państwo sobie powiedzieli i dlaczego pani Bradshaw doprowadziła do tej dziwacznej schadzki w dniu moich urodzin? Ostrzegam, że nie dostanie pan ani odrobiny puddingu morelowego, dopóki nie dowiem się wszystkiego.

Widać było, że ta rozmowa znów zaczyna sprawiać Devlinowi przyjemność.

– Okrutna z pani kobieta. Tak wykorzystywać moją słabość do słodyczy.

– Proszę mi wszystko powiedzieć. – Amanda była nieugięta.

Nie śpieszył się z odpowiedzią. Leniwie przełknął kawałek wołowej pieczeni i popił czerwonym winem.

– Pani Bradshaw sądziła, że nie będzie pani zadowolona z mężczyzny mniej inteligentnego od pani. Twierdziła, że ci, których tego wieczoru mogłaby do pani wysłać, byli zbyt głupi, żeby się pani spodobać.

– Czy inteligencja miałaby tu jakiekolwiek znaczenie? – zdziwiła się Amanda. – Nie spotkałam się z opinią, żeby do cielesnego aktu potrzeba było jakiejś szczególnej bystrości. Z tego, co zaobserwowałam, wielu niemądrych ludzi bez trudu doczekuje się potomstwa.

Z niewiadomego powodu te uwagi tak rozbawiły Devlina,

że omal nie zakrztusił się ze śmiechu. Amanda niecierpliwie zaczekała, aż gość się opanuje, ale za każdym razem, kiedy widział jej pytające spojrzenie, na nowo wybuchał śmiechem. W końcu jednym haustem wypił pół kieliszka wina i spojrzał na nią błyszczącymi z wesołości oczami.

– To prawda, że głupcy też mają dzieci – przyznał. W jego niskim głosie wciąż dźwięczała nuta rozbawienia. – Ale to pytanie zdradza twój brak doświadczenia, Brzoskwinko. Prawda wygląda tak, że kobietom trudniej jest osiągnąć zadowolenie w seksie niż mężczyznom. To wymaga pewnej umiejętności, starania i właśnie inteligencji.

Temat ich rozmowy tak daleko odbiegał od tego, co uważano za stosowne w towarzyskiej pogawędce przy stole, że Amanda zaczerwieniła się po uszy. Zanim się znów odezwała, zerknęła na drzwi, żeby się upewnić, czy są zupełnie sami.

– A więc zdaniem pani Bradshaw posiada pan niezbędne cechy, żeby... hmmm... mnie zadowolić... natomiast żaden z jej pracowników się do tego nie nadawał, tak?

– Najwyraźniej. – Odłożył sztućce i z żywym zainteresowaniem obserwował ukazujące się na jej twarzy emocje.

Świadomość, że powinna natychmiast zakończyć tę skandaliczną konwersację, gwałtownie ścierała się z przemożną ciekawością, żeby dowiedzieć się czegoś więcej. Amanda nigdy nie miała okazji z nikim porozmawiać na zakazany temat stosunków cielesnych. Rodzice nie nadawali się do takiej rozmowy, a siostry, mimo że zamężne, były tylko trochę mniej niedoinformowane niż ona.

Ale oto siedział przed nią mężczyzna, nie tylko nadający się do takiej rozmowy, ale w dodatku chętny do wyjaśnienia wszystkich wątpliwości. Zdecydowała, że nie będzie zważać na to, czy temat jest stosowny, czy nie. W końcu jest starą panną, a czy stosowne zachowanie przyniosło jej kiedyś jakiś pożytek?

– A jak jest z mężczyznami? – zapytała. – Czy im też

zdarzają się czasem trudności w osiągnięciu satysfakcji z pożycia z kobietą?

Ku jej radości Devlin poważnie odpowiedział na pytanie.

– Mężczyźnie młodemu lub niedoświadczonemu na ogół wystarcza, że ma przy sobie ciepłe, kobiece ciało. Ale w miarę dojrzewania pragnie czegoś więcej. Akt seksualny jest bardziej podniecający z kobietą, która stanowi wyzwanie, potrafi wzbudzić zainteresowanie... a nawet rozśmieszyć kochanka.

– Mężczyzna pragnie, żeby kobieta go rozśmieszała? – spytała Amanda z nieskrywanym sceptycyzmem.

– Oczywiście. Intymność jest o wiele przyjemniejsza z partnerką, która chętnie przystaje na łóżkowe zabawy... z kimś, kto jest dowcipny i pozbawiony w tej dziedzinie zahamowań.

– Łóżkowe zabawy – powtórzyła Amanda, z niedowierzaniem kręcąc głową. To pojęcie zupełnie nie zgadzało się z tym, co dotychczas myślała o stosunkach między mężczyzną a kobietą. Przecież do łóżka nie idzie się po to, żeby się „bawić". Co też Devlin miał na myśli? Czyżby sugerował, że kochankowie lubią czasem poskakać po materacu i rzucać w siebie poduszkami niczym dzieci?

Kiedy tak patrzyła na niego oszołomiona, Devlin nagle poczuł się nieswojo. Oczy zapłonęły mu niebieskim ogniem, lekki rumieniec wypełznął na policzki, a ręka kurczowo zacisnęła się na widelcu. Odezwał się niskim, chropawym głosem:

– Obawiam się, panno Briars, że musimy zmienić temat, ponieważ niczego bardziej nie pragnę, jak zademonstrować pani osobiście wszystko to, o czym mówiłem.

7

Devlin miał na myśli to, że rozmowa zaczynała go podniecać. Amanda zrozumiała to do razu. Ze zdumieniem i zażenowaniem stwierdziła, że jej ciało także rozbudziło się pod wpływem tak intymnej wymiany myśli. Czuła, że przez wszystkie jej nerwy przebiega dreszcz, a w niektórych miejscach zaczyna odczuwać ciepło. Jakie to dziwne, że widok mężczyzny, dźwięk jego głosu może wywołać takie reakcje – nawet u niej, takiej praktycznej, trzeźwej kobiety.

– Czy zasłużyłem na pudding morelowy? – zapytał Devlin, sięgając do osłoniętego pokrywą półmiska. – I tak sobie nałożę. Ostrzegam, że tylko siłą można mnie będzie od tego powstrzymać.

Amanda uśmiechnęła się i z zadowoleniem stwierdziła, że wypadło to całkiem naturalnie.

– Ależ proszę się częstować – zachęciła. Z radością usłyszała, że jej głos zabrzmiał naturalnie.

Jack wprawnie nałożył sobie na talerz dwie porcje puddingu i zaczął zajadać z chłopięcym wręcz zapałem. Amanda szukała w myślach nowego tematu do rozmowy.

– Bardzo mnie ciekawi, jak to się stało, że został pan wydawcą.

– Wydało mi się to dużo bardziej interesujące niż skrobanie

piórem po papierze w jakimś banku czy towarzystwie ubezpieczeniowym. Poza tym wiedziałem, że jako praktykant nie zarobię większych pieniędzy. Chciałem założyć własną firmę, pracować na własny rachunek, zatrudniać ludzi i od razu zacząć wydawać książki. Tak więc nazajutrz po skończeniu szkoły wyruszyłem do Londynu, pociągając za sobą kilku szkolnych kolegów i... – Urwał, a przez jego twarz przebiegł dziwny cień. – Postarałem się o pożyczkę.

– Musiał pan użyć całej swojej siły przekonywania, żeby bank pożyczył panu sumę wystarczającą na pokrycie wydatków. Zwłaszcza że był pan wtedy bardzo młody.

Uwaga Amandy była życzliwa, ale z jakiegoś powodu oczy Devlina pociemniały, a usta wykrzywiły się w grymasie niezadowolenia.

– Tak – stwierdził ironicznie. – Użyłem całej swojej siły perswazji. – Pociągnął długi łyk wina i spojrzał na pełną wyczekiwania twarz Amandy. Po chwili kontynuował opowiadanie, jakby dźwigał dalej jakiś wielki ciężar. – Postanowiłem zacząć od wydawania magazynu ilustrowanego. Zamierzałem też w pół roku od założenia firmy opracować i wydać sześć trzytomowych powieści. Dzień był za krótki, żeby ze wszystkim nadążyć. Fretwell, Stubbins, Orpin i ja pracowaliśmy do upadłego. Wątpię, czy któryś z nas sypiał więcej niż cztery godziny na dobę. Szybko podejmowałem decyzje, nie wszystkie były dobre, ale jakoś udało mi się nie popełnić błędu, który by nas zrujnował. Na początek kupiłem pięć tysięcy zalegających magazyny książek i sprzedałem je po zaniżonej cenie, co nie zyskało mi przychylności kolegów po fachu; ale szybko zarobiłem sporo pieniędzy. Inaczej firma by nie przetrwała. Inni wydawcy okrzyknęli mnie zdrajcą i mieli rację. Już w pierwszym roku działalności sprzedałem sto tysięcy książek i całkowicie spłaciłem dług.

– Jestem zaskoczona, że konkurenci nie zmówili się, żeby

usunąć pana z rynku – powiedziała rzeczowo Amanda. Wszyscy w światku literackim wiedzieli, że w takich wypadkach Stowarzyszenie Księgarzy i Komitet Wydawców jednoczyły się, żeby zniszczyć tego, kto złamał niepisaną zasadę: nigdy nie sprzedawaj książki po zaniżonej cenie.

– Ależ oczywiście, że próbowali to zrobić – odrzekł z ponurym uśmiechem. – Zanim jednak zorganizowali przeciwko mnie kampanię, miałem już tyle pieniędzy i wpływów, że mogłem się skutecznie bronić przed każdym atakiem.

– Na pewno jest pan zadowolony z tego, co udało się panu osiągnąć.

Parsknął śmiechem.

– Jeszcze nigdy w życiu nie byłem z niczego zadowolony i wątpię, czy kiedykolwiek będę.

– A czegóż jeszcze może pan chcieć? – spytała, zafascynowana.

– Wszystkiego, czego nie mam. – Ta odpowiedź bardzo ją rozśmieszyła.

Potem rozmawiali już na lżejsze tematy, omawiali przeczytane książki, dyskutowali o pisarzach. Amanda wspominała lata spędzone z rodziną w Windsorze. Opowiedziała mu o swoich siostrach, ich mężach i dzieciach, a Devlin słuchał jej z zainteresowaniem, które ją zaskoczyło. Doszła do wniosku, że jak na mężczyznę, jest wyjątkowo spostrzegawczy i wrażliwy. Miał dar słyszenia rzeczy, których nie powiedziała, ukrytych między wierszami.

– Zazdrości pani siostrom mężów i dzieci? – Gdy odchylił się w tył, czarny lok opadł mu na czoło. Ten widok rozproszył nieco Amandę. Miała ochotę odsunąć ten niesforny kosmyk na miejsce. Nie zapomniała, jakie gładkie i sprężyste były jego włosy, niczym focze futro.

Zastanowiła się nad jego pytaniem, dziwiąc się jednocześnie, że śmie pytać ją o tak osobiste sprawy. Co dziwniejsze, wcale nie czuła się tym urażona, choć wolała analizować postępki

i uczucia innych, a nie własne. Coś jednak nakazało jej odpowiedzieć mu szczerze.

– Być może czasami zazdroszczę siostrom, że mają dzieci – odrzekła z wahaniem. – Ale nie chciałabym mieć męża podobnego do któregoś z moich szwagrów. Zawsze pragnęłam kogoś... czegoś... innego. – Umilkła zamyślona, a Devlin również nie odezwał się słowem. Po chwili mówiła dalej: – Nigdy nie potrafiłam pogodzić się z tym, że życie małżeńskie nie jest takie, jak sobie wyobrażałam. Zawsze mi się wydawało, że miłość powinna być szalona i nieokiełznana, ogarniać ciało i duszę człowieka. Tak jak to opisują w wierszach i balladach. Jednak w przypadku moich rodziców, sióstr i wszystkich znajomych z Windsoru wygląda to zupełnie inaczej. Cóż... Zawsze podejrzewałam, że moje wyobrażenia były całkiem mylne.

– Dlaczego? – Niebieskie oczy Devlina spoglądały na nią z zainteresowaniem.

– Bo to by było niepraktyczne. No i taka szalona miłość zawsze w końcu gaśnie.

Uśmiechnął się samymi kącikami ust.

– A skąd pani to wie?

– Bo wszyscy tak mówią i brzmi to całkiem rozsądnie.

– A pani lubi rzeczy praktyczne i rozsądne, tak? – zapytał z łagodną kpiną.

Spojrzała na niego wyzywająco.

– A cóż w tym złego, jeśli wolno zapytać?

– Nic. Ale kiedyś, Brzoskwinko, romantyczna strona twojej duszy zatriumfuje nad praktyczną naturą. I mam nadzieję, że kiedy to się stanie, będę w pobliżu.

Amanda postanowiła nie reagować na zaczepki. Patrzyła na jego urzekającą twarz oświetloną migotliwym światłem świec i czuła się dziwnie lekka i rozpalona.

Miała wielką ochotę dotknąć jedwabistych włosów, aksamitnej, sprężystej skóry, wyczuć puls bijący u nasady szyi. Chciała,

żeby znów ich oddechy się zmieszały, żeby szeptał coś do niej po irlandzku. Ile kobiet musiało go pragnąć, pomyślała z nagłą melancholią. Ciekawe, czy któraś kiedyś rzeczywiście go pozna? Czy Jack podzieli się z jakąś sekretami swojego serca?

– A co pan sądzi o małżeństwie? – zapytała. – Dla takiego człowieka jak pan związek małżeński to bardzo praktyczny układ.

Devlin usadowił się wygodniej, spojrzał na nią i uśmiechnął się nieznacznie.

– A to dlaczego? – Ton jego głosu był łagodny, ale dało się w nim słyszeć zaczepną nutę.

– Żona by się panu przydała, żeby organizować przyjęcia i odgrywać na nich rolę gospodyni. Zapewniałaby też panu towarzystwo. Poza tym na pewno chce pan mieć dzieci, które przejęłyby po panu firmę i majątek.

– Nie muszę się żenić, żeby mieć towarzystwo – zauważył. – I nic mnie nie obchodzi, co się stanie z moim majątkiem, kiedy mnie już nie będzie. Na świecie i tak jest za dużo dzieci; wyświadczam ludzkości przysługę, nie przyczyniając się do wzrostu jej liczby.

– Chyba nie lubi pan dzieci – stwierdziła, spodziewając się, że zaprzeczy.

– Nie przepadam za nimi.

Zdumiała ją szczerość Jacka. Ludzie, którzy nie lubią dzieci, zwykle próbują udawać, że tak nie jest. Dobrze widziane jest zachwycanie się dziećmi, nawet jeśli są to nieznośne bachory, które stale psocą lub płaczą i czegoś się domagają, tak że trudno z nimi wytrzymać.

– Być może w stosunku do własnych dzieci miałby pan inne uczucia – odrzekła, odwołując się do obiegowej opinii, którą jej często powtarzano.

Devlin wzruszył ramionami.

– Wątpię – odpowiedział beztrosko.

Rozmowa o dzieciach sprawiła, że rozwiała się powstająca między nimi atmosfera zmysłowej intymności. Devlin starannie odłożył lnianą serwetę na stół i uśmiechnął się.

– Na mnie już pora – powiedział cicho.

To pewnie mój badawczy wzrok tak go spłoszył, pomyślała Amanda z żalem. Czasami zdarzało jej się, że bez drgnienia powieki wpatrywała się w kogoś, jakby zdzierała zewnętrzne warstwy, żeby się dostać do samego wnętrza człowieka. Nie robiła tego świadomie, było to po prostu pisarskie przyzwyczajenie.

– Nie napije się pan kawy? – zapytała. – A może kieliszek porto? – Kiedy pokręcił głową, wstała i zadzwoniła po Sukey. – W takim razie poproszę, żeby przyniesiono panu do holu płaszcz i kapelusz...

– Proszę zaczekać. – Devlin również wstał i podszedł do niej. Miał dziwną minę, skupioną i czujną, jak dzikie zwierzę, które zwabione jedzeniem, pełne nieufności, podchodzi do człowieka. Amanda spojrzała na niego z pytającym uśmiechem. Starała się zachować spokój, chociaż serce zaczęło jej bić jak szalone.

– Słucham pana?

– Wywiera pani na mnie bardzo dziwny wpływ – wyznał. – Przy pani mam ochotę mówić prawdę, co jest u mnie niespotykane, nie mówiąc już o tym, że wyjątkowo niewygodne.

Nawet nie zdawała sobie sprawy, że się przed nim cofa, dopóki nie poczuła, że doszła do końca pokoju. Devlin stanął tuż przed nią, opierając się jedną ręką o ścianę nad jej ramieniem. Przybrał niedbałą pozę, ale Amanda i tak czuła się osaczona.

Zwilżyła usta czubkiem języka.

– Jakąż to prawdę chciał mi pan wyznać? – wydusiła w końcu.

Spuszczone powieki o długich rzęsach nie pozwalały jej odczytać wyrazu jego oczu. Jack milczał bardzo długo i już

miała wrażenie, że nie odpowie. Nagle jednak spojrzał prosto na nią.

– Chodzi o tę pożyczkę – bąknął. Jego głos, zwykle tak aksamitny i pełen ekspresji, brzmiał teraz chropawo i mechanicznie, jakby wypowiadanie najprostszych słów przychodziło mu z trudem. – O pożyczkę, którą zaciągnąłem na założenie własnej firmy. Nie dostałem jej z banku ani z innej podobnej instytucji. Dostałem ją od ojca.

– Rozumiem – odrzekła cicho, chociaż oboje wiedzieli, że wcale nie rozumie, dlaczego było to dla niego aż tak bolesne.

Zacisnął rękę w pięść, a pobielałe kostki wbiły się w brokatową tkaninę, którą obito ściany.

– Nigdy przedtem go nie widziałem, ale i tak go nienawidziłem. Jest członkiem Izby Lordów, bogatym człowiekiem, a moja matka służyła u niego w domu. Zgwałcił ją albo uwiódł, a kiedy się urodziłem, wyrzucił ją na bruk, dając kilka nędznych groszy na pożegnanie. Nie byłem pierwszym bękartem, którego spłodził, i na pewno nie ostatnim. Dziecko z nieprawego łoża nie ma dla niego najmniejszej wartości. Ma siedmioro prawowitych potomków z własną żoną. – Devlin z obrzydzeniem wydął wargi. – Z tego, co wiem, są to rozpieszczone, leniwe darmozjady.

– Poznałeś swoich przyrodnich braci i siostry? – zapytała ostrożnie Amanda.

– Owszem, widziałem ich kiedyś – wyznał z goryczą w głosie. – Wcale nie pragną poznać żadnego z licznych bękartów swojego ojca.

Amanda skinęła głową, wpatrując się w jego dumną, zaciętą twarz.

– Kiedy zmarła moja matka i nikt nie chciał się mną zaopiekować, ojciec wysłał mnie do Knatchford Heath. Ta instytucja... nie była miła. Chłopiec, którego tam posłano, miał pełne prawo uważać, że rodzice chcą jego śmierci. A ja miałem głębokie przekonanie, że gdybym tam umarł, nikt nie odczułby

najmniejszej straty. Jednak przeżyłem, na złość ojcu i światu. – Roześmiał się krótko, nieprzyjemnie. – Przetrwałem, bo byłem uparty i... – Urwał, spojrzał na jej spokojną twarz i pokręcił głową, jakby chciał się otrzeźwić. – Nie powinienem tego mówić – dodał.

Amanda lekko dotknęła poły jego surduta.

– Proszę mówić dalej – powiedziała cicho. Wszystko w niej zamarło w oczekiwaniu. Wyczuła, że Jack z jakiegoś nieznanego jej powodu otworzył się przed nią, zaufał jej tak, jak jeszcze nigdy nikomu. Chciała, żeby jej się zwierzył... pragnęła go zrozumieć.

Devlin nie poruszył się i nadal wpatrywał się w nią z napięciem.

– Kiedy skończyłem szkołę, nie mogłem ubiegać się o pożyczkę z banku – ciągnął szorstkim głosem. – Nie miałem wyrobionej opinii, majątku pod zastaw, rodziny. Wiedziałem, że nigdy do niczego nie dojdę, jeśli nie będę miał odpowiednich funduszy na rozkręcenie interesu. Poszedłem więc do ojca, człowieka, którego nienawidziłem jak nikogo na świecie, i poprosiłem go o pożyczkę, na dowolnie ustalony przez niego procent. Żadne inne rozwiązanie nie przyszło mi do głowy.

– To musiała być bardzo trudna decyzja – wyszeptała.

– Kiedy go zobaczyłem, poczułem się tak, jakby mnie ktoś zanurzył w beczce z trucizną. Przedtem miałem niejasno uświadomione przekonanie, że coś mi się od ojca należy. Jednak po sposobie, w jaki na mnie patrzył, poznałem, że nie uważa mnie za swojego syna ani w ogóle za członka rodziny. Byłem dla niego tylko życiową pomyłką.

Życiowa pomyłka. Amanda przypomniała sobie, że Oscar Fretwell użył tego samego wyrażenia, opisując siebie i innych chłopców ze szkoły.

– Jest pan jego synem – powiedziała. – Coś się panu od niego należało.

Devlin jakby jej nie usłyszał.

– Co za ironia losu – mówił dalej. – Wyglądam dokładnie tak jak on. Jestem bardziej do niego podobny niż którykolwiek z jego prawowitych synów. Oni wszyscy są jasnowłosi, przypominają matkę. Wydaje mi się, że to oczywiste podobieństwo trochę go rozbawiło. Chyba był zadowolony, że nic nie powiedziałem o szkole, do której mnie posłał. Miałem okazję ponarzekać na trudne lata, ale ja nie poskarżyłem się ani słowem. Powiedziałem mu, że zamierzam zostać wydawcą, a on mnie zapytał, ile pieniędzy od niego chcę. Wiedziałem, że targuję się z diabłem. Pożyczając od niego pieniądze, czułem, że zdradzam matkę. Ale tak bardzo ich potrzebowałem, że starałem się o tym nie myśleć. I wziąłem od niego tę pożyczkę.

– Nikt nie może pana za to winić – stwierdziła Amanda, ale wiedziała, że dla Jacka nie ma to znaczenia. Devlin nie potrafił wybaczyć sobie tego czynu, bez względu na to, co o tym myśleli inni. – Spłacił pan dług, prawda? Ta sprawa należy już do przeszłości.

Uśmiechnął się gorzko, jakby uznał jej stwierdzenie za wyjątkowo naiwne.

– Owszem, zwróciłem cały dług, włącznie z odsetkami. Ale to nie koniec sprawy. Ojciec lubi się chwalić przed swoimi znajomymi, że to on zapewnił mi start w życiu. Odgrywa rolę dobroczyńcy, a ja nie mogę temu zaprzeczyć.

– Ludzie, którzy pana znają, wiedzą, jaka jest prawda – wyszeptała. – Tylko to się liczy.

– Tak. – Wydawał się teraz nieobecny myślami i Amanda wyczuła, że sobie wyrzuca, iż tak wiele opowiedział. Nie chciała, żeby tego żałował. Ciekawe, dlaczego tak się otworzył? Dlaczego opowiedział jej o czymś, co najwyraźniej uważał za najgorszą rzecz, jaką w życiu zrobił? Zamierzał zbliżyć się do niej czy wręcz przeciwnie, zniechęcić ją do siebie? Spuściła wzrok, a on jakby czekał na słowa potępienia z jej ust. Wydawało jej się, że wręcz pragnie je usłyszeć.

– Jack... – Wypowiedziała jego imię, zanim zdążyła się nad tym zastanowić. Poruszył się, jakby zamierzał się odsunąć, ale ona impulsywnie wyciągnęła ręce i chwyciła go za ramiona. Objęła go opiekuńczo, chociaż był od niej o wiele wyższy i potężniejszy. Czując jej dotyk, lekko drgnął i zesztywniał, lecz po chwili, ku zaskoczeniu Amandy, a może i swojemu własnemu, powoli zaczął się rozluźniać. Z wdzięcznością przyjął jej czuły gest i lekko opuścił głowę. Położyła mu dłoń na karku, tuż nad białym, wykrochmalonym kołnierzykiem. – Jack... – Chciała nadać głosowi współczujące brzmienie, ale zabrzmiał on jak zwykle energicznie i rzeczowo. – To, co zrobiłeś, nie jest ani niezgodne z prawem, ani niemoralne i nie ma sensu dłużej się tym zadręczać. Nie powinieneś zadręczać się czymś, czego nie możesz zmienić. Jak sam powiedziałeś, nie miałeś wyboru. Jeśli chcesz się zemścić na ojcu i przyrodnim rodzeństwie, to po prostu staraj się być szczęśliwy. Taka jest moja rada.

Roześmiał się krótko tuż przy jej uchu.

– Moja praktyczna księżniczka – wyszeptał i również ją objął. – Chciałbym, żeby to było takie proste. Nigdy nie przyszło ci to do głowy, że niektórzy ludzie nie są stworzeni do szczęścia?

Dla mężczyzny, którego całe życie składało się z kierowania firmą, nadzorowania, walki i zwycięstw, ta chwila zapomnienia była niezwykłym doświadczeniem. Oszołomiony Jack miał wrażenie, jakby otoczyła go jakaś mgła, w której otaczający go okrutny świat stracił ostre zarysy. Nie wiedział, co wywołało jego impulsywne wyznanie. Jedno słowo pociągało za sobą drugie, aż wyrzucił z siebie wszystkie sekrety, z których nigdy nikomu się nie zwierzał. Nie znali ich nawet Fretwell i Stubbins, najbliżsi powiernicy. Wolałby, żeby Amanda wyśmiała go lub potępiła... wtedy mógłby odpowiedzieć dowcipem lub sarkaz-

mem, swoją ulubioną bronią. Jednak wsparcie i zrozumienie wytrąciły go z równowagi. Nie mógł się od niej odsunąć, chociaż wiedział, że ta chwila trwa zbyt długo.

Podobała mu się siła Amandy, prostolinijne podejście do życia, brak sentymentalizmu i czułostkowości. Przyszło mu do głowy, że właśnie takiej kobiety zawsze potrzebował. Nie przestraszyła się jego wybujałej ambicji i burzliwych emocji, które odciskały swoje piętno na jego życiu. Wierzyła w swoje siły i potrafiła sprowadzać problemy do właściwych proporcji.

– Jack – powiedziała cicho. – Zostań trochę dłużej. Napijemy się czegoś w salonie.

Wtulił twarz w jej włosy, tam gdzie wymykały się spod szpilek i tworzyły masę niesfornych loków.

– Nie boisz się zostać ze mną sama w salonie? – zapytał. – Pamiętasz chyba, co się tam ostatnim razem wydarzyło?

Poczuł, że się zjeżyła.

– Wydaje mi się, że potrafię sobie z tobą poradzić.

Jej pewność siebie go zachwycała. Odsunął się nieco, ujął w dłonie jej miłą twarz i całym ciałem przycisnął Amandę do ściany. Aksamitna suknia zaszeleściła, w szarych oczach pojawiło się zdumienie, na policzkach wykwitł rumieniec. Miała piękną, jasną cerę i najbardziej kuszące usta, jakie zdarzyło mu się widzieć – miękkie, różowe i pięknie zarysowane, jeśli tylko nie zaciskała ich surowo, jak to miała w zwyczaju.

– Nigdy nie powinnaś tak mówić mężczyźnie – ostrzegł. – To wywołuje w nim natychmiastową chęć udowodnienia, że się mylisz.

Cieszył się, że potrafi wprawić ją w zakłopotanie. Ta sztuka udawała się pewnie niewielu dżentelmenom. Amanda roześmiała się drżąco, nadal zarumieniona, ale nie potrafiła znaleźć odpowiedzi. Jack musnął opuszkami palców chłodną, aksamitną skórę na jej policzkach. Miał ochotę ją rozgrzać, rozpalić w niej ogień. Pochylił głowę i wodził ustami po jej twarzy.

– Amando... powiedziałem ci to wszystko... nie po to, żeby

zyskać współczucie. Chcę, żebyś wiedziała, jaki jestem. Nie jestem szlachetny, nie mam też niezłomnych zasad.

– Nigdy się tego po tobie nie spodziewałam – odrzekła uszczypliwie, a on roześmiał się. – Jack... – Przytuliła policzek do jego policzka, ciesząc się jego dotykiem. – Ostrzegasz mnie przed sobą, ale ja nie wiem dlaczego.

– Nie wiesz? – Cofnął się i spojrzał na nią poważnie, chociaż z powodu narastającego pożądania trudno mu było logicznie myśleć. Jej srebrzystoszare oczy spoglądały tak ufnie... przywodziły mu na myśl wiosenny deszcz. Mógłby w nie patrzeć do końca świata. – Dlatego, że cię pragnę. – Głos wydobywał się z trudem przez zaciśnięte gardło. – Dlatego, że już więcej nie powinnaś zapraszać mnie na kolację. Kiedy widzisz, że się zbliżam, powinnaś od razu uciekać w przeciwnym kierunku. Jesteś niczym postać ze swoich własnych książek... dobra, moralna kobieta, która wdała się w złe towarzystwo.

– To złe towarzystwo wydaje mi się całkiem interesujące. – Wyglądała tak, jakby się go wcale nie bała ani nie rozumiała, przed czym próbuje ją ostrzec. – A może tylko cię obserwuję, żeby stworzyć podobną postać w mojej nowej książce? – Ku jego zdziwieniu, zarzuciła mu ramiona na szyję i dotknęła wargami kącika jego ust. – Widzisz? Wcale się ciebie nie boję.

Jej miękkie wargi paliły go żywym ogniem. Jack usiłował nad sobą zapanować, ale równie dobrze mógłby próbować wstrzymać obroty kuli ziemskiej. Pochylił się i pocałował ją gorąco i namiętnie. Czuł tuż przy sobie jej drobną, kobiecą postać. Badał wnętrze jej ust językiem, starając się robić to delikatnie, choć miał chęć zerwać z niej suknię, posmakować nagiej skóry, zbadać wypukłość piersi i brzucha. Pragnął uwieść ją na tysiąc różnych sposobów, zaszokować, wycisnąć z niej wszystkie soki, tak żeby wyczerpana zasnęła w jego ramionach.

Przyciągnął jej biodra, tak że przez fałdy grubego materiału

poczuła go w całej pełni. Całowali się coraz namiętniej, aż podniecona Amanda jęknęła cicho. Jakimś cudem udało się Jackowi oderwać od niej usta. Oddychał urywanie, z wysiłkiem.

– Wystarczy – szepnął ochryple. – Wystarczy... albo wezmę cię tu i teraz.

Nie widział jej twarzy, ale słyszał niespokojny rytm oddechu i wyczuwał, że stara się zapanować nad sobą, chociaż jej ciałem wstrząsają dreszcze. Niezdarnie pogłaskał ją po głowie. Połyskliwie rude loki przypominały mu języki ognia.

Dużo czasu upłynęło, zanim znów był w stanie coś powiedzieć.

– Teraz rozumiesz, dlaczego zaproszenie mnie do salonu to był zły pomysł?

– Może masz rację – odrzekła niepewnie.

Jack wypuścił ją z objęć, chociaż wszystko w nim buntowało się przeciw temu.

– Nie powinienem tu dzisiaj przychodzić – stwierdził cicho. – Obiecałem coś sobie, ale chyba nie potrafię... – Jęknął głucho, kiedy zdał sobie sprawę, że za chwilę znów zacznie jej się zwierzać. Zwykle skrupulatnie strzegł osobistych sekretów, ale przy Amandzie nie potrafił utrzymać języka za zębami. Co się z nim działo? – Dobranoc – powiedział nagle, wpatrując się w jej zarumienioną twarz. Krótko pokręcił głową, zastanawiając się, gdzie się podziało jego opanowanie.

– Zaczekaj. – Chwyciła go za rękaw surduta. Spojrzał na jej drobną dłoń i z trudem opanował szaleńczą chęć, żeby ją chwycić i przyłożyć do bardzo intymnego miejsca. – Kiedy cię znowu zobaczę? – zapytała.

Jack milczał przez długą chwilę.

– Jakie masz plany na święta? – spytał w końcu.

Do świąt Bożego Narodzenia brakowało dwóch tygodni. Amanda spuściła wzrok.

– Zamierzałam jak zwykle pojechać do Windsoru i spędzić

święta z siostrami i ich rodzinami. Tylko ja jedna pamiętam przepis mamy na płonący poncz z brandy i moja siostra Helen zawsze mnie prosi, żebym go przygotowała. Nie mówiąc już o cieście śliwkowym...

– Spędź te święta ze mną.

– Z tobą? – powtórzyła, bardzo zdziwiona. – Gdzie?

– Każdego roku, w pierwszy dzień świąt, wydaję przyjęcie dla przyjaciół i znajomych – powiedział wolno. Z nieprzeniknionego wyrazu jej twarzy nie potrafił nic wyczytać. – To istne szaleństwo. Dom jest pełen ludzi, mnóstwo trunków, śmiechu i zabawy. Można ogłuchnąć od hałasu. A kiedy wreszcie odnajdziesz swój talerz, jedzenie zwykle zdąży już wystygnąć. Co więcej, prawie nikogo nie będziesz tam znała...

– Dobrze, przyjdę.

– Naprawdę? – Patrzył na nią zadziwiony. – A co z siostrzeńcami i siostrzenicami, i z płonącym ponczem?

Z każdą sekundą nabierała coraz większego przekonania, że zdecydowała słusznie.

– Przepis na poncz wyślę siostrze pocztą. A jeśli chodzi o dzieci, to wątpię, czy w ogóle zauważą moją nieobecność.

Oszołomiony Jack skinął głową.

– Jeśli chcesz się jeszcze zastanowić... – zaczął, ale Amanda mu przerwała.

– Nie, ten pomysł bardzo mi odpowiada. To będzie miła odmiana – święta bez rozwrzeszczanych dzieci i dociekliwych pytań sióstr. W dodatku droga do Windsoru jest bardzo wyboista. Z przyjemnością spędzę ten świąteczny wieczór na przyjęciu, wśród nowych twarzy. – Wzięła go pod ramię i zaczęła wyprowadzać z jadalni, jakby się nieco obawiała, że wycofa zaproszenie. – Nie zatrzymuję cię dłużej. I tak chciałeś już iść. Dobranoc. – Zadzwoniła na pokojówkę, kazała jej przynieść płaszcz gościa i zanim Jack się zorientował, co się dzieje, był już na ulicy.

Stanął na oblodzonych schodach i wsunął ręce do kieszeni.

Pod butami chrzęścił piasek, którym posypano stopnie, żeby nikt się na nich nie poślizgnął. Podszedł wolno do czekającego powozu, gdzie woźnica już szykował konie do powrotnej jazdy.

– Dlaczego ja to zrobiłem? – wymamrotał do siebie pod nosem. Niespodziewany efekt tego wieczoru oszołomił go. Chciał tylko spędzić godzinę czy dwie w towarzystwie Amandy Briars, a skończyło się to zaproszeniem jej na świąteczne przyjęcie.

Wszedł do powozu i usiadł sztywno wyprostowany, nie opierając się o obitą skórą ławkę. Czuł się zagrożony, wytrącony z równowagi, jakby jego wygodny świat nagle się zmienił, a on nie mógł za tymi zmianami nadążyć. Coś dziwnego się z nim działo, ale jego wcale to nie niepokoiło.

Małej starej pannie udało się skruszyć mur, który tak starannie wokół siebie wybudował. Bardzo chciał ją zdobyć, a jednocześnie pragnął porzucić ją na zawsze. Żadna z tych rzeczy nie była możliwa. Za najgorsze zaś uznał to, że Amanda była przyzwoita kobietą z zasadami i na pewno nigdy nie zgodziłaby się na zwykły romans czy choćby beztroską przygodę. Jeśli się zwiąże z jakimś mężczyzną, będzie chciała zdobyć jego serce – była zbyt dumna i miała za silny charakter, żeby się zgodzić na coś mniej poważnego. A jego skamieniałe serce było nie do zdobycia ani przez nią, ani przez nikogo innego.

8

Kolędujmy wszyscy wraz,
Bo wesela nastał czas.
Miłość, radość przynosimy
I wesołych świąt życzymy...

Amanda uśmiechnęła się i zadrżała z zimna, stojąc w otwartych drzwiach. Razem z Sukey i Charlesem słuchała małych kolędników, którzy cienkimi głosikami śpiewali na progu jej domu. Grupka chłopców i dziewcząt kolędowała z zapałem, choć spod szalików i czapek prawie nie było ich widać. Na mrozie czerwieniły się jedynie czubki nosów, a w powietrzu unosiły się białe obłoczki pary z oddechów.

W końcu skończyli kolędę, przeciągając ostatnią nutę tak długo, jak tylko się dało, więc Amanda, Sukey i Charles z uznaniem zaklaskali w dłonie.

– Trzymaj – powiedziała Amanda, dając najwyższemu dziecku monetę. – Ile domów zamierzacie jeszcze dzisiaj odwiedzić?

Chłopiec odpowiedział wyraźnym cockneyem.

– Pójdziemy jeszcze pod jedne drzwi, a potem wracamy do domu na kolację, panienko.

Amanda uśmiechnęła się do dzieci, które przytupywały dla

rozgrzania zmarzniętych stóp. Wiele takich dzieci w świąteczny poranek kolędowało, chodząc od domu do domu, żeby zebrać trochę dodatkowych pieniędzy dla rodziny.

– A więc proszę – powiedziała Amanda. Wsunęła dłoń do kieszeni przy pasku i wyjęła jeszcze jedną monetę. – Weźcie to i od razu wracajcie do domów. Jest za zimno, żeby tak długo przebywać na ulicy.

– Dziękujemy, panienko – odparł uszczęśliwiony malec, a jego towarzysze zawołali chórem: – Wesołych świąt, panienko!

Dzieci zbiegły po schodach i oddaliły się truchcikiem, jakby się bały, że Amanda się rozmyśli i odbierze im pieniądze.

– Panienko, nie powinna pani tak lekką ręką rozdawać pieniędzy – zganiła ją Sukey, kiedy już weszły do domu i szybko zamknęły za sobą drzwi dla ochrony przed mroźnym wiatrem. – Nic by się im nie stało, jakby jeszcze trochę pochodziły po świeżym powietrzu.

Amanda roześmiała się i szczelniej otuliła ciepłym szalem.

– Przestań gderać, Sukey. Mamy pierwszy dzień świąt. Teraz muszę się trochę pośpieszyć. Niedługo przyjedzie po mnie powóz pana Devlina.

Świąteczny wieczór miała spędzić na przyjęciu u Jacka, a Sukey, Charles i Violet wybierali się gdzieś ze swoimi przyjaciółmi. Nazajutrz, w drugi dzień świąt, kiedy to tradycyjnie obdarowywano się prezentami, Amanda wraz ze służbą miała jechać do Windsoru, żeby spędzić tydzień u swojej siostry, Sophii.

Cieszyła się na spotkanie z rodziną, ale była też bardzo zadowolona, że pierwszy dzień świąt spędza w Londynie. Miło było w tym roku zrobić coś innego niż zwykle. Największą przyjemność sprawiał jej fakt, że odtąd jej krewni już nigdy nie będą mieli pewności, czego się po niej spodziewać. „Amanda nie przyjechała?" Prawie słyszała zrzędliwe okrzyki starych ciotek. „Ale przecież ona zawsze przyjeżdża na święta, bo nie ma własnej rodziny. No i kto teraz przyrządzi poncz?"

Ona tymczasem będzie tańczyła i jadła smakołyki z Jackiem Devlinem. Może nawet pozwoli się pocałować pod gałązką jemioły.

– No, panie Devlin – mruknęła do siebie pod nosem, przepełniona radosnym oczekiwaniem. – Zobaczymy, co ten świąteczny dzień nam obojgu przyniesie.

Wzięła długą, gorącą kąpiel, włożyła szlafrok i usiadła w sypialni przy kominku. Czesała włosy, aż zupełnie wyschły i zmieniły się w kaskadę rudych loków. Zręcznie zwinęła je w węzeł na czubku głowy, wypuszczając kilka kosmyków na czoło i policzki.

Z pomocą Sukey ubrała się w szmaragdową jedwabną suknię oblamowaną przy brzegach zielonym aksamitem. Głęboki dekolt podkreślał biust. Ze względu na chłód Amanda nakryła ramiona szalem z jedwabnymi frędzlami w kolorze burgunda. Wiszące kolczyki, które przypominały złote łzy, kołysały się u jej uszu. Bransoletki z nefrytowych korali zdobiły jej nadgarstki. Amanda przejrzała się w lustrze i uśmiechnęła się z zadowoleniem. Chyba nigdy nie wyglądała lepiej. Nie musiała szczypać policzków i bez tego zarumieniona z przejęcia. Odrobina pudru na nos, kropla perfum za uszy i już była gotowa do wyjścia.

Wypiła łyk stygnącej herbaty i podeszła do okna. Serce podskoczyło jej w piersi, kiedy zobaczyła, że właśnie przyjechał po nią powóz Jacka.

– To niemądre, żeby w moim wieku czuć się jak Kopciuszek – powiedziała sobie cierpko, ale mimo to dobry nastrój jej nie opuścił. Zbiegła na dół i włożyła pelerynę.

Lokaj pomógł jej wsiąść do powozu, gdzie czekał na nią ogrzewacz do stóp i ciepły pled. Na siedzeniu zobaczyła ozdobnie zapakowany prezent. Niepewnie dotknęła wielkiej, czerwonej kokardy, zawiązanej na niewielkiej paczuszce, i wyjęła zatkniętą pod wstążkę, złożoną na pół kartę. Uśmiechnęła się mimowolnie, czytając krótką wiadomość.

Chociaż nie jest to lektura tak stymulująca, jak pamiętniki pani B., to mam nadzieję, że Panią zainteresuje. Wesołych świąt.
J. Devlin

Kiedy powóz ruszył oblodzoną ulicą, Amanda rozpakowała prezent i przyjrzała mu się z zaciekawieniem. Książka... mała i bardzo stara, w wytartej skórkowej oprawie. Pożółkłe kartki... Trzymając ją bardzo ostrożnie, otworzyła tomik na stronie tytułowej.

– „Podróże do wielu odległych narodów świata – przeczytała głośno. – W czterech częściach. Przez Lemuela Guliwera, początkowo lekarza okrętowego..." – Urwała i roześmiała się uszczęśliwiona. – *Podróże Guliwera!* – Kiedyś wyznała Devlinowi, że ta niby-anonimowa książka, napisana przez Jonathana Swifta, irlandzkiego duchownego i satyryka, była jedną z ulubionych lektur jej dzieciństwa. Trzymała teraz w ręku pochodzące z 1726 roku pierwsze jej wydanie, prawdziwego białego kruka.

Gdyby otrzymała klejnoty godne królowej, nie cieszyłaby się z nich tak, jak z tej małej książeczki. Z pewnością nie powinna przyjmować tak drogiego prezentu, ale nie potrafiłaby odmówić.

Trzymała książkę na kolanach, a powóz zmierzał w kierunku modnej dzielnicy St. James's. Amanda nigdy przedtem nie była w domu Devlina, ale wiele o nim słyszała od Oscara Fretwella. Devlin kupił tę rezydencję od kogoś, kto przedtem był ambasadorem brytyjskim we Francji i na stare lata postanowił się przenieść na kontynent, a swoją londyńską siedzibę sprzedać.

Dom stał w okolicy o zdecydowanie męskim charakterze, gdzie znajdowało się wiele eleganckich rezydencji, garsonier i drogich sklepów. Ludzie interesu rzadko się tu osiedlali, większość wolała budować swoje domy na południe od rzeki lub w dzielnicy Bloomsbury. Jednak w żyłach Devlina płynęło

trochę arystokratycznej krwi i może właśnie to, w połączeniu z jego znacznym majątkiem, sprawiało, że sąsiedzi jakoś znosili jego obecność.

Powóz zwolnił i stanął w długiej kolejce innych ekwipaży, stojących wzdłuż ulicy. Pasażerowie po kolei wychodzili na chodnik wiodący do drzwi wspaniałego domu. Amanda ze zdumienia otworzyła szeroko oczy, kiedy spojrzała z bliska na niego przez oszronione okienko.

Była to wspaniała wielka rezydencja z czerwonej cegły, z masywnymi białymi kolumnami na froncie i wielkimi palladiańskimi oknami. Wokół domu rosły nieskazitelnie przystrzyżone żywopłoty i kępy młodych drzew.

W takim domu każda ważna osobistość zamieszkałaby z dumą. Gdy Amanda czekała, aż jej powóz podjedzie pod drzwi, jej wyobraźnia cały czas pracowała. Wyobraziła sobie Jacka Devlina jako ucznia w ponurych murach Knatchford Heath, marzącego o innym życiu. Czy już wtedy przeczuwał, że kiedyś zamieszka w tak imponującej rezydencji? Jakie emocje dodawały mu sił w długiej i trudnej wspinaczce z nizin na sam szczyt? I, co ważniejsze, czy kiedykolwiek uwolni się od swojej nadmiernej ambicji, czy będzie go ona wciąż gnała do przodu, aż do dnia śmierci?

Devlin nie miał pewnych cech, które posiadają wszyscy normalni ludzie... nie potrafił się rozluźnić, odczuwać satysfakcji ani cieszyć się swoimi osiągnięciami. Mimo to, a może właśnie dlatego, wydawał się Amandzie najbardziej fascynującym człowiekiem pod słońcem. Nie miała też najmniejszych wątpliwości, że był niebezpieczny.

Ale ja nie jestem jakąś młodą panienką z głową w chmurach, powiedziała sobie. Świadomość własnego zdrowego rozsądku dodawała jej otuchy. Jestem kobietą, która widzi Jacka Devlina takim, jaki on jest naprawdę... nic mi nie grozi, jeśli tylko nie pozwolę sobie na jakąś niedorzeczność... na przykład na to, żeby się w nim zakochać. Na samą myśl o tym serce skurczyło

jej się boleśnie. Nie kochała go ani nie chciała go pokochać. Wystarczyło jej, że dobrze się bawi w jego towarzystwie. Musi sobie stale powtarzać, że Devlin nie jest mężczyzną, który spędzi całe życie u boku jednej kobiety.

Powóz stanął i lokaj pomógł Amandzie zejść na chodnik. Podał jej ramię i poprowadził po oblodzonych, ale posypanych piaskiem schodach do podwójnych drzwi wejściowych. Z rzęsiście oświetlonego wnętrza dochodził gwar rozmów, rozbrzmiewała muzyka i biło ciepło. Na balustradach zawieszono ozdobione wstęgami pęki ostrokrzewu. Zapach świeżej zieleni mieszał się z obiecującą wonią kolacji, która już czekała w jadalni.

Gości było przynajmniej dwustu, a więc o wiele więcej, niż Amanda się spodziewała. Dzieci bawiły się w osobnym saloniku, specjalnie dla nich przeznaczonym, a dorośli wędrowali po amfiladowych pokojach. Wesołą muzykę, którą grano w głównym salonie, słychać było w całym domu.

Kiedy ją Devlin odnalazł, poczuła miły dreszcz. Prezentował się bardzo elegancko. Miał na sobie czarne spodnie i surdut, ciemnoszara kamizelka podkreślała szczupłą sylwetkę. Jednak nawet w tym godnym dżentelmena stroju przywodził na myśl pirata. Był zbyt nonszalancki i spoglądał zbyt chłodnym, kalkulującym wzrokiem, żeby można go było wziąć za dżentelmena.

– Panna Briars – powiedział niskim głosem i ujął jej dłonie osłonięte rękawiczkami. Oszacował ją spojrzeniem pełnym zachwytu. – Wyglądasz jak świąteczny anioł.

Amanda roześmiała się, słysząc to pochlebstwo.

– Dziękuję za wspaniałą książkę. Dla mnie to prawdziwy skarb. Obawiam się jednak, że nie przyniosłam żadnego prezentu.

– Twój widok w tej wydekoltowanej sukni jest dla mnie najlepszym prezentem.

Zmarszczyła brwi i szybko rozejrzała się wokół, żeby sprawdzić, czy ktoś nie stoi zbyt blisko.

– Ciii.... A co by było, gdyby ktoś to usłyszał?

– Pomyślałby, że mam na ciebie chętkę – szepnął. – I wcale by się nie mylił.

– Chętka – powtórzyła chłodno, chociaż, prawdę mówiąc, ta rozmowa bardzo ją bawiła. – Nie ma co, poetyckie określenie.

Uśmiechnął się szeroko.

– Bez bicia przyznaję, że nie mam twojego talentu do brudnych opisów cielesnych żądz.

– Byłabym wdzięczna, gdybyś w tym świątecznym dniu nie wspominał o nieprzyzwoitych sprawach – wyszeptała ostro, czerwieniąc się gwałtownie.

Devlin z uśmiechem położył sobie jej dłoń na ramieniu.

– Dobrze – odparł zgodnie. – Przez resztę dnia będę się zachowywał jak chłopiec z chóru kościelnego, jeśli tylko sprawi ci to przyjemność.

– To byłaby miła odmiana – powiedziała sztywno, co tylko go rozśmieszyło.

– Chodź ze mną, przedstawię cię swoim znajomym.

Nie uszło uwagi Amandy, że do głównego salonu wprowadził ją z dumną miną posiadacza. Przechodził od jednej grupki uśmiechniętych gości do drugiej, wprawnie dokonywał prezentacji, wymieniał świąteczne życzenia i żartował z niewymuszoną swobodą, która wprawiała Amandę w zadziwienie.

Chociaż nic konkretnego nikomu otwarcie nie powiedział, było coś w tonie jego głosu i wyrazie twarzy, co sugerowało, że jest związany z Amandą nie tylko wspólnymi interesami. Własna reakcja na jego zachowanie bardzo ją zaniepokoiła. Nigdy przedtem nie występowała jako połowa pary, nigdy inne kobiety nie obrzucały jej zazdrosnymi spojrzeniami, a mężczyźni nie wpatrywali się w nią z podziwem. Devlin w subtelny sposób dawał wszystkim do zrozumienia, że Amanda należy do niego.

Szli powoli przez długi szereg pokoi. Na gości, którzy nie mieli ochoty na tańce i śpiew, czekał duży gabinet o wykładanych mahoniem ścianach, w którym zabawiano się odgrywaniem szarad. W innym pokoju wszyscy siedzieli przy stolikach i grali w wista. Amanda rozpoznała wiele osób – pisarzy, wydawców i dziennikarzy – z którymi się zetknęła na różnych spotkaniach towarzyskich w ciągu ostatnich miesięcy. Goście byli bardzo ożywieni, a zaraźliwy świąteczny nastrój udzielał się każdemu, od najmłodszego do najstarszego.

Devlin doprowadził Amandę do bufetu, gdzie grupka dzieci zabawiała się wyławianiem rodzynków z ponczu. Maluchy stały na krzesłach wokół parującej wazy, małymi paluszkami chwytały gorące rodzynki i szybko wrzucały je sobie do buzi. Jack roześmiał się na widok umorusanych twarzy, które zwróciły się ku niemu.

– Kto wygrywa? – zapytał, a dzieci wskazały na pucołowatego malca z gęstą czupryną.

– Georgie wygrywa! Wyłowił najwięcej rodzynków!

– Mam najszybsze palce – pochwalił się chłopiec, uśmiechając się szeroko.

Devlin roześmiał się i przyciągnął Amandę ku wielkiej wazie.

– Spróbuj – zachęcił, czym rozśmieszył dzieci tak, że zaczęły chichotać.

Dyskretnie zganiła go spojrzeniem.

– Obawiam się, że zdjęcie rękawiczek zajęłoby mi zbyt dużo czasu – odparła skromnie.

W niebieskich oczach Devlina pojawił się wesoły, łobuzerski błysk.

– W takim razie zrobię to za ciebie.

Zdjął rękawiczkę i zanim Amanda zdążyła zaprotestować, sięgnął do wazy. Chwycił rodzynek i wrzucił jej do ust. Amanda odruchowo go połknęła, choć gorący smakołyk zdawał się wypalać jej dziurę w języku. Dzieci zaniosły się pełnym zachwytu śmiechem, a Amanda schyliła głowę, żeby ukryć,

jak bardzo ta sytuacja ją rozbawiła. W ustach czuła słodki smak nasączonego alkoholem rodzynka. W końcu uniosła głowę i spojrzała na Jacka z przyganą.

– Jeszcze raz? – zapytał z niewinną miną, znów wyciągając rękę w stronę wazy.

– Dziękuję, nie. Nie chcę stracić apetytu przed kolacją.

Devlin oblizał palec, tam gdzie rodzynek zostawił lepki ślad, a potem włożył rękawiczkę. Dzieci znów zgromadziły się wokół wazy i kontynuowały zabawę. Co chwila popiskiwały ze strachu, ale ich zwinne paluszki wciąż krążyły nad gorącym płynem.

– Co dalej? – zapytał Jack, kiedy odeszli od bufetu. – Może napijesz się wina?

– Nie chciałabym cię za bardzo absorbować. Przecież musisz się zająć innymi gośćmi.

Zaprowadził ją w róg salonu, po drodze biorąc kieliszek wina z tacy przechodzącego lokaja. Podał go Amandzie i pochylając głowę, wyszeptał jej prosto do ucha:

– Ty jesteś jedynym gościem, który się dla mnie liczy.

Amanda poczuła, że znowu się czerwieni i palą ją policzki. Miała wrażenie, że to jakiś sen. To nie mogło się przydarzyć jej, Amandzie Briars, starej pannie z Windsoru... Słodka muzyka, piękne wnętrza i przystojny mężczyzna, szepczący uwodzicielskie słówka.

– Masz piękny dom – powiedziała niepewnie. Chciała jakoś odczynić ten urok, który rzucił na nią Jack.

– To nie moja zasługa. Kupiłem go z całym wyposażeniem, z meblami i wszystkimi drobiazgami.

– Jak na jedną osobę, bardzo dużo tu miejsca.

– Często przyjmuję gości.

– A czy kiedykolwiek utrzymywałeś tu kochankę? – Nie miała pojęcia, dlaczego ośmieliła się zadać tak szokujące pytanie, które nie wiadomo skąd pojawiło się w jej głowie.

Uśmiechnął się i odrzekł z lekką drwiną:

– Ależ panno Briars... Takie pytanie w tym świątecznym dniu?

– A więc utrzymywałeś czy nie? – nie dawała za wygraną. Posunęła się zbyt daleko, żeby się teraz wycofać.

– Nie – przyznał. – Zdarzały mi się romanse, ale nigdy nie utrzymywałem kochanki. Z tego, co udało mi się zaobserwować, jest to bardzo niewygodne, a poza tym kosztowne, zwłaszcza kiedy ktoś chce się takiej kochanki pozbyć.

– Kiedy zakończyłeś ostatni romans?

Roześmiał się cicho.

– Nie odpowiem na żadne pytanie, jeśli mi nie wyjaśnisz, dlaczego tak nagle zainteresowałaś się moimi sprawami łóżkowymi.

– Być może wykorzystam te wiadomości do stworzenia postaci w swojej następnej powieści.

Nadal lekko się uśmiechał.

– W takim razie dowiedz się o mnie jeszcze czegoś, moja ciekawska przyjaciółko. Bardzo lubię tańczyć. I robię to całkiem nieźle. Jeśli pozwolisz, zademonstruję ci to z przyjemnością.

Wyjął jej z dłoni kieliszek i odstawił na stolik, a potem poprowadził ją do głównego salonu.

Przez następne kilka godzin nie opuszczało Amandy wrażenie, że to wszystko jest pięknym snem. Tańczyła, piła wino, śmiała się i brała udział w świątecznych grach i zabawach. Obowiązki gospodarza balu co jakiś czas odciągały Devlina od jej boku, ale nawet kiedy znajdował się po drugiej stronie sali, Amanda czuła na sobie jego wzrok. Ku jej rozbawieniu posyłał jej chmurne spojrzenia, kiedy zbyt długo rozmawiała z jakimś dżentelmenem, zupełnie jakby był o nią zazdrosny. W pewnej chwili nawet wysłał Oscara Fretwella, żeby zainterweniował, ponieważ dwa razy z rzędu zatańczyła z uroczym bankierem, Kingiem Mitchellem.

– Panna Briars! – zawołał przyjaźnie Oscar. Jego jasne włosy lśniły w świetle kandelabrów. – To nie do wiary, ale

jeszcze pani ze mną nie tańczyła. Pan Mitchell musi pozwolić również innym gościom nacieszyć się towarzystwem tak uroczej damy.

Bankier z żalem przekazał ją Fretwellowi.

– Devlin tu pana przysłał, prawda? – zapytała Amanda z uśmiechem, kiedy zaczęli tańczyć kadryla.

Oscar uśmiechnął się potulnie; nawet nie próbował zaprzeczać.

– Mam pani powiedzieć, że Mitchell to rozwodnik i nałogowy hazardzista. To dla pani zupełnie nieodpowiednie towarzystwo.

– Mnie się wydał całkiem miły – odrzekła Amanda rezolutnie i gładko wykonała następną figurę kadryla. Kątem oka dostrzegła Devlina. Stał w szerokim przejściu między główną salą a mniejszym salonikiem. Widząc jego chmurne spojrzenie, pomachała mu wesoło i dalej tańczyła z Fretwellem.

Po skończonym tańcu Fretwell odprowadził ją do bufetu na szklaneczkę ponczu. Kiedy lokaj nalewał do kryształowej czarki płyn malinowego koloru, Amanda zauważyła, że tuż obok niej stanął jakiś nieznajomy. Odwróciła się i spojrzała na niego z uśmiechem.

– Czy myśmy się już gdzieś nie spotkali? – zapytała.

– Niestety, bardzo żałuję, ale nie. – Mężczyzna był wysoki, niezbyt urodziwy i zgodnie z najnowszą modą nosił krótko przystrzyżoną brodę. Miał duży nos, ładne, brązowe oczy i usta skłonne do uśmiechu. W gęstych, ciemnych włosach tu i ówdzie srebrzyła się siwizna. Amanda oceniła, że jest co najmniej pięć lub nawet dziesięć lat od niej starszy... dojrzały mężczyzna o ustalonej pozycji, sympatyczny i pewny siebie.

– Państwo pozwolą, że ich sobie przedstawię – zaproponował Fretwell, poprawiając okulary na nosie. – Panno Amando, to jest pan Charles Hartley. A to panna Amanda Briars. Tak się składa, że oboje państwo piszą dla tego samego wydawcy.

Amandę zaintrygował fakt, że Hartley również pracuje dla Jacka.

– Bardzo panu współczuję – stwierdziła poważnie.

Obaj dżentelmeni wybuchnęli śmiechem.

– Państwo wybaczą – powiedział rozbawiony Fretwell. – Zostawię państwa samych, żeby mogli sobie państwo wyrazić wzajemne współczucie. Właśnie przybyli moi starzy znajomi i muszę się z nimi przywitać.

– Ależ oczywiście – odparła Amanda i wypiła łyk cierpko słodkiego ponczu. Zerknęła na Hartleya. To nazwisko nie było jej obce. Nagle skojarzyła sobie, skąd je zna. – Czyżby pan był wujkiem Hartleyem? – zapytała uszczęśliwiona. – Tym, który pisze wiersze dla dzieci? – Kiedy potwierdzająco skinął głową, roześmiała się i bezwiednie dotknęła jego ramienia. – To wspaniałe utwory. Naprawdę wspaniałe. Czytuję je swoim siostrzenicom i siostrzeńcom. Mój ulubiony to ten o słoniu, który cały czas narzeka, a także ten o królu, który znalazł magicznego kota...

– O tak, to moje nieśmiertelne strofy – przyznał z dobrotliwą autoironią.

– Jest pan bardzo utalentowany – stwierdziła poważnie Amanda. – Tak trudno jest pisać dla dzieci. Nie umiałabym wymyślić historii, która by je zainteresowała.

Uśmiechnął się tak ciepło, że jego niczym nie wyróżniająca się twarz stała się nagle całkiem urodziwa.

– Ma pani tak wielki talent, że poradziłaby sobie pani z każdym tematem, panno Briars.

– Znajdźmy jakiś cichy kącik, gdzie będziemy mogli porozmawiać – zaproponowała. – Jest tyle pytań, które chętnie bym panu zadała.

– To niezwykle pociągająca propozycja – odrzekł i podał jej ramię.

W jego towarzystwie Amanda czuła się rozluźniona i spokojna, zupełnie inaczej niż w towarzystwie Jacka. Ironia losu

sprawiła, że Hartley, chociaż pisał książki dla dzieci, sam był bezdzietnym wdowcem.

– To było dobre małżeństwo – zwierzył się Amandzie. Nadal trzymał w dużych dłoniach kryształową czarkę do ponczu, chociaż już kilkanaście minut wcześniej wypił ostatnią kroplę trunku. – Moja żona należała do tych kobiet, które wiedzą, co zrobić, żeby mężczyzna w ich towarzystwie czuł się dobrze. Była naturalna i miła, nigdy nie przybierała niemądrych, pretensjonalnych póz, co robi dzisiaj większość kobiet. Zawsze mówiła to, co myśli, i lubiła się śmiać. – Hartley umilkł i z namysłem spojrzał na Amandę. – Właściwie była bardzo podobna do pani.

Jackowi wreszcie udało się uwolnić od śmiertelnie nudnego towarzystwa dwóch naukowców, specjalistów od starożytności. Doktor Samuel Shoreham i jego brat Claude za wszelką cenę starali się przekonać go do wydania swojego dzieła na temat sztuki starożytnej Grecji. Oddalając się od nich, z trudem ukrywał ulgę. Po chwili natknął się na Oscara Fretwella.

– Gdzie ona jest? – zapytał go zwięźle. Nie musiał tłumaczyć, o kogo chodzi.

– Panna Briars siedzi na sofie w rogu salonu i rozmawia z panem Hartleyem – powiadomił go Oscar. – Zapewniam cię, że jest przy nim zupełnie bezpieczna. Hartley nigdy by sobie nie pozwolił na nieodpowiednie zachowanie wobec damy.

Jack zerknął na nich kątem oka, a potem wpatrzył się ponuro w trzymany w ręku kieliszek brandy. Na jego ustach pojawił się jakiś dziwny, gorzki uśmiech.

– Co wiesz o Charlesie Hartleyu? – zapytał podwładnego, nie podnosząc wzroku.

– Chodzi o jego pozycję czy o charakter? Hartley to wdowiec i cieszy się opinią przyzwoitego człowieka. Jest dość dobrze sytuowany, pochodzi z porządnej rodziny i nigdy nie był

zamieszany w żaden skandal. – Fretwell zamilkł na chwilę i uśmiechnął się. – I, o ile się nie mylę, uwielbiają go wszystkie dzieci.

– A co wiesz o mnie? – spytał cicho Jack.

Zdezorientowany Fretwell zmarszczył czoło.

– Nie jestem pewien, o co chodzi w tym pytaniu.

– Wiesz, jak prowadzę interesy. Nie jestem przyzwoity, byłem zamieszany w kilka skandali. Zarobiłem fortunę, ale pochodzę z nieprawego łoża i płynie we mnie zła krew. Na dodatek nie lubię dzieci, mierzi mnie idea małżeństwa i żaden mój związek z kobietą nie trwał dłużej niż pół roku. I jestem samolubnym łajdakiem... bo mimo wszystkich swoich wad nie zamierzam rezygnować z panny Briars, chociaż taki ktoś jak ja zupełnie się dla niej nie nadaje.

– Panna Amanda to inteligentna kobieta – zauważył cicho Fretwell. – Może powinieneś pozwolić, by sama zdecydowała, kto się lepiej dla niej nadaje.

Jack potrząsnął głową.

– Zrozumie swój błąd, dopiero kiedy go już popełni – oznajmił ponuro. – Z kobietami zawsze tak jest.

– A jednak... – zaczął nerwowo Fretwell, ale Jack szybko odszedł.

Świąteczna kolacja okazała się wyśmienita. Każde smakowite danie serwowane gościom wywoływało okrzyki zachwytu. Rytmiczny dźwięk odkorkowywanych butelek wina wybijał się ponad pobrzękiwanie kieliszków i gwar ożywionych rozmów. Amanda nie mogła się doliczyć, ile przeróżnych smakołyków jej proponowano. Do wyboru miała cztery rodzaje zup, włącznie z żółwiową i z homarów. Samych pieczonych indyków z wybornym ziołowym nadzieniem podano kilka.

Lokaje co chwila wnosili niezliczone półmiski z cielęciną w sosie beszamelowym, kapłonami, pieczonymi przepiórkami

i zającami, sarniną, łabędzimi jajami i najróżniejszymi warzywami duszonymi w maśle. Egzotyczne ryby i dziczyznę zapiekaną w cieście wnoszono w srebrnych, parujących naczyniach. Potem pojawiły się tace z owocami i sałatkami oraz kryształowe patery, na których piętrzyły się trufle w winie. Podano nawet delikatne szparagi, chociaż o tej porze roku były niemal nieosiągalne i bardzo drogie.

Wspaniały posiłek bardzo Amandzie smakował, chociaż nie dostrzegała, co je. Całą uwagę skupiła na siedzącym obok mężczyźnie. Devlin roztoczył przed nią cały swój urok, opowiadał zabawne historie, wykazując się poczuciem humoru, które na pewno zawdzięczał swojemu irlandzkiemu pochodzeniu.

Amanda czuła jakiś dziwny, słodki ucisk, który nie miał nic wspólnego z wypitym do kolacji winem. Chciała zostać z Devlinem sam na sam, kusić go i uwodzić, mieć go tylko dla siebie, choćby na krótką chwilę. Kiedy patrzyła na jego ręce, robiło jej się sucho w ustach. Przypomniała sobie jego dotyk... i chciała doświadczyć tego jeszcze raz. Pragnęła dać ujście swojemu fizycznemu pożądaniu, a potem, rozluźniona i szczęśliwa, leżeć w jego ramionach. Wiodła takie zwyczajne życie, a Devlin rozjaśnił je niczym ognista kometa nocne niebo.

Wydawało jej się, że kolacja trwa całą wieczność. W końcu goście skończyli jeść i podzielili się na grupy. Niektórzy panowie zostali przy stole, żeby wypić kieliszek porto, część pań poszła na herbatę do saloniku, a wiele osób płci obojga zebrało się przy fortepianie, żeby śpiewać kolędy. Amanda zamierzała dołączyć do tej ostatniej grupy, ale zanim doszła do instrumentu, poczuła, że Devlin chwyta ją za łokieć.

– Chodź ze mną – usłyszała jego niski głos tuż przy uchu.

– A dokąd pójdziemy? – spytała zadziornie.

Minę miał układną, ale w oczach błyszczało niepohamowane pożądanie.

– Znajdziemy jakiś zaciszny kącik pod gałązką jemioły.

– Wywołasz skandal – ostrzegła go. Była trochę przerażona, ale jednocześnie chciało jej się śmiać.

– Boisz się skandalu? – Wyszli z salonu i Devlin poprowadził ją mrocznym korytarzem. – W takim razie lepiej trzymaj się swojego zacnego przyjaciela Hartleya.

Parsknęła śmiechem.

– Zabrzmiało to tak, jakbyś był zazdrosny o tego uroczego, dobrze wychowanego wdowca.

– Oczywiście, że jestem o niego zazdrosny – warknął. – Jestem zazdrosny o każdego mężczyznę, który na ciebie spojrzy. – Wciągnął ją do wielkiego, mrocznego pokoju, pachnącego skórą, papierem i tytoniem. Zdała sobie sprawę, że znaleźli się w bibliotece. Serce biło jej z przejęcia na samą myśl o tym, że jest tu z nim sama. – Chcę cię tylko dla siebie – wyznał Jack. – Szkoda, że wszyscy ci ludzie jeszcze tu są.

– Chyba trochę za dużo wypiłeś – powiedziała drżąco. Stała oparta o półkę z książkami, a Devlin zagradzał jej drogę odwrotu. Ich ciała niemal się stykały.

– Nie jestem pijany. Dlaczego tak trudno ci uwierzyć, że naprawdę cię pragnę? – Jego ciepłe dłonie ujęły jej głowę i przyciągnęły ku sobie. Dotknął ustami jej czoła, policzków i nosa. Pocałunki paliły niczym ogień. Kiedy się odezwał, jego oddech owiewał jej twarz. – Pytanie brzmi, Amando... czy ty mnie pragniesz?

Nie wiedziała, co odpowiedzieć. Słowa nie chciały układać się logicznie, ale ciało mimowolnie lgnęło ku niemu. On również przywarł do niej mocno, aż niemal zlali się w jedno, na ile pozwalały dzielące ich warstwy ubrania.

Dotyk jego silnych dłoni sprawiał jej taką przyjemność, że nie mogła powstrzymać cichego jęku. Jack przesuwał usta po jej szyi, obsypywał ją drobnymi pocałunkami, próbował jej smaku, a pod Amandą uginały się kolana.

– Moja piękna Amanda – wyszeptał. Jego szybki, gorący

oddech parzył jej skórę. – *A chuisle mo chroi*... Już ci to kiedyś mówiłem, pamiętasz?

– Nie powiedziałeś mi tylko, co to znaczy – odrzekła z trudem, przytulając policzek do jego policzka, starannie ogolonego, ale mimo to trochę szorstkiego.

Uniósł głowę i spojrzał na nią z góry. Jego oczy wydawały się teraz całkiem czarne. Oddychał szybko; szeroka pierś unosiła się niespokojnie.

– Jesteś biciem mojego serca – wyszeptał. – Kiedy cię zobaczyłem pierwszy raz, od razu wiedziałem, że tak może między nami być.

Drżącymi palcami chwyciła go za poły wełnianego surduta. Niejasno zdawała sobie sprawę, że uczucie, które ją ogarnia, to pożądanie i że jest sto razy silniejsze od uczuć, których dotychczas doświadczyła. Tamtej nocy, kiedy tak wspaniale ją pieścił i budził jej zmysły na całkiem nowy świat doznań, był tylko tajemniczym nieznajomym. Teraz odkrywała, że zupełnie co innego czuła, pożądając atrakcyjnego, obcego mężczyzny, a zupełnie co innego, gdy pragnęła kogoś sobie bliskiego. Tyle razy dyskutowali, rozmawiali ze sobą szczerze i śmiali się, że powstał między nimi bliższy związek. Obopólna sympatia i pożądanie zmieniły się w jakieś nieokiełznane, pierwotne uczucie.

Serce ostrzegało ją, że Jack nigdy nie będzie do niej należał. Nigdy go nie zdobędzie. Nie ożeni się z nią ani nie zniesie żadnego ograniczenia swojej wolności. Kiedyś to wszystko pewnie się skończy, a ona znów zostanie sama. Była zbyt wielką realistką, żeby wierzyć, że będzie inaczej.

Kiedy zaczął ją całować, wszystkie te wątpliwości natychmiast wyparowały jej z głowy. Jego natarczywe usta napierały na jej wargi, aż w końcu musiała je rozchylić. Jej reakcja wyraźnie go poruszyła. Jęknął głucho i z zapałem badał językiem wnętrze jej ust. Amanda przywarła do niego mocno, tak że czuł dotyk jej krągłych piersi.

Po chwili oderwał od niej usta, jakby dłużej nie mógł znieść napięcia, i nadal mocno ją obejmując, oddychał niespokojnie.

– Boże – szepnął, wtulając usta w jej loki. – Bliskość twojego ciała doprowadza mnie do szaleństwa. Jesteś taka słodka... taka miękka... – Znów ją pocałował, gorąco, zaborczo, jakby była jakimś smakowitym kąskiem, któremu nie potrafił się oprzeć, jakby tylko jej smak mógł stłumić w nim jakiś wielki głód.

Amanda czuła, jak budzi się w niej rozkosz, wzbiera w każdym zakątku ciała, czekając tylko na impuls, który doprowadzi ją do szczytu i rozładuje napięcie w jednym ekstatycznym wybuchu.

Ręce Jacka wędrowały po gładkim jedwabiu jej sukni. Z głębokiego dekoltu wyłaniały się kusząco pełne piersi, jakby starały się uwolnić z uwięzi. Jack pochylił się, wtulił usta w zagłębienie między nimi i obsypywał pocałunkami nagą skórę. Przez cienki materiał sukni pieścił palcami nabrzmiałe sutki. Amanda załkała cicho, wspominając ich wspólny wieczór w dniu jej urodzin, kiedy pieścił jej obnażone piersi w ciepłym świetle ognia płonącego na kominku. Bardzo pragnęła znów przeżyć tak intymne chwile.

Devlin jakby czytał w jej myślach. Położył dłoń na jej piersi i lekko ją ścisnął.

– Amando, pozwól, że odwiozę cię dzisiaj do domu – poprosił ochryple.

Pobudzone zmysły sprawiły, że nie myślała jasno. Minęła długa chwila, zanim mu odpowiedziała.

– Już zaproponowałeś, żebym skorzystała z twojego powozu – wyszeptała.

– Wiesz, o co cię proszę.

Oczywiście, że wiedziała. Chciał z nią pojechać do domu, pójść do jej sypialni i kochać się z nią w łóżku, w którym dotychczas nie sypiał nikt oprócz niej. Wsparła czoło na jego piersi i niepewnie skinęła głową. Nadszedł już odpowiedni

czas. Wiedziała, co ryzykuje, jakie są ograniczenia i możliwe konsekwencje tej decyzji, ale chętnie się na nie wszystkie godziła w zamian za czystą radość z obcowania z Jackiem. Jedna wspólna noc... sto nocy... przyjmie wszystko, co przyniesie jej los.

– Tak – wyszeptała w miękkie, wilgotne płótno koszuli Jacka, na którym zapach jego skóry kusząco mieszał się z lekką wonią krochmalu, wody kolońskiej i świątecznych sosnowych gałęzi. – Tak, pojedź dziś ze mną do domu.

9

Przez resztę wieczoru Amanda nie liczyła upływających godzin. Miała tylko wrażenie, że zanim wyszli ostatni goście, minęła cała wieczność. Wreszcie zaczerwienieni od trunków i świątecznych zabaw rodzice załadowali zmęczone dzieci do czekających powozów. Pary zakończyły prowadzone dyskretnym szeptem rozmowy, wymieniły pożegnalne obietnice i złożyły pośpieszne pocałunki pod zawieszonym nad drzwiami pękiem gałązek jemioły.

Przez ostatnią godzinę przyjęcia Amanda prawie nie widziała Devlina. Żegnał się z gośćmi, odprowadzał ich do drzwi, przyjmował świąteczne życzenia. Uśmiechnęła się mimowolnie, kiedy zrozumiała, co on właściwie robi. Dyskretnie nakłaniał wszystkich do wyjścia i starał się, żeby jak najszybciej wsiedli do swoich powozów. Najwyraźniej chciał się ich pozbyć i zostać z nią sam na sam. Z rzucanych jej ukradkowych spojrzeń odgadła, że Jack boi się, żeby nie zmieniła zdania i nie wycofała zaproszenia.

Tego wieczoru nic jednak nie było w stanie odciągnąć ich od siebie. Jeszcze nigdy Amanda nie czuła się tak pewna swojej decyzji i tak przepełniona radosnym wyczekiwaniem. Czekała z wymuszoną cierpliwością, siedząc w niebiesko-złotym saloniku i w rozmarzeniu kontemplując żółte płomienie

buzujące w marmurowym kominku. Kiedy goście się rozjechali, w domu zaroiło się od służby, uprzątającej pokoje po przyjęciu, a muzycy spakowali instrumenty. Wtedy przyszedł do niej Devlin.

– Jack – cicho wypowiedziała jego imię.

Przykucnął u jej stóp i wziął ją za rękę.

Płonący w kominku ogień nierówno oświetlał mu połowę twarzy, podkreślając rysy żółtym blaskiem, a resztę pozostawiając w cieniu.

– Już czas, żebyś pojechała do domu – powiedział, wpatrując się w nią bez zwykłej u niego pewności siebie i rozbawienia. Spojrzenie miał ważne i skupione, jakby starał się czytać w jej myślach. – Chcesz wracać sama? – ciągnął łagodnym tonem. – Czy mam ci towarzyszyć?

Dotknęła czubkiem palca jego policzka, gdzie światło kładło się złotymi plamami. Jeszcze nigdy nie widziała takich pięknych ust o tak doskonale wykrojonej górnej wardze; dolna była pełniejsza, bardziej miękka, obiecująca zmysłowe przyjemności.

– Jedź ze mną – poprosiła.

Wnętrze powozu było zimne i ciemne. Amanda postawiła na ogrzewaczu stopy obute tylko w lekkie pantofelki. Gdy Jack usiadł obok niej, jego długie nogi wypełniały niemal całą przestrzeń między ławeczkami. Lokaj z cichym trzaskiem zamknął drzwi i Devlin roześmiał się, widząc, jak łapczywie Amanda chłonie ciepło z wypełnionego żarzącymi się węgielkami porcelanowego pojemnika.

Objął ją ramieniem, pochylił głowę i wyszeptał jej do ucha:

– Potrafię cię rozgrzać.

Powóz ruszył, mimo resorów lekko podskakując na nierównościach ulicy. Amanda poczuła, że Jack podnosi ją bez trudu i sadza sobie na kolanach.

– Jack! – wykrzyknęła zaskoczona. On tymczasem zsunął szal z jej ramion i przesunął dłonią po jej plecach.

Wydawało się, że wcale jej nie słyszał. Nie odrywał wzroku od jej półnagiego dekoltu, który blado połyskiwał w ciemnościach. Drugą dłonią objął pod suknią jej nogę w kostce.

– Jack! – znów zawołała zduszonym głosem, starając się odepchnąć go od siebie. Ale on tak mocno ją przyciągał, że w końcu musiała oprzeć się o jego pierś.

– Słucham? – mruknął, wodząc wargami po jej nagiej szyi.

– Na litość boską, nie w powozie.

– Dlaczego?

– Bo to jest... – Czubkiem języka dotknął jej szyi, drażniąc wrażliwy nerw. Amanda z wysiłkiem stłumiła cichy jęk podniecenia. – To jest takie wulgarne, takie pospolite.

– I podniecające – odpowiedział szeptem. – Myślałaś kiedyś o tym, żeby się kochać w powozie?

Gwałtownie odsunęła głowę i przyjrzała mu się ze zdziwieniem. Jego twarz ledwo majaczyła w ciemnościach.

– Oczywiście, że nie! Nawet sobie nie wyobrażam, w jaki sposób można by to robić. – Zobaczyła biały błysk jego zębów i natychmiast pożałowała swoich słów. – Nie, nie, nic mi nie wyjaśniaj!

– Nic nie będę wyjaśniał, tylko ci pokażę. – Zaczął szeptać jej do ucha intymne, zawstydzające słowa, a jego palce przesuwały się po jej plecach. Poczuła kilka lekkich szarpnięć i odgadła, że rozpiął górę sukni. Znaczyło to, że bez najmniejszego trudu daje sobie radę z jej strojem.

Kiedy dziś zgodziła się z nim kochać, wyobrażała sobie romantyczną scenę w swojej sypialni, a nie w powozie. Jack kradł pocałunki z jej rozchylonych ust i pieścił wargami jej szyję.

– Przestań – błagała. – Lokaj się domyśli... och, przestań!

Jack objął ją mocno i popatrzył jej w oczy, zawsze spoglądające żywo, inteligentnie i śmiało. Teraz patrzyły na niego bezradnie i wydały mu się jeszcze bardziej pociągające. Serce zaczęło mu bić jak szalone. Poczuł, że gwałtownie budzi się

w nim pożądanie. Miał ochotę natychmiast ją posiąść, zbadać każdy centymetr jej delikatnego ciała.

Pocałował ją łapczywie, chłonąc jej wspaniały smak i zapach. Chętnie odpowiedziała na jego pocałunek, pozwalając mu całować się tak, jak chciał. Kiedy rozpiął jej suknię na plecach, wygięła się i przylgnęła do niego mocniej. Przesunął ręką w dół jej pleców i natrafił na skraj gorsetu. Niecierpliwie pociągnął za tasiemki, aż się rozluźniły, i sztywny pancerz przestał krępować jej ciało. Amanda odetchnęła głębiej, wyzwoliwszy się wreszcie z krępujących fiszbinów i sztywno nakrochmalonego płótna.

Jack zsunął z niej górę sukni i rozpiął haftki na przodzie gorsetu. Krągłe piersi Amandy przykrywała teraz jedynie cienka, zmięta koszulka. Po omacku uniósł Amandę trochę wyżej i przez zwiewny materiał zaczął pieścić ustami jej biust. Przy każdym gorącym dotknięciu warg Amanda cicho jęczała. Ściągnął koszulkę w dół, obnażając jej piersi, i wtulił usta w zagłębienie między nimi.

– Jack... – Oddychała płytko, urywanie, i ledwie mogła wydobyć z siebie głos.

Czując bijący od niej zapach rozgrzanego ciała, zupełnie zapomniał o świecie istniejącym poza ciemnym, rozkołysanym powozem. Miał tylko jeden cel. Wsunął ręce pod suknię Amandy i posadził ją sobie na kolanach tak, że obejmowała go nogami.

Zgodnie z jego oczekiwaniem, nie była bierną partnerką. Z zapałem odwzajemniała pocałunki, gładziła jego pierś i brzuch. Nie mogąc sobie poradzić z dopasowaną kamizelką i ciasno związanym fularem, westchnęła sfrustrowana.

– Pomóż mi – poprosiła drżącym głosem. – Chcę cię dotknąć.

– Jeszcze nie teraz. Jeśli mnie teraz dotkniesz, nie będę w stanie zapanować nad sobą.

– Nie dbam o to. – Pociągnęła mocniej i udało jej się

rozpiąć górny guzik spodni. – Chcę sprawdzić, jak to jest... co się czuje... – Namacała ręką jego nabrzmiałą męskość. Kiedy poczuł lekki nacisk jej dłoni, jęknął i gwałtownie drgnął. – Sam przecież zacząłeś – przypomniała mu, oddychając ciężko. Była tak niecierpliwa i roznamiętniona, że serce Jacka ścisnęło uczucie, którego nigdy przedtem nie zaznał... uczucie tak niebezpieczne, że nawet nie chciał się nad nim zastanawiać.

– No, dobrze – odparł podniecony, ale też trochę rozbawiony. – Jak mógłbym ci czegokolwiek odmówić?

Odsunął jej dłoń i zręcznie rozpiął pozostałe sześć guzików. Miał ochotę wciągnąć ją na siebie i posiąść jej dziewicze ciało, ale z wysiłkiem się opanował i zacisnąwszy zęby pozwolił, by poznawała sekrety męskiej anatomii.

– Och, nie wyobrażałam sobie, że to jest tak... – wyszeptała z półprzymkniętymi oczami. Jack odwrócił głowę w bok. Oddychał przez zaciśnięte zęby, starając się do reszty nie stracić panowania nad sobą. Poczuł na policzku dotyk gładkiego policzka Amandy. – Czy to boli, kiedy cię dotykam? – zapytała z wahaniem.

– Nie, nie... – Roześmiał się, ale śmiech po chwili zmienił się w cichy jęk. – To bardzo przyjemne. *Mhuirnin*... dłużej nie wytrzymam... musisz przestać. – Chwycił ją za nadgarstek i odciągnął jej rękę. – Teraz moja kolej – oznajmił i całując jej pałającą twarz, zaczął pieścić ją w najintymniejszym miejscu. Jego dotyk sprawił, że ciało Amandy rozluźniło się, gotowe na jego przyjęcie. Pieścił ją delikatnie, aż zaczęła jęczeć cicho i mocno na niego napierać. Każdy podskok resorowanego powozu sprawiał, że ich ciała zbliżały się do siebie. Jack zamknął oczy, czując, że jego podniecenie zaczyna sięgać szczytu. Za chwilę wszystko się dopełni... Nie, nie mógł do tego dopuścić. Nie tutaj, nie teraz, jeszcze nie. Zaklął pod nosem, objął Amandę w pasie i odsunął ją lekko od siebie.

– Jack – wyszeptała zduszonym głosem. – Pragnę cię... potrzebuję... Proszę...

– Dobrze – wyszeptał. Całe ciało miał napięte i spocone. – Dam ci to, na co czekasz, kochanie. Już wkrótce. Ale możemy trochę zaczekać, *mhuirnin*... zrobimy to jak należy, w wygodnym łóżku. Nie zamierzałem tak daleko posunąć się w powozie... tylko że... nie mogłem się opanować. Odwróć się, zapnę ci suknię.

– Nie czekajmy – szepnęła ochryple. – Chcę cię już teraz. – Pocałowała go namiętnie. Po chwili poczuła, że wszystkie jego mięśnie stężały.

– Nie. – Roześmiał się niepewnie, ujął jej twarz w dłonie i lekko pocałował w usta. – Jeśli nie zaczekamy, będziesz żałowała. Och, moja słodka... pozwól mi przestać, dopóki jeszcze jestem w stanie.

– Czekałam trzydzieści lat – wyszeptała, starając się znów być jak najbliżej niego. – Pozwól mi zadecydować, kiedy to się stanie i gdzie. Proszę. Następnym razem ty będziesz dyktował warunki.

Wzmianka o następnym razie i myśl o tym, co za chwilę z nią i dla niej zrobi, okazały się zbyt wielką pokusą.

– Nie powinniśmy – powiedział ochryple, chociaż w tej samej chwili jego dłoń sama wsunęła się pod jej spódnicę, żeby przyciągnąć ją ku sobie.

– Nie dbam teraz o nic. Zróbmy to... zróbmy to teraz... – Jej słowa zmieniły się w cichy jęk, kiedy znów poczuła jego palce w intymnym miejscu.

Jack patrzył w jej półsenne oczy. Spuściła powieki, policzki jej zaczerwieniły się z emocji. Chwyciła go za ramiona i przywarła do jego piersi. Poszukała ustami jego ust, a on pocałował ją namiętnie, poruszając językiem w rytmie zgodnym z rytmem pieszczot.

Z gardła Amandy wyrwał się mimowolny okrzyk, a zaraz potem jęk. Objęła go mocno, czując, że zalewa ją fala ogromnej rozkoszy. Zadrżała, wygięła się w łuk, i jej ciałem zaczęły wstrząsać rytmiczne dreszcze. Jack mruknął coś niewyraźnie, przyciągnął ją do siebie i wniknął w jej ciepłe, wilgotne

wnętrze. Spazmatycznie chwyciła powietrze, czując z początku lekki ból, ale nie cofnęła się, dopóki całkowicie się nie połączyli.

Jack odchylił głowę, zamknął oczy i twarz mu stężała, jakby rozkosz, którą czuł, była zbyt trudna do zniesienia. Nie mógł myśleć ani mówić, nie był w stanie nawet wyszeptać jej imienia. Mógł tylko siedzieć i przeżywać narastające w nim emocje. Poczuł, że Amanda pochyliła się naprzód i dotknęła rozchylonymi ustami jego szyi tam, gdzie tuż pod skórą można było wyczuć bijący puls. Jej język muskał go delikatnie, ale śmiało. Jack instynktownie starał się wniknąć w nią jak najgłębiej. Usłyszał własny zduszony krzyk i doszedł do szczytu ekstazy. Kiedy wreszcie znów mógł się poruszyć, mocno ujął twarz Amandy i zaczął ją całować z nową siłą. Wiedział, że ten pocałunek może być zbyt brutalny dla jej delikatnych ust, ale ona zdawała się nie mieć nic przeciwko temu.

Oboje oddychali szybko i z trudem, nie mogąc się uspokoić. Jack przytulił Amandę do piersi, położył jedną dłoń na jej potarganych włosach, drugą zaś zataczał koła na nagich plecach. Zadrżała, wyczuwając różnicę między owiewającym ją chłodnym powietrzem a jego ciepłym dotykiem. Zaklął cicho pod nosem i po omacku spróbował zapiąć jej gorset, kiedy zdał sobie sprawę, że powóz zaczyna zwalniać.

– Do diabła. Jesteśmy już na miejscu.

Amanda nadal była rozluźniona i wtulała się w niego miękko, jakby nie zauważyła jego nagłego niepokoju. Wyciągnęła leniwie rękę i zaryglowała drzwi powozu.

– Wszystko w porządku, Jack – powiedziała niskim, chropawym głosem.

Naciągnął jej suknię i zręcznie zapiął guziki.

– Niedobrze, że straciłem panowanie... Powinniśmy byli zaczekać. Nie tak należy postępować z dziewicą. Chciałem być łagodny, delikatny i...

– Było dokładnie tak, jak chciałam. – Spojrzała na niego

z lekkim uśmiechem. Twarz miała zaróżowioną, oczy jej błyszczały. – A z taką dziewicą jak ja jeszcze nigdy nie miałeś do czynienia. Zupełnie więc nie rozumiem, dlaczego niby mieliśmy to zrobić w konwencjonalny sposób.

Nadal marszcząc czoło, Jack chwycił ją w talii i lekko uniósł, a ona krzyknęła cicho, kiedy ich ciała się rozłączyły. Domyślił się, co jest jej w tej chwili potrzebne, odnalazł w kieszeni chusteczkę i w milczeniu podał ją Amandzie. Wyraźnie zażenowana, wytarła wilgotne miejsca.

– Sprawiłem ci ból – stwierdził ze skruchą, ale ona tylko pokręciła głową.

– Nie było to takie bolesne, jak mi mówiono – oznajmiła. – Tyle się słyszy o koszmarze nocy poślubnej, więc spodziewałam się czegoś strasznego. Wcale nie było tak źle.

– Amando! – Mimowolnie rozbawiony jej paplaniną objął ją mocno. Ucałował jej włosy, policzek i kącik ust.

Powóz zatrzymał się gwałtownie. Zajechali pod dom Amandy. Mrucząc coś pod nosem, uporządkował na sobie odzienie, ona tymczasem starała się doprowadzić do porządku fryzurę. Wpięła we włosy kilka szpilek, a potem odnalazła szal i okryła nim ramiona.

– Jak wyglądam? – zapytała.

Jack przyjrzał się jej i z rezygnacją pokręcił głową. Na widok jej zarumienionych policzków, błyszczących oczu i nabrzmiałych od pocałunków warg nikt nie mógłby mieć wątpliwości, co przed chwilą robiła.

– Wyglądasz, jakby właśnie cię ktoś zniewolił – oznajmił krótko.

Zareagowała uśmiechem, co bardzo go zdziwiło

– Pośpiesz się – ponagliła. – Chcę szybko wejść do domu i przejrzeć się w lustrze. Zawsze mnie ciekawiło, jak wygląda zniewolona kobieta.

– A co potem?

Spojrzała na niego bacznie.

– A potem chcę zdjąć z ciebie ubranie. Jeszcze nigdy nie widziałam całkiem nagiego mężczyzny.

Uśmiechnął się niepewnie.

– Jestem do twojej dyspozycji. – Chwycił zwisający nad jej uchem kosmyk płomiennorudych włosów i zaczął się nim bawić.

Milczała, patrząc na niego bez ruchu. Zastanawiał się, co tak zajęło jej myśli.

– Musimy coś omówić – powiedziała w końcu. – Powinniśmy chyba ustalić zasady.

– Ustalić zasady? – Jego ręka znieruchomiała w powietrzu.

– Zasady naszego romansu. – Jej gładkie czoło przecięła zmarszczka niepewności. – No bo przecież chcesz mieć ze mną romans, prawda?

10

Jasne, że chcę mieć z tobą romans. – Jack patrzył na nią zrezygnowany i trochę rozbawiony. – Powinienem się domyślić, że zechcesz wszystko dokładnie zaplanować – dodał po chwili.

– Czy to źle? – spytała Amanda. – Dlaczego nie miałabym nawiązać romansu w rozsądny i uporządkowany sposób?

– Dobrze – odparł, tłumiąc śmiech. – Wejdźmy do środka i zacznijmy negocjacje. Już nie mogę się doczekać, kiedy usłyszę, jakie masz plany.

Lokaj otworzył drzwi powozu i Amanda wraz z Jackiem weszła do pustego domu. Nogi się pod nią uginały i wciąż jeszcze była lekko oszołomiona. Pomyślała z ironią, że tych świąt z pewnością nigdy nie zapomni. Niesforny kosmyk kręconych włosów wysunął się spod szpilki i opadł jej na prawe oko. Odsunęła go za ucho i w tym momencie przypomniała sobie silne dłonie Jacka i jego natarczywe usta.

Nie mogła uwierzyć, że w taki sposób straciła dziewictwo... a jednak uporczywe pieczenie między udami i niewidzialne, ale wyraźnie odczuwane ślady rąk Jacka na całym ciele świadczyły, że to się naprawdę wydarzyło. Starała się wzbudzić w sobie żal i skruchę, lecz nie potrafiła.

Jeszcze przy żadnym mężczyźnie nie czuła się taka pożądana i spełniona, zupełnie jakby wcale nie była starą panną. Miała

tylko nadzieję, że zdoła zachować swoją miłość do niego w sekrecie.

Tak, kochała go.

Świadomość ta spadła na nią nie jak grom z jasnego nieba, ale raczej jak drobny, marcowy deszczyk. Wydawało jej się niemożliwe, żeby którakolwiek kobieta oparła się urokowi Jacka. Był taki przystojny, inteligentny i nosił w sobie tak wiele mrocznych tajemnic, że każda musiała się w nim zakochać. Nie łudziła się, że on odpowie jej tym samym uczuciem, była też przekonana, że jego zainteresowanie nie wytrzyma próby czasu. Gdyby był zdolny pokochać jakąś kobietę, uczyniłby to już dawno temu; znał ich przecież tak wiele.

Zresztą nawet gdyby którejś z nich udało się go schwytać w małżeńskie sidła, byłby to bez wątpienia związek nieszczęśliwy i niesatysfakcjonujący. Devlin był przystojny, bogaty i wpływowy. Kobiety zawsze będą się za nim uganiały, a on nigdy nie będzie w stanie odwzajemnić miłości żony.

Amanda postanowiła, że po prostu weźmie od niego to, co może, i postara się, żeby ich romans nie zakończył się rozgoryczeniem ani dla niej, ani dla niego.

Weszli do salonu, gdzie Jack wyjął zapałkę ze srebrnego pojemnika i rozpalił ogień. Amanda opadła na kwiecisty dywan przed kominkiem i wyciągnęła ręce ku roztaczającym ciepło płomieniom. Jack usiadł obok niej i otoczył jej plecy ramieniem. Poczuła, że delikatnie pocałował ją w czubek głowy, i wtulił usta w jej potargane loki.

– Teraz powiedz mi, jakie są twoje warunki, a potem znów cię zniewolę – zapowiedział cicho.

Próbowała sobie przypomnieć, co mu chiała powiedzieć, siedział tak blisko, że trudno jej było zachować jasność myśli.

– Po pierwsze, oboje musimy zachować absolutną dyskrecję żeby nasz intymny związek nie wyszedł na jaw – powiedziała. – Mam bardzo wiele do stracenia. Oczywiście będą plotki, ale jeśli nie będziemy demonstracyjnie obnosić się z naszym

romansem, skandal nie wybuchnie. Po drugie... – Zamilkła, ponieważ dłoń Jacka zaczęła wędrować wzdłuż jej pleców. Zamknęła oczy; pod powiekami widziała tylko szkarłatne plamy.

– Po drugie? – ponaglił, i gorący oddech owionął jej ucho.

– Po drugie, chciałabym, żeby nasz związek miał ograniczony czas trwania. Powiedzmy trzy miesiące. Po upływie tego czasu rozejdziemy się, choć nadal pozostaniemy przyjaciółmi.

Nie widziała twarzy Jacka, ale drgnął tak gwałtownie, że bez trudu odgadła, jak bardzo ta propozycja go zaskoczyła.

– Nie wątpię, że masz całą listę powodów, dla których powinniśmy właśnie tak postąpić. Bardzo bym chciał je poznać.

Amanda zdecydowanie skinęła głową.

– Z obserwacji wiem, że romanse zwykle kończą się nudą, awanturami lub zazdrością. Jeśli jednak zdecydujemy zawczasu dokładnie, kiedy i jak zakończymy nasz romans, prawdopodobnie będziemy mogli rozstać się w przyjaźni. Nie chciałabym utracić twojej przyjaźni, kiedy wygaśnie namiętność.

– A dlaczego sądzisz, że nasza namiętność wygaśnie?

– Cóż, żaden romans nie może trwać wiecznie, nieprawdaż?

Po chwili zadał kolejne pytanie:

– A co zrobimy, jeśli żadne z nas za trzy miesiące nie będzie chciało zrywać tego związku?

– Tak byłoby najlepiej. Wolałabym zakończyć romans z poczuciem niedosytu, niż pozwolić, żeby się ciągnął w nieskończoność, dopóki nie będziemy już mogli na siebie patrzeć. Poza tym szanse, że ktoś nas przyłapie, będą z czasem rosły... a ja nie mam zamiaru zostać wyrzutkiem społeczeństwa.

Odwrócił ją ku sobie i spostrzegła, że jest trochę rozbawiony, ale również zirytowany.

– Za trzy miesiące nadal będę cię pragnął – stwierdził. – Więc kiedy nadejdzie ten czas, rezerwuję sobie prawo do próby przekonania cię, żebyś zmieniła zdanie.

– Będziesz mógł próbować wszelkich sposobów – zapewniła

go z uśmiechem. – Nie uda ci się jednak nakłonić mnie do zmiany decyzji. Mam bardzo silną wolę.

– Ja również.

Spojrzeli na siebie wyzywająco i widać było, że obojgu sprawia to radość. Jack wziął Amandę za ramiona, przyciągnął do siebie i już miał ją pocałować, gdy nagle przerwał im jakiś hałas. Ktoś wchodził do domu. Jack zamarł bez ruchu.

– To służba – powiadomiła go Amanda, więc wstał sprężyście i pomógł jej podnieść się z dywanu.

Chociaż znała Sukey przez całe życie i stale musiała znosić jej wścibskie uwagi na temat braku męskiego towarzystwa, była zawstydzona, że pokojówka zastanie ją w tak kompromitującej sytuacji. Policzki jej poczerwieniały, chociaż za wszelką cenę starała się zrobić obojętną minę. Sukey stanęła w drzwiach salonu i kiedy zdała sobie sprawę, że Amanda jest sama w domu z Jackiem Devlinem, oniemiała ze zdumienia. Jej pani miała suknię i włosy w nieładzie, w salonie panował bardzo intymny nastrój, więc nie było wątpliwości, co się tu wydarzyło.

– Bardzo przepraszam, panienko – wyjąkała Sukey.

Amanda natychmiast do niej podeszła.

– Dobry wieczór, Sukey. Mam nadzieję, że ty i Charles dobrze się bawiliście w ten świąteczny wieczór.

– Bardzo dobrze, proszę pani. Bardzo udany wieczór. Czy coś mam jeszcze zrobić, zanim pójdę spać?

Skinęła głową.

– Proszę, przynieś do mojej sypialni dzban z gorącą wodą.

– Dobrze. – Sukey odwróciła się i szybko poszła do kuchni, starając się nawet nie spojrzeć w stronę gościa pracodawczyni.

Zanim Amanda zdążyła się poruszyć, poczuła, że Jack od tyłu obejmuje ją w talii. Delikatnie przyciągnął ją do siebie, tak że oparła się plecami o jego pierś, i pocałował ją w szyję. Jego gorące usta muskały ją lekko, wywołując w całym ciele przyjemne dreszcze.

– Jest jeden warunek, który chciałem dodać do naszej umowy – wyszeptał, nie podnosząc głowy.

– Co to takiego? – Dźwięk własnego głosu, nagle tak niskiego i zmysłowego, zabrzmiał obco w uszach Amandy.

– Jeśli mamy być kochankami przez tak krótki czas, to chcę go jak najlepiej wykorzystać. Obiecaj mi, że niczego mi nie odmówisz, Amando. – Przesuwał dłonie po jej bokach i szeptał: – Chcę spróbować z tobą wszystkiego.

– Co to znaczy „wszystkiego"? – zdumiała się.

Nie odpowiedział, tylko roześmiał się cicho. Amanda zwróciła się ku niemu ze zmarszczonym gniewnie czołem.

– Nie spodziewasz się chyba, że zgodzę się na twoją propozycję, skoro nawet nie wiem, o co chodzi.

Usta Jacka drgały, choć starał się tłumić rozbawienie.

– Dałem ci egzemplarz wspomnień Gemmy Bradshaw – powiedział z poważną miną. – Znajdziesz tam wiele pożytecznych wskazówek.

– Nie przeczytałam tej książki w całości – odparła zadziornie. – Tylko fragmenty. Uznałam ją za zbyt drastyczną, więc nie czytałam dalej.

– Nigdy nie przyszłoby mi do głowy, że dama, która decyduje się na utratę dziewictwa w powozie, okaże się taka pruderyjna. – Widząc jej srogą minę, uśmiechnął się szeroko. – Zawrzyjmy więc taki układ. Za trzy miesiące zakończymy nasz romans, na twoje życzenie, ale pod warunkiem, że zrobisz ze mną wszystko, co zostało opisane we wspomnieniach Gemmy.

– Chyba nie mówisz poważnie? – zawołała Amanda z przerażeniem.

– Oczywiście, w granicach rozsądku. Nie ma pewności, że wszystko, co opisano w tej książce, jest fizycznie możliwe. Ale można by się o tym przekonać. To by było bardzo interesujące, nie sądzisz?

– Jesteś zdemoralizowany – oznajmiła srogo. – Zepsuty do szpiku kości degenerat.

– Zgadza się. I przez następne trzy miesiące będę do twojej dyspozycji. – Spojrzał na nią łobuzersko. – Nie pamiętam dokładnie, jak się zaczyna pierwszy rozdział.

Amanda była przerażona, ale jednocześnie chciało jej się śmiać. Zastanawiała się, czy oburzająca propozycja Jacka jest poważna.

– Zdaje się, że na początku pewien dżentelmen otwiera wskazane mu drzwi do sypialni.

Jack przerwał jej namiętnym pocałunkiem.

– Tak, teraz pamiętam. Właśnie tak się to zaczyna – powiedział cicho. – Zabiorę cię na górę i pokażę, co się zdarzyło potem.

Amanda poprowadziła go w stronę schodów, ale zatrzymała się, zanim weszła na pierwszy stopień. Nagle obezwładniła ją nieśmiałość. W ciemnym powozie łatwo było zapomnieć o rzeczywistości, tutaj jednak, w znajomym wnętrzu własnego domu, dotarło do niej aż nazbyt jasno, na co się zdecydowała.

Jack chyba zrozumiał jej wahanie, ponieważ również się zatrzymał i przyparł ją do barierki schodów, zagradzając drogę opartymi o balustradę ramionami. Uśmiechał się ledwo dostrzegalnie.

– Zanieść cię na górę? – zapytał.

Weszła na pierwszy stopień, więc ich twarze znalazły się na tym samym poziomie.

– Nie, jestem za ciężka. Upuścisz mnie albo się przewrócisz i oboje skręcimy sobie kark.

W jego niebieskich oczach migotało diabelskie rozbawienie.

– Kiedy ty wreszcie zaczniesz mnie doceniać? Zaraz dam ci pierwszą nauczkę.

– Nie chodzi o to, tylko... – Pisnęła zaskoczona, kiedy wziął ją na ręce i lekko uniósł do góry. – Przestań! Nie, Jack! Upuścisz mnie.

On jednak trzymał ją mocno i wnosił po schodach, jakby była lekka niczym piórko.

– Jesteś o połowę mniejsza ode mnie – stwierdził. – Mógłbym cię tak nieść na koniec świata i nawet bym się nie zasapał. Tylko przestań się wiercić.

Zarzuciła mu ręce na ramiona.

– Dobrze, już udowodniłeś, co chciałeś udowodnić. A teraz mnie puść.

– Oczywiście, zaraz to zrobię – zapewnił ją. – Położę cię prosto na łóżko, jak tylko dotrzemy do sypialni. Które to drzwi?

– Drugie w tym korytarzu – powiedziała. Jej głos brzmiał niewyraźnie, ponieważ ukryła twarz na piersi Jacka. Jeszcze nigdy nikt jej tak nie niósł. Być może było to trochę śmieszne, ale w jakiś pierwotny, prymitywny sposób bardzo jej się to podobało. Oparła policzek o ramię Devlina i po prostu cieszyła się tym, że niesie ją w ramionach silny, przystojny mężczyzna.

Dotarli do sypialni i Jack zamknął za sobą drzwi, popychając je obcasem. Ułożył ją ostrożnie na dużym łóżku pod żółtozłotym baldachimem, zawieszonym na ozdobnych spiralnych słupkach. Znad dzbana z gorącą wodą, który pokojówka ustawiła na toaletce z przyborami do mycia, unosiły się kłęby dymu. Języki ognia tańczyły w kominku, strzelając coraz to wyżej, w miarę jak zajmowały się kolejne polana.

Amanda patrzyła na Jacka szeroko otwartymi oczami, zastanawiając się, czy zamierza się tu przed nią całkiem rozebrać. Rzucił surdut na pobliski stolik, zdjął kamizelkę i rozwiązał fular.

Amanda przełknęła ślinę. Serce biło jej coraz szybciej, a krew wydawała się bardziej gorąca.

– Jack – powiedziała cicho. – Chyba nie zamierzasz naprawdę odegrać pierwszego rozdziału?

Uśmiechnął się, kiedy zrozumiał, że ma na myśli pierwszy rozdział *Grzechów pani B.*

– Wyznam ci, Brzoskwinko, że pamięć mnie trochę zawodzi. Nie mogę sobie przypomnieć, jak się ta książka zaczyna... może mi pomożesz?

– Nie – odrzekła gwałtownie, co tylko wywołało wybuch śmiechu.

Podszedł do niej w częściowo rozpiętej koszuli. Światło lampy kładło złociste plamy na muskularnej piersi. Sięgnął po kolczyki, kołyszące się przy uszach Amandy. Odpiął je delikatnie i pomasował obolałe płatki uszu. Odłożył złote łezki na nocny stolik, a potem wyjął szpilki z jej włosów. Amanda zamknęła oczy; oddychała nierówno i płytko. Jack poruszał się wolno i precyzyjnie, jakby była jakąś kruchą istotą, z którą należy obchodzić się wyjątkowo ostrożnie.

– Musi być jakiś fragment książki Gemmy, który ci się spodobał. – Zdjął jej buty i rzucił na dywan. – Na pewno coś cię tam zaintrygowało... wprawiło w podniecenie.

Lekko drgnęła, gdy jedna jego dłoń spoczęła na jej kostce, druga zaś powędrowała do podwiązki. Kilkoma zręcznymi ruchami rozwiązał tasiemki i jedna po drugiej zsunął jedwabne pończochy z jej nóg, jednocześnie gładząc ją po jędrnych łydkach. Czubkami palców przesunął po wrażliwych punktach pod kolanami, aż poczuła, że po nogach przebiegł jej przyjemny dreszczyk.

– Nigdy bym ci czegoś takiego nie wyjawiła. – Parsknęła zduszonym śmiechem. – Zresztą nie podobał mi się żaden fragment tej okropnej książki.

– Ależ podobał ci się – odparł cicho. – I powiesz mi to, Brzoskwinko. Po tym, co już razem przeszliśmy, jedna czy dwie fantazje więcej nie będą zbyt trudne do zrealizowania.

Spróbowała wykręcić się od odpowiedzi.

– W takim razie ty pierwszy opowiedz mi o swoich fantazjach.

Zacisnął dłonie na jej kostkach i przyciągnął ją do siebie.

– Moje fantazje obejmują każdą część twojego ciała. Twoje włosy, usta i piersi... nawet stopy.

– Stopy? – Podskoczyła mimowolnie, kiedy poczuła jego kciuki na podeszwach. Gładził delikatnie ich łuki, usuwając

zmęczenie i napięcie. Potem położył jej stopę na swojej piersi, a ciepło jego ciała zdawało się palić ją żywym ogniem. Odruchowo podkurczyła palce.

Zawstydzona i podniecona, zerknęła na niego spod rzęs i spostrzegła, że oczy błyszczą mu łobuzersko. Szybko cofnęła stopę, a Jack tylko się roześmiał. Zdjął z siebie resztę ubrania i rzucił je na podłogę. Rozległ się cichy szelest, a potem w sypialni zaległa cisza, przerywana jedynie trzaskaniem ognia w kominku.

Amanda odważyła się spojrzeć nieśmiało na stojącego przed nią nagiego mężczyznę. Kiedy to zrobiła, nie była w stanie oderwać od niego wzroku. Światło i mrok igrały na jego sylwetce, wydobywając każdy szczegół, podkreślając piękne zarysy silnych mięśni i złocistość skóry. Amanda nie spodziewała się, że nagi człowiek może się czuć swobodnie, a jednak Jack stał przed nią tak śmiało, jakby był całkowicie ubrany, i wcale nie starał się ukryć tego, jak bardzo jest podniecony. Amanda przyglądała mu się z fascynacją i nagle ogarnęło ją bardzo dziwne uczucie. Niczego jeszcze tak w życiu nie pragnęła... Chciała poczuć na sobie jego ciężar, pragnęła, żeby jego oddech parzył jej skórę, a ręce mocno ją obejmowały.

– Teraz możesz już powiedzieć, że widziałaś całkiem nagiego mężczyznę – stwierdził Jack. – I jakie masz wrażenia?

Zwilżyła suche wargi językiem.

– Trzydzieści lat oczekiwania na taki widok to stanowczo za długo.

Jack pochylił się, rozpiął jej suknię na plecach. Zapach jego skóry, ciepły i słonawy, przyprawił ją o lekki zawrót głowy, taki sam, jaki odczuwała, gdy zbyt szybko wychyliła kieliszek wina. Oparła mu ręce na ramionach, żeby utrzymać równowagę. Kiedy dotknęła jego sprężystej, aksamitnej skóry, poczuła mrowienie w czubkach palców.

Delikatnie postawił ją na podłodze i zsunął rozpiętą suknię w dół. Amanda została w gorsecie, cienkiej halce i reformach. Speszona zrobiła krok do tyłu.

– Jack... – Podeszła do toaletki i wlała trochę wody do ozdobnej fajansowej miski. – Czy mógłbyś zaczekać za parawanem? – spytała, unikając jego wzroku. – Chcę, żebyś przez chwilę na mnie nie patrzył

Stanął za nią i objął ją w talii.

– Pomogę ci.

– Nie, nie. – Nagle poczuła, że bardzo się wstydzi. – Stań za parawanem... Sama dam sobie radę.

On jednak uciszył ją pocałunkiem i ignorując jej protesty, rozluźnił gorset i zdjął z niej resztę bielizny. Zaczerwieniona po uszy, stanęła bez ruchu, a on tymczasem przyglądał się jej postaci. Doskonale zdawała sobie sprawę z niedoskonałości swojego ciała: nogi powinny być dłuższe, biodra były za szerokie i brzuch nie tak płaski, jak by chciała. Ale Jack patrzył na nią zafascynowany i po chwili drżącą z przejęcia ręką dotknął od spodu jej piersi. Można by pomyśleć, że miał przed sobą jakąś boginię, a nie trzydziestoletnią starą pannę.

– Tak bardzo cię pragnę – powiedział ochryple. – Po prostu mógłbym cię zjeść.

To trochę niepokojące wyznanie zadziwiło ją i zmieszało.

– Proszę, nie próbuj mi wmawiać, że jestem piękna. Oboje wiemy, że to nieprawda.

Jack zmoczył lniany ręcznik w gorącej wodzie i wyżął go, a potem delikatnie umył wewnętrzną stronę jej ud. Ku jej zażenowaniu poprosił, żeby oparła nogę na krześle, bo wtedy wygodniej mu będzie ją myć.

– Każdy mężczyzna ma swoje preferencje – powiedział. Wypłukał i wyżął ręcznik, po czym przyłożył go do podrażnionych po przeżyciach w powozie miejsc na jej ciele. – A ty akurat spełniasz wszystkie moje.

Amanda pochyliła się i oparła policzek na jego nagim ramieniu. Ciepło jego ciała dawało jej ukojenie.

– Lubisz niskie kobiety z szerokimi biodrami? – zapytała z niedowierzaniem.

Wolną ręką pogładził ją po krągłym pośladku i uśmiechnął się lekko.

– Lubię w tobie wszystko. Dotyk twojej skóry, smak... każde zagłębienie i wypukłość. Ale chociaż pożądam twojego ciała, to twoja najwspanialsza część znajduje się tutaj. – Dotknął palcem jej skroni i dalej mówił cicho: – Fascynujesz mnie od pierwszej chwili. Jesteś najoryginalniejszą, najwspanialszą kobietą, jaką kiedykolwiek poznałem. Gdy tylko cię zobaczyłem, na progu twojego domu, od razu miałem ochotę zabrać cię do łóżka.

Stała w milczeniu, pozwalając mu się myć i łagodzić pieczenie podrażnionej skóry. Kiedy skończył, pociągnął ją w stronę łóżka i położył na materacu. Serce zaczęło gwałtownie uderzać, ściany sypialni wydawały się rozpadać, zostawiając jedynie ciemność i ogień w kominku oraz ciepły dotyk ich ciał.

– Jack – wyszeptała i wyciągnęła się na łóżku. Położyła ręce na jego pośladkach i jak zadowolona kotka zaczęło lekko uciskać jego sprężyste ciało. Jack westchnął z zadowoleniem, więc odważyła się pieścić go śmielej. Położył się na boku, żeby miała wygodniejszy dostęp, i pozwolił jej się dotykać, jak chciała.

– Czy to sprawia ci przyjemność? – spytała szeptem.

Najwyraźniej mówienie w tej chwili przychodziło mu z trudem, lecz w końcu powiedział, dławiąc śmiech:

– Tak. O tak. Jeśli to potrwa dłużej, to mogę eksplodować.

Przyciągnął ją bliżej do siebie, dużą ręką nakrył jej drobną dłoń i pokazał, jak jeszcze może go pieścić.

– Jack – jęknęła, przywierając do niego biodrami. – Weź mnie. Proszę. Pragnę cię. Chcę...

Przerwał jej pocałunkiem i położył dłonie na jej piersiach. Jęknęła cicho, poddając się jego pieszczotom.

– Wiem, czego chcesz. – Musnął ustami rozpłomienioną twarz. – Dostaniesz to, moja najdroższa.

Chociaż wniknął w nią delikatnie, poczuła lekki ból i cicho jęknęła.

– Zabolało cię? – wyszeptał łagodnie.

– Tak, trochę.

Ruchami delikatnymi jak piórko zaczął pieścić najsekretniejsze miejsca jej ciała, aż zaczęła wić się konwulsyjnie i cicho łkać. Ból gdzieś zniknął i jej ciało przyjęło go chętnie i gładko. Cudowne, słodkie napięcie stawało się tak silne, że musiała zagryźć wargi, żeby powstrzymać krzyk.

– Jack, proszę, proszę... – jęknęła. Chciała, żeby pieścił ją mocniej i wreszcie doprowadził do upragnionego szczytu. Całe jej ciało pokrywała błyszcząca mgiełka potu.

– Dobrze, najdroższa – usłyszała jego głos tuż przy uchu. – Zasłużyłaś na nagrodę. – Pieszczoty jego rąk stały się bardziej zdecydowane, ruchy silniejsze. Wydawało się jej, że cały świat eksplodował. Poczuła, że jej ciałem wstrząsają ekstatyczne skurcze. Jack również doszedł do szczytu, lecz w ostatniej chwili wysunął się z niej.

Wyczerpana i nasycona Amanda zarzuciła mu ramiona na szyję. Namacała blizny po chłoście z dawnych lat i pogładziła je czule. Jack znieruchomiał i zaczął oddychać w innym tempie. Przymknął oczy, jakby chciał ukryć przed Amandą swoje myśli.

Pogładziła go po karku i przesunęła dłonią wzdłuż kręgosłupa. Jeszcze raz natrafiła na blizny. Dotknęła ich delikatnie, jakby chciała łagodnie zetrzeć je z jego skóry.

– Pan Fretwell powiedział mi kiedyś, że często poddawałeś się chłoście zamiast innych chłopców ze szkoły Knatchford Heath – powiedziała. – Chciałeś uchronić młodszych i słabszych od siebie przed bólem.

Zirytowany zacisnął wargi.

– Fretwell za dużo gada.

– To dobrze, że mi to powiedział... Nigdy bym się nie domyśliła, że jesteś zdolny do takiego poświęcenia.

Pogardliwie wzruszył ramionami.

– To nic wielkiego. Mam twardą, irlandzką skórę. Chłosta nie bolała mnie tak bardzo, jak bolałaby młodszych chłopców.

Amanda przytuliła się do niego mocniej.

– Nie mów o tym tak lekceważąco – poprosiła, starając się, żeby w jej głosie słychać było raczej współczucie niż litość.

– Ciii... – Zaczerwieniony z zażenowania Jack delikatnie położył palec na jej ustach i warknął szorstko. – Zaraz zrobisz ze mnie świętego, a wcale taki nie jestem. Byłem diabelskim nasieniem i wyrosłem na zimnego drania.

Amanda dotknęła jego palca czubkiem języka, łaskocząc go lekko.

Zaskoczony jej swawolnym zachowaniem, cofnął rękę i uśmiechnął się. Jego oczu już nie przesłaniał mroczny cień goryczy.

– Ty mała czarownico. – Odrzucił kołdrę i rozciągnął Amandę na gładkim prześcieradle. – Zaraz ci pokażę, do czego służy język – szepnął i przykrył jej wargi ustami.

11

Rodzina z dezaprobatą przyjęła wiadomość, że Amanda nie przyjedzie do Windsoru na pozostałe świąteczne dni. Siostry dały wyraz swojemu niezadowoleniu zasypując ją lawiną listów, na które nie odpowiedziała. Zwykle w takich wypadkach poświęcała wiele czasu i wysiłku, żeby ułagodzić wzburzonych krewnych, ale teraz jakoś nie potrafiła się do tego zmusić. Całe jej życie zaczęło obracać się wokół Jacka. Kiedy nie było go przy niej, czas wlókł się nieznośnie wolno, natomiast wspólne wieczory mijały z oszałamiającą szybkością. Przyjeżdżał do niej codziennie po zapadnięciu zmroku, wychodził przed świtem, a wraz z każdą godziną spędzoną w jego ramionach pragnęła go coraz bardziej.

Jack traktował ją inaczej niż wszyscy inni mężczyźni, nie widział w niej spokojnej starej panny, tylko ciepłą, namiętną kobietę. Kiedy zahamowania Amandy brały górę, Jack kpił sobie z niej tak bezlitośnie, że wybuchała gniewem z temperamentem, którego wcześniej nawet u siebie nie podejrzewała. Czasami jednak jego nastrój się zmieniał i Devlin z łobuzerskiego zawadiaki zmieniał się w romantycznego kochanka. Całymi godzinami pieścił ją, przytulał i kochał się z nią z niewypowiedzianą czułością. W takich chwilach miała wrażenie, że rozumie ją tak dobrze, jakby potrafił zajrzeć jej w serce i duszę.

Tak jak się umówili, na jego prośbę przeczytała kilka rozdziałów *Grzechów pani B.*, a on z nieukrywaną przyjemnością napawał się jej skrępowaniem, kiedy musiała odgrywać z nim sceny z książki.

– Nie mogę – powiedziała zduszonym głosem pewnego wieczoru, naciągając prześcieradło na zaczerwienioną ze wstydu twarz. – Po prostu nie mogę. Wybierz coś innego. Zrobię wszystko, tylko nie to.

– Przecież obiecałaś mi, że spróbujesz – odrzekł. Spojrzał na nią rozbawiony i zdecydowanym ruchem ściągnął z niej prześcieradło.

– Nic takiego sobie nie przypominam.

– Tchórz. – Pocałował ją w kark i wolno posuwał się w dół jej pleców. Wyczuła, że się uśmiecha. – Trochę odwagi, Amando – wyszeptał. – Co masz do stracenia?

– Szacunek dla samej siebie! – Chciała się wyswobodzić, ale unieruchomił ją swoim ciężarem i delikatnie chwytał zębami wrażliwą skórę między łopatkami.

– Spróbuj chociaż – namawiał. – Ja pierwszy ci to zrobię. Na pewno ci się spodoba. – Odwrócił ją na plecy i pocałował w brzuch. – Chcę spróbować, jak smakujesz – wyszeptał.

Gdyby można było umrzeć ze wstydu, Amanda natychmiast przeniosłaby się na tamten świat.

– Może później – odparła słabo. – Potrzebuję trochę czasu, żeby się przyzwyczaić do tej myśli.

Spojrzał na nią rozognionym wzrokiem i roześmiał się głośno.

– To ty postanowiłaś, że zakończymy romans po trzech miesiąca, nie mamy więc zbyt wiele czasu. – Obwiódł językiem jej pępek. – Tylko jeden pocałunek. Jestem pewien, że to zniesiesz.

Westchnęła bezradnie.

– Ale tylko jeden – zgodziła się bez przekonania.

Kiedy to zrobił, poczuła, że całe jej ciało domaga się więcej pieszczot. Wszystkie logiczne myśli gdzieś się ulotniły.

– Jeszcze raz? – zapytał ochryple i znów pochylił głowę. Potem nie pytał już o zgodę, a ona przyjmowała jego pieszczoty z radością. Czuła, że unosi się coraz wyżej i wyżej. Wkrótce nie mogła już kontrolować jęków, wydobywających się z gardła.

Wiele minut później, kiedy leżała wyczerpana, opierając głowę na jego ramieniu, poczuła nagłe ukłucie zazdrości.

– Musiałeś mieć wiele romansów. Widać, że jesteś bardzo doświadczony – powiedziała cicho.

Uniósł brwi, jakby się zastanawiał, czy to komplement, czy zarzut.

– Właściwie nie miałem wielu romansów – wyznał, bawiąc się jej długimi włosami. – Jeśli chodzi o te sprawy, to tak się składa, że jestem bardzo wybredny. Poza tym zawsze byłem tak zapracowany, że nie miałem wiele czasu na romanse.

– A miłość? – Amanda uniosła głowę i spojrzała mu prosto w oczy. – Nigdy się w nikim szaleńczo nie zakochałeś?

– Nie na tyle, żeby mi to przeszkodziło w prowadzeniu firmy.

Amanda roześmiała się nagle i odgarnęła z jego czoła niesforny kosmyk czarnych włosów. Miał piękne włosy, gęste i błyszczące, trochę szorstkie w dotyku.

– W takim razie to nie była miłość. Prawdziwej miłości nie odsuwa się na drugi plan z powodu natłoku innych zajęć.

– A ty? – zapytał Jack, przesuwając ciepłą dłonią po jej ramieniu, aż dostała gęsiej skórki. – Najwyraźniej nigdy nie byłaś zakochana.

– Czemu tak sądzisz?

– Bo gdybyś się zakochała, nie byłabyś dziewicą do trzydziestego roku życia.

– Cynik z ciebie – stwierdziła z uśmiechem. – Czy nie można kochać miłością prawdziwą, ale czystą?

– Nie – odparł krótko. – Jeśli to prawdziwa miłość, to jest

w niej też fizyczna namiętność. Inaczej mężczyzna i kobieta nigdy nie poznają się w pełni.

– Nie zgadzam się. Moim zdaniem, namiętność emocjonalna może być o wiele bardziej intensywnym doznaniem niż fizyczna.

– Może dla kobiety.

Sięgnęła po poduszkę i nakryła nią jego roześmianą twarz.

– Ty prostaku!

Jack parsknął śmiechem i z łatwością pozbył się poduszki. Chwycił Amandę za nadgarstki.

– Wszyscy mężczyźni to prostacy i dranie – przyznał. – Tylko niektórzy ukrywają to lepiej niż inni.

– Co wyjaśnia, dlaczego nigdy nie wyszłam za mąż. – Przez chwilę siłowali się żartobliwie, aż w pewnej chwili Amanda poczuła, że Jack znów jest podniecony. – Naprawdę okropny z ciebie prostak! – stwierdziła, zniżając głos i nie przestając się z nim siłować.

– *Mhuirnin*... – wyszeptał. – Muszę ci przypomnieć, że dołożyłem wszelkich starań, żeby cię dzisiaj zadowolić. A ty nie odwzajemniłaś mi się tym samym.

Amanda pocałowała go z zapałem, a on namiętnie odpowiedział na jej pocałunek. Czuła się trochę tak, jakby była inną osobą, wyzwoloną z wszelkich zahamowań.

– Tak, muszę natychmiast naprawić to niedopatrzenie – szepnęła zmysłowo. – Nie znoszę nierówności. – Mówiąc to, spojrzała wyzywająco w jego przepełnione pożądaniem oczy.

Amanda była kobietą, która święcie wierzyła, że we wszystkim należy zachować zdrowy umiar. Jednak romans z Jackiem Devlinem katastrofalnie zachwiał równowagę jej życia. Miotały nią skrajne emocje, od zachwytu i wielkiej radości, jakie ogarniały ją w towarzystwie kochanka, do obsesyjnej tęsknoty i poczucia zależności w chwilach oddalenia. Czasami ogarniała

ją melancholia niczym spowijający wszystko obłok szarej mgły. Wynikała ona z gorzko-słodkiej świadomości, że to wszystko jest tymczasowe, że ten czas namiętności wkrótce się skończy. Przecież Jack naprawdę do niej nie należał i nigdy nie będzie należał. Im głębiej go poznawała, tym lepiej widziała jego żywiołową niechęć oddania się we władanie jednej kobiety. Co za ironia losu – mężczyzna skłonny do podejmowania ryzyka w każdej innej dziedzinie życia nie potrafił zaryzykować niczego w tak ważnej sprawie.

Amanda często czuła się głęboko sfrustrowana. Po raz pierwszy pragnęła całkowicie zagarnąć mężczyznę, nie tylko jego serce, ale również ciało. Co za pech, że obiektem jej pożądania stał się właśnie Jack Devlin. Powtarzała sobie w duchu, że to wcale nie oznacza konieczności prowadzenia samotnego życia po zakończeniu romansu. Jack udowodnił jej, że jest kobietą godną pożądania i ma mnóstwo zalet, które znajdują uznanie w oczach mężczyzn. Jeśli tylko zechce, znajdzie sobie innego partnera, kiedy ten romans dobiegnie końca. Ale tymczasem... tymczasem...

Dla uniknięcia plotek Amanda zawsze zjawiała się na przyjęciach sama i traktowała Jacka z przyjacielską uprzejmością, tak samo jak innych obecnych mężczyzn. Nie zdradziła natury łączącego ich związku ani jednym spojrzeniem czy słowem. Jack zachowywał podobną ostrożność i zwracał baczną uwagę na wymogi etykiety, traktując Amandę z przesadnym szacunkiem, który irytował ją i jednocześnie śmieszył. Jednak w miarę upływu tygodni konieczność zachowania ich związku w tajemnicy przestała go bawić i najwyraźniej zaczynała mu ciążyć. Drażniło go, że nie może publicznie zamanifestować, iż Amanda należy do niego. Konieczność dzielenia się jej towarzystwem z innymi była dla niego źródłem nieustannej frustracji, co w końcu wyznał, kiedy oboje uczestniczyli w wie-

czorze muzycznym. W przerwie między utworami udało mu się wyciągnąć ją z głównej sali i zaprowadzić do małego salonu, który chyba nie był przeznaczony dla gości.

– Oszalałeś? – wysyczała Amanda, kiedy zamknął za sobą drzwi do nieoświetlonego pomieszczenia. – Ktoś mógł dostrzec, że wywlokłeś mnie z sali. Jeśli ludzie zauważą, że oboje zniknęliśmy w tym samym czasie, plotkom nie będzie końca!

– Nic mnie to nie obchodzi. – Objął ją i przyciągnął do piersi. – Przez ostatnie półtorej godziny musiałem siedzieć z dala od ciebie i udawać, że nie widzę, jak inni mężczyźni pożądliwie się na ciebie gapią. Do diabła, mam już tego dość. Chciałbym zaraz jechać z tobą do domu.

– Nie opowiadaj bzdur – oparła krótko. – Nikt się na mnie nie gapił. Nie wiem, co chcesz osiągnąć, symulując ten atak szaleńczej zazdrości. Zapewniam cię, że to przedstawienie jest zupełnie niepotrzebne.

– Potrafię rozpoznać pożądliwe spojrzenie u mężczyzny. – Przesunął dłońmi po gorsie jej sukni z rdzawego jedwabiu, muskając obnażony dekolt. – Dlaczego włożyłaś dzisiaj tę suknię?

– Już kiedyś mnie w niej widziałeś i zdawało mi się, że ci się podobała. – Zadrżała, czując dotyk jego ciepłej dłoni.

– Owszem, podobała mi się, kiedy byliśmy tylko we dwoje – mruknął. – Nie chcę, żebyś ją nosiła w miejscu publicznym.

– Jack – zaczęła ze śmiechem, ale natychmiast umilkła, kiedy musnął ustami jej dekolt. – Przestań – wyszeptała gorączkowo, czując jego język w zagłębieniu między piersiami. – Znajdą nas tutaj... och, wróćmy do sali, zanim znów zaczną grać.

– Nie mogę się powstrzymać. – Jego głos brzmiał cicho i chropawo; gorący oddech omiatał jej skórę. Przyciągnął ją do siebie i pocałował. Jego natarczywe usta miały smak brandy.

Narastającą panikę Amandy stłumiło rozbudzone pożądanie, tak wielkie, że nie mogła spokojnie oddychać ani jasno myśleć.

W silnych ramionach Jacka jej ciało stało się całkiem bezbronne. Zdecydowanym ruchem wsunął dłoń pod fałdy sukni. Sztywny jedwab głośno zaszeleścił.

– Nie teraz – zaprotestowała z cichym łkaniem. – Za kilka godzin zostaniemy sami. Tyle możesz zaczekać.

– Nie mogę. – Zaczął oddychać szybciej, czując, że Amandę również ogarnia podniecenie. Szybko rozwiązał tasiemki jej bielizny i rozpiął spodnie. Przycisnął Amandę do drzwi i pocałował ją w szyję. Szorstki dotyk jego policzka sprawił, że poczuła na skórze lekkie mrowienie.

– Jack – załkała i zachęcająco odchyliła głowę, choć ze strachu, że ktoś ich tu odkryje, serce biło jej jak oszalałe.

Pocałunkami stłumił jej okrzyki protestu. Amanda z przerażeniem stwierdziła, że nie potrafi mu się oprzeć. Odpowiadała mu namiętnymi pocałunkami, a jej ciało samo otworzyło się na jego przyjęcie. Jęknęła, kiedy w nią wszedł zdecydowanym, mocnym pchnięciem.

Zadrżała, ale zaraz rozluźniła się i zatraciła w zgodnym rytmie dwóch ciał. Ubrania oddzielały ich od siebie z wyjątkiem najintymniejszych miejsc. Amanda nie dbała już o to, że ktoś może ich tu odkryć. Jej świadomością całkowicie zawładnęła ekstaza złączonych ciał. Jack szeptał coś niewyraźnie, z twarzą ukrytą w zagłębieniu jej szyi. Poruszał się coraz szybciej, doprowadzając ją do coraz większej ekstazy, aż wreszcie wybuchnęła niepohamowanym krzykiem, który stłumił namiętnym pocałunkiem. Sam jak zwykle chciał się z niej wysunąć tuż przed dotarciem do szczytu, ale tym razem zawładnął nim jakiś nieodparty pierwotny popęd i nie zrobił tego, tylko zagłębił się w niej jeszcze mocniej. Jego ciałem wstrząsnął skurcz, a z gardła wydarł się głęboki jęk.

Pozostali złączeni, czując przebiegające ich dreszcze. Oboje oddychali ciężko, a ich wargi złączyły się w leniwym pocałunku. W końcu Jack pierwszy się odsunął i wyszeptał ochryple:

– Do diabła... Nie powinienem był tego robić.

Oszołomiona Amanda nie potrafiła się zdobyć na żadną odpowiedź. Od początku związku starali się zachować ostrożność, żeby nie dopuścić do ciąży, a dzisiaj pierwszy raz Jack pozostawił w rękach losu skutki ich cielesnej miłości. Oszacowała w myślach prawdopodobieństwo poczęcia w tym dniu.

– Wydaje mi się, że wszystko powinno być w porządku – powiedziała cicho, kładąc mu rękę na policzku. Chociaż nie widziała wyrazu jego twarzy, wyczuła, że mięśnie mu zesztywniały, i ogarnęło ją dziwne, nieprzyjemne uczucie niepokoju.

Sophia! – zawołała Amanda z niedowierzaniem. Szybko przebiegła mały korytarz przy drzwiach wejściowych i powitała stojącą w progu siostrę. – Dlaczego nie uprzedziłaś, że zamierzasz mnie odwiedzić? Przygotowałabym się jakoś do twojej wizyty.

– Chciałam się tylko przekonać, czy żyjesz – odrzekła zgryźliwie siostra.

Amanda roześmiała się.

Chociaż Sophia ciągle wtrącała się w nie swoje sprawy i lubiła wszystkimi dyrygować, to jednak była kochającą siostrą i wykazywała wobec Amandy silny instynkt opiekuńczy. Często dawała wyraz odczuciom rodziny względem nieodpowiedniego zachowania siostry. To właśnie Sophia protestowała najgłośniej, kiedy Amanda została powieściopisarką i przeprowadziła się do Londynu. Regularnie wysyłała siostrze listy pełne rad, które bardzo Amandę bawiły, ponieważ zwykle nakazywały jej zachowanie czujności wobec pokus miejskiego życia. Być może Sophia wcale nie byłaby zaskoczona, gdyby się dowiedziała, że młodsza siostrzyczka wynajęła sobie męską prostytutkę w prezencie urodzinowym. Prawdopodobnie jako jedna z niewielu osób była świadoma istnienia w charakterze Amandy odrobiny szaleństwa.

– Żyję i mam się dobrze – radośnie zapewniła Amanda. – Tylko jestem bardzo zajęta. – Z czułym uśmiechem spojrzała na siostrę. – Dobrze wyglądasz – stwierdziła.

Pulchna, trochę przygarbiona figura Sophii nie zmieniała się od lat. Włosy jak zwykle miała starannie upięte w kok i bił od niej zapach słodkich, waniliowych perfum, których kiedyś używała również ich matka. Sophia była dokładnie taka, na jaką wyglądała – zadbana matrona z prowincjonalnego miasta, doskonale dająca sobie radę z nudnym, ale przyzwoitym mężem i piątką rozbrykanych dzieci.

Sophia przytrzymała siostrę na odległość wyciągniętego ramienia i przyjrzała się jej od stóp do głów.

– Obawiałam się, że jesteś chora. Nie sądziłam, żebyś z jakiegoś innego powodu zdecydowała się pozostać na święta w Londynie.

– Tylko ten jeden powód przyszedł ci do głowy? – odparła Amanda i ze śmiechem wprowadziła siostrę do środka.

Usta Sophii rozciągnęły się w cierpkim uśmiechu.

– Wytłumacz mi zatem, dlaczego byłam zmuszona wybrać się tutaj, żeby cię zobaczyć, zamiast jak zwykle gościć cię u siebie w domu. Kiedy wymówiłaś się od wizyty na gwiazdkę, obiecałaś, że przyjedziesz w styczniu. Teraz jest już połowa lutego, a ja nie dostałam od ciebie żadnej wiadomości. I nie opowiadaj mi, jaka to ty jesteś zapracowana. Zawsze dużo pracowałaś i nigdy ci to nie przeszkodziło w odwiedzeniu rodzinnego miasta.

Zdjęła z głowy podróżną budkę, ładne, ale przede wszystkim praktyczne nakrycie głowy, wykonane z niebieskiej wełny, o ukośnej główce i szerszym z przodu rondzie.

– Przykro mi, że musiałaś sobie zadać tyle trudu – odparła Amanda ze skruchą, zabierając kapelusik siostry i dopasowany do niego płaszcz z kwadratowym kołnierzem. – Ale też cieszę się, że cię tu widzę. – Bez pośpiechu umieściła garderobę siostry na zawieszonym na ścianie wieszaku z giętego drewna, upewniając się, że nie spadnie z haczyków zakończonych porcelanowymi główkami. – Zapraszam do salonu. Doskonale trafiłaś, bo właśnie zaparzyłam świeżą herbatę. Jak się udała podróż z Windsoru? Miałaś jakieś kłopoty z...

– Gdzie jest służba? – przerwała podejrzliwie Sophia, podążając za nią do salonu.

– Sukey poszła na targ z kucharką, a Charles jest w sklepie z winami.

– Doskonale. Możemy więc spokojnie porozmawiać. Będziesz miała okazję mi wytłumaczyć, co się dzieje.

– A skąd ci przyszło do głowy, że coś się dzieje? – odparowała Amanda. – Zapewniam cię, że moje życie toczy się tak samo jak zwykle.

– Marna z ciebie kłamczucha – pogodnie oznajmiła siostra, sadowiąc się na kanapie. – Muszę ci chyba przypomnieć, że Windsor nie jest bezludną wyspą. Wiadomości z Londynu docierają do nas szybko, a ostatnio pojawiły się liczne plotki na temat ciebie i pewnego dżentelmena.

– Plotki? – Amanda spojrzała na siostrę z przerażeniem.

– No i wyglądasz jakoś inaczej.

– Inaczej? – Skonsternowana Amanda potrafiła tylko powtarzać słowa siostry niczym jakaś niezbyt rozgarnięta papuga.

– Bije od ciebie coś, co każe mi podejrzewać, że te wszystkie plotki to prawda. Ty rzeczywiście wdałaś się z kimś w jakiś szczególny związek, prawda? – Sophia zasznurowała wargi i obrzuciła młodszą siostrę bacznym spojrzeniem. – Rzecz jasna, masz prawo układać sobie życie według własnego wyboru... i już zdążyłam się pogodzić z tym, że nie naginasz się do wymogów konwenansu. Gdyby było inaczej, wyszłabyś za mąż za kogoś z Windsoru i zamieszkałabyś tam, gdzie reszta rodziny. Tymczasem ty sprzedałaś Briars House, przeniosłaś się do Londynu i zostałaś pisarką. Nieraz sobie powtarzałam, że skoro to cię uszczęśliwia, to żyj sobie, jak chcesz...

– Bardzo dziękuję – przerwała Amanda z sarkazmem.

– Jednakże – ciągnęła siostra ponuro – obecne postępowanie jest zagrożeniem dla całej twojej przyszłości. Chciałabym, żebyś wyznała prawdę i pozwoliła mi uporządkować twoje sprawy.

Amanda miała ochotę odpowiedzieć siostrze potokiem kłamstw, żeby tylko ją uspokoić i rozwiać jej podejrzenia, ale nie potrafiła się na to zdobyć. Nagle poczuła, że pieką ją oczy, a po policzku potoczyła się łza.

– Sophio... w tej chwili najbardziej potrzebuję życzliwego słuchacza. Kogoś, kto nie będzie osądzał moich uczynków. Czy ty mogłabyś zostać takim słuchaczem?

– Oczywiście, że nie – odparła rzeczowo siostra. – Jaki to miałoby ci przynieść pożytek, gdybym nie udzieliła ci pożytecznych rad, zgodnych ze zdrowym rozsądkiem? Równie dobrze mogłabyś się zwierzyć dziupli w drzewie.

Amanda roześmiała się drżąco i wytarła mokre oczy rękawem sukni.

– Obawiam się, że moje wyznania cię zaszokują.

Herbata stygła w filiżankach, a Amanda wyrzucała z siebie historię swojego związku z Jackiem Devlinem, roztropnie opuszczając kilka szczegółów, na przykład okoliczności ich pierwszego spotkania. Sophia słuchała jej z nieprzeniknionym wyrazem twarzy, zostawiając wszystkie komentarze na później. Odezwała się dopiero wtedy, gdy Amanda zakończyła opowieść smutnym westchnieniem.

– Cóż – zaczęła z namysłem. – Wcale nie jestem tak bardzo wstrząśnięta, choć chyba powinnam. Dość dobrze cię znam i nigdy nie wierzyłam, że będziesz zawsze szczęśliwa, żyjąc samotnie. Nie pochwalam twojego postępowania, ale rozumiem potrzebę posiadania towarzysza życia. Muszę jednak podkreślić, że gdybyś posłuchała mojej rady i wyszła za mąż za jakiegoś miłego pana z Windsoru, nie znalazłabyś się w obecnych tarapatach.

– Niestety, trudno tak na zawołanie zakochać się w odpowiednim człowieku.

Sophia niecierpliwie machnęła ręką.

– Moja droga, tu nie chodzi o miłość. Jak ci się wydaje, dlaczego zadowoliłam się małżeństwem z Henrym?

To pytanie nieco zdziwiło Amandę.

– No jak to... Nigdy nie przyszło mi do głowy, że to nie była decyzja podjęta z przekonaniem. Zawsze mi się wydawało, że jesteś z nim bardzo szczęśliwa.

– Bo jestem – odparła zadziornie siostra. – I właśnie o to mi chodzi. Kiedy się pobieraliśmy, nie kochałam Henry'ego, ale wiedziałam, że ma wspaniały charakter. Wiedziałam, że jeśli pragnę rodziny i ustalonej pozycji społecznej, to potrzebny mi odpowiedni, godny szacunku partner. A miłość, czy coś, co bardzo ją przypomina, pojawia się z czasem. Lubię swoje życie u boku Henry'ego i bardzo je sobie cenię. I ty mogłabyś zyskać coś takiego, gdybyś tylko zdecydowała się zapomnieć o niezależności, przy której się tak upierasz, i porzuciła romantyczne iluzje.

– A jeśli tego nie zrobię? – zapytała cicho Amanda.

Sophia spojrzała jej prosto w oczy.

– To tym gorzej dla ciebie. Tym, którzy chcą płynąć pod prąd, zawsze żyje się trudniej. Ja tylko ci mówię, jakie są fakty, i dobrze wiesz, że mam rację. I powtarzam ci z całą mocą: musisz dostosować swoje życie do wymogów i oczekiwań społeczeństwa. Radzę ci, żebyś natychmiast zakończyła ten romans i dołożyła wszelkich starań, żeby znaleźć odpowiedniego dżentelmena, który zechce się z tobą ożenić.

Amanda roztarła skronie, w których nagle pojawił się pulsujący ból.

– Ale ja kocham Jacka – wyszeptała. – Nie chcę nikogo innego.

Sophia spojrzała na nią współczująco.

– Pewnie w to nie uwierzysz, ale rozumiem cię, kochanie. Nie zapominaj jednak, że tacy mężczyźni jak twój pan Devlin przypominają tłuste i słodkie desery – przez krótką chwilę sprawiają ci wielką przyjemność, jednak na dłuższą metę nie służą zdrowiu i dobremu samopoczuciu. Co więcej, to nie zbrodnia poślubić człowieka, którego się lubi. Moim zdaniem,

to dużo lepsze rozwiązanie niż małżeństwo z miłości. Przyjaźń zwykle trwa dłużej niż namiętność.

Co się stało? – zapytał cicho Jack, gładząc ją po nagich plecach. Leżeli razem na splątanych prześcieradłach, a powietrze było parne i przesycone słonawym zapachem ich fizycznej miłości. Jack pocałował ją w ramię. – Jesteś dzisiaj jakaś przygnębiona. To pewnie ma coś wspólnego z wizytą twojej siostry. Pokłóciłyście się?

– Nie, nic podobnego. Wręcz przeciwnie, przeprowadziłyśmy długą rozmowę, a Sophia przed powrotem do Windsoru udzieliła mi wielu rozsądnych rad. – Zmarszczyła brwi, słysząc, że mruczy pod nosem coś niepochlebnego na temat tych „rozsądnych rad". Oparła się na łokciu i spojrzała na niego. – Nie mogłam się nie zgodzić z wieloma jej opiniami, chociaż wcale nie miałam na to ochoty – dodała cicho.

Ręka Jacka wędrująca po jej plecach znieruchomiała.

– Z jakimi opiniami?

– Sophia słyszała plotki na temat naszego związku. Powiedziała, że zanosi się na skandal i że muszę zakończyć ten romans, jeśli nie chcę sobie zrujnować reputacji. – Uśmiechnęła się blado. – Mam wiele do stracenia, Jack. Jeśli zostanę skompromitowana, całe moje życie się zmieni. Nikt nie będzie mnie zapraszał na przyjęcia, wielu starych znajomych przestanie się do mnie odzywać. Najprawdopodobniej będę musiała przeprowadzić się gdzieś daleko na prowincję albo wyjechać za granicę.

– Ja się tak samo narażam.

– Nie – odrzekła z cierpkim uśmiechem. – Dobrze wiesz, że w tych sprawach mężczyzn nie osądza się tak samo jak kobiety. Ja zostałabym wyklęta przez społeczeństwo, ty dostałbyś tylko lekkiego prztyczka w nos.

– Co chcesz powiedzieć? – Nagle w jego głosie pojawiła

się nuta złości. – Nie wyobrażaj sobie, że pozwolę ci zakończyć nasz romans o miesiąc wcześniej!

– Nie powinnam była zgadzać się na taki układ. – Jęknęła i z nieszczęśliwą miną odwróciła się do niego plecami. – To było szaleństwo. Nie zastanowiłam się, co robię.

Jack przyciągnął ją do siebie władczym ruchem.

– Jeśli się martwisz, że wybuchnie skandal, to wymyślę coś, żeby nasze spotkania były jeszcze bardziej dyskretne. Kupię dom na wsi, gdzie będziemy mogli się spotykać tak, żeby nikt nie mógł nas zobaczyć.

– To na nic, Jack. To... to, co się między nami wydarzyło... – Umilkła skonsternowana, szukając odpowiedniego słowa. Nic nie przyszło jej do głowy, więc tylko westchnęła, zdegustowana własnym brakiem zdecydowania. – Nie mogę tego ciągnąć dalej.

– Usłyszałaś kilka słów od swojej zasadniczej starszej siostry i już jesteś gotowa zakończyć nasz związek? – zapytał z niedowierzaniem.

– Sophia utwierdziła mnie tylko w moich własnych odczuciach. Od początku wiedziałam, że robię źle, a jednak nie byłam w stanie spojrzeć prawdzie w oczy aż do tej chwili. Proszę cię, nie utrudniaj mi tego jeszcze bardziej.

Zaklął siarczyście i przytulił się do jej pleców, przygniatając ją ciężarem swego muskularnego ciała. Twarz miał nieruchomą, ale Amanda niemal widziała gonitwę myśli w jego głowie. Po chwili odezwał się starannie kontrolowanym głosem:

– Amando, nie mam zamiaru cię stracić. Oboje wiemy, że nasza trzymiesięczna umowa to był tylko żart. Ten romans nigdy nie miał się zakończyć po tak krótkim czasie. Od początku zdawałem sobie sprawę z ryzyka skandalu i postanowiłem cię chronić przed wszelkimi złymi konsekwencjami naszego związku. Obiecuję ci, że nie spotka cię nic przykrego. A teraz zakończmy tę niedorzeczną rozmowę i powróćmy do tego, co robiliśmy przedtem.

– Jak mógłbyś uchronić mnie przed skandalem? – zapytała zdziwiona. – Chcesz powiedzieć, że ożeniłbyś się ze mną, żeby ratować moją zrujnowaną reputację?

Spojrzał jej w oczy bez zmrużenia powiek.

– Gdyby to było konieczne...

Łatwo było jednak odczytać w jego spojrzeniu niechęć do takiego rozwiązania. Amanda wiedziała, że dla niego poślubienie jakiejkolwiek kobiety byłoby niemiłym obowiązkiem.

– Nie – odrzekła cicho. – Ty nie chcesz być ani mężem, ani ojcem. Nigdy bym cię na to nie skazała... ani siebie. Zasługuję na coś lepszego niż rola kamienia u czyjejś szyi.

Te słowa zawisły między nimi w powietrzu. Amanda z rezygnacją patrzyła na nieprzeniknioną twarz Jacka. Czuła się okropnie. Nigdy nie udawał, że chce od niej czegoś więcej niż tylko krótkiego romansu. Nie mogła go winić, że żywił do niej takie, a nie inne uczucia.

– Jack – powiedziała niepewnie. – Zawsze będę o tobie myślała z... sympatią. Mam nawet nadzieję, że będziemy mogli nadal razem pracować. Bardzo bym chciała, żebyśmy pozostali przyjaciółmi.

Patrzył na nią tak, jak nigdy przedtem. Kącik ust mu drgał, oczy dziwnie błyszczały, jakby był czymś głęboko dotknięty.

– A więc chcesz przyjaźni – stwierdził cicho. – I czujesz do mnie tylko sympatię.

Amanda miała ochotę spuścić oczy. Przemogła się z trudem.

– Tak – potwierdziła.

Nie rozumiała, dlaczego na jego twarzy pojawił się wyraz rozgoryczenia. Na ogół taką minę ma ktoś, kto został głęboko zraniony, a przecież nie zależało mu na niej na tyle, żeby jej słowa mogły go dotknąć. Może po prostu zraniła jego dumę.

– Nadeszła pora pożegnania – wyszeptała. – Wiesz o tym.

Jego twarz nie wyrażała żadnych emocji.

– Kiedy znowu cię zobaczę? – zapytał szorstko.

– Może za kilka tygodni – odrzekła z wahaniem. – Mam nadzieję, że będziemy się spotykać jak przyjaciele.

Dziwna, pełna bolesnego napięcia cisza zawisła w powietrzu. Po chwili Jack znów się odezwał.

– Pożegnajmy się zatem w ten sam sposób, w jaki zaczęła się nasza znajomość – zaproponował i sięgnął po nią zdecydowanym ruchem.

Amanda wiele razy opisywała rozstania kochanków, ale nigdy nie było w tych scenach tyle szorstkiego pośpiechu. Miała wrażenie, że Jack chce ją zranić.

– Jack! – zaprotestowała głośno. Jego uścisk stał się trochę mniej brutalny, ale nadal był bardzo mocny.

– Proszę tylko o jeden więcej dowód sympatii. To chyba nie jest zbyt wiele. – Mówiąc to wszedł w nią bez żadnych wstępów. Zaskoczona Amanda chwyciła powietrze, czując, jak jego rytmiczne ruchy rezonują w całym jej ciele.

Narastało w niej podniecenie. Zamknęła oczy i przywarła ciaśniej do Jacka. Całował ją łapczywie i szybko doprowadził do szczytu. Wysunął się z niej gwałtownym szarpnięciem, oddychając chrapliwie. Jego ciałem również wstrząsnęły skurcze.

Zwykle, kiedy kończyli się kochać, Jack jeszcze przez jakiś czas pieścił ją i trzymał w ramionach. Tym razem jednak odsunął się szybko, wziął głęboki oddech i zaraz wstał z łóżka.

Amanda zagryzła wargę i leżąc bez ruchu patrzyła, jak Jack ubiera się w milczeniu. Może gdyby postarała się lepiej wytłumaczyć, o co jej chodzi, nie uraziłaby go tak i nie wywołała u niego wybuchu gniewu. Chciała coś powiedzieć, ale gardło miała tak ściśnięte, że nie mogło przez nie przejść nawet jedno słowo. Wydała z siebie tylko dziwny, stłumiony jęk.

Słysząc to, Jack posłał jej badawcze spojrzenie. Zobaczył na jej twarzy ból, ale wcale go to nie uspokoiło. Wydawało się nawet, że wpadł w jeszcze większą irytację.

W końcu odezwał się zimnym, oficjalnym tonem, cedząc słowa przez zaciśnięte zęby:

– Jeszcze z tobą nie skończyłem, Amando. Będę na ciebie czekał.

Amanda jeszcze nigdy nie słyszała tak absolutnej ciszy jak ta, która zaległa w sypialni po wyjściu Jacka. Przykryła się prześcieradłem, które zachowało ciepło i zapach Jacka, i starała się na tyle uspokoić, żeby zebrać myśli. Niczego sobie nie obiecywali, niczego nie przysięgali... żadne z nich nie śmiało nawet przypuszczać, że ich związek może okazać się trwały.

Wiedziała, że po rozstaniu będzie czuła ból, ale nie spodziewała się, że doświadczy poczucia tak wielkiej straty, jakby odebrano jej jakąś część jej samej. Na pewno w najbliższych tygodniach i miesiącach odkryje, jak ten romans ją odmienił, wzbogacił, ale teraz chciała tylko wyrzucić z pamięci bolesne szczegóły... myśli o niebieskich oczach Jacka, o smaku jego ust, gorącej, wilgotnej skórze, kiedy przytulał się do niej namiętnie... o pięknym brzmieniu jego głosu, gdy mruczał jej coś do ucha.

– Jack – wyszeptała. Przetoczyła się na brzuch, ukryła twarz w poduszce i wybuchnęła płaczem.

Kiedy Jack wyszedł od Amandy, owionął go zimny, lutowy wiatr i nieco go otrzeźwił. Wsunął ręce głęboko do kieszeni płaszcza i ruszył przed siebie bez celu. Nieważne było, gdzie i po co idzie; chodziło tylko o to, żeby się nie zatrzymywać.

Czuł się tak, jakby wypił dużo źle przedestylowanej whisky. W ustach mu zaschło, a głowę miał niczym wypchaną kłębami wełny. Nie mógł uwierzyć, że kobieta, której tak bardzo pragnął, wcale go nie chce. Rozumiał jej lęk przed skandalem i jego konsekwencjami, ale nie potrafił zaakceptować tego, że

nie będzie już jej widywać, rozmawiać z nią, kochać się... Nie mieściło mu się w głowie, że ich romans zakończył się tak gwałtownie i niespodziewanie.

Nie znaczyło to, że miał za złe Amandzie jej decyzję. Prawdę mówiąc, gdyby to on był kobietą, w tych okolicznościach postąpiłby tak samo. Nie potrafił jednak pozbyć się gniewu i poczucia wielkiej straty. Jeszcze nigdy z nikim nie był tak blisko jak z Amandą. Mówił jej rzeczy, które z trudem wyznawał nawet samemu sobie. Będzie tęsknił nie tylko za rozkoszą, jaką dawało mu jej ciało. Kochał jej inteligencję i uszczypliwe poczucie humoru... Uwielbiał przebywać z nią w tym samym pomieszczeniu, chociaż nie potrafił w pełni wytłumaczyć, dlaczego jej obecność sprawiała mu taką przyjemność.

Męczyły go sprzeczne uczucia. Mógł jeszcze do niej wrócić, spierać się z nią i namawiać, żeby znów wpuściła go do swojego łóżka. Ale ona tego nie chciała... to by mogło być dla niej niebezpieczne. Zaklął cicho i przyśpieszył kroku. Szedł coraz szybciej, z każdą chwilą oddalając się od jej domu. Zrobi to, o co prosiła. Da jej przyjaźń, tak jak chciała, i postara się wyrzucić ją ze swojego serca i myśli.

12

Londyński sezon towarzyski, z całym swoim rytuałem proszonych kolacji, balów, przyjęć i herbatek, rozpoczął się w marcu. Organizowano spotkania towarzyskie dla wszystkich warstw społecznych, począwszy od nieznośnie nudnych spotkań arystokratów czystej krwi, na których dobierano odpowiednich mężów do odpowiednich żon, żeby zapewnić ciągłość znakomitych rodów. Jednak każdy, kto miał trochę zdrowego rozsądku, starał się omijać spotkania arystokracji, ponieważ rozmowy tam były powolne i monotonne i łatwo było utknąć na cały wieczór w towarzystwie nadętych półgłówków.

Bardziej poszukiwane były zaproszenia na przyjęcia dla klasy, którą można by nazwać wyższą klasą średnią. Bywali na nich ludzie niezbyt wysoko urodzeni, ale zamożni i szanowani. Do tej grupy należeli niektórzy politycy, bogaci właściciele ziemscy, ludzie interesu, lekarze, dziennikarze, artyści, a nawet kilku bogatszych kupców.

Amandę, odkąd zamieszkała w Londynie, często zapraszano na kolacje i tańce, koncerty i przedstawienia teatralne. Ostatnio jednak odrzucała wszystkie zaproszenia.

W przeszłości dobrze się bawiła na takich spotkaniach towarzyskich, teraz jednak czuła niechęć do pokazywania się wśród znajomych. Dopiero teraz w pełni zrozumiała, co to

znaczy mieć ciężar na sercu. Ostatni raz widziała Jacka ponad miesiąc temu i czasami jej się wydawało, że jej serce zmieniło się w ołów i boleśnie rozsadza żebra. Czasami nawet oddychanie było ciężkim wysiłkiem. Pogardzała sobą za to, że tak tęskni za mężczyzną, nienawidziła takich bezsensownie melodramatycznych sytuacji, a jednak nie potrafiła tego zmienić. Czas na pewno złagodzi ból, ale perspektywa najbliższych miesięcy i lat bez Jacka napełniała ją przygnębieniem.

Oscar Fretwell, który pewnego dnia przyszedł zabrać poprawiony fragment powieści Amandy, okazał się kopalnią wiadomości na temat swojego pracodawcy. Jack całkowicie oddał się pracy i z jeszcze większym zapałem wspinał się na wyżyny sukcesu. Nabył znaną gazetę zatytułowaną „London Daily Review", która wychodziła w niebotycznym nakładzie stu pięćdziesięciu tysięcy egzemplarzy. Otworzył też dwie nowe księgarnie i kupił jeszcze jedno czasopismo. Krążyły plotki, że ma więcej gotówki niż ktokolwiek inny w Anglii i że roczny obrót w jego firmie sięga miliona funtów.

– On jest jak kometa – stwierdził Fretwell, machinalnie poprawiając okulary na nosie. – Pędzi szybciej niż wszyscy wokół. Nie przypominam sobie, kiedy ostatni raz widziałem go jedzącego w spokoju posiłek. I jestem pewien, że prawie w ogóle nie śpi. Przesiaduje w biurze długo po tym, jak wyjdą pracownicy, a zjawia się pierwszy.

– Co go tak gna? – zapytała Amanda. – Przecież tyle osiągnął, że mógłby trochę zwolnić, rozluźnić się, nacieszyć się życiem.

– Można by tak pomyśleć – ponuro odrzekł Fretwell – ale on chyba chce się przedwcześnie wpędzić do grobu.

Amanda mimo woli zastanowiła się, czy Jack za nią tęskni. Może starał się wynajdować sobie tyle zajęć, żeby nie mieć czasu na rozmyślania o ich zerwanym romansie?

– Panie Fretwell – zapytała z wymuszonym uśmiechem. –

Czy on ostatnio o mnie wspominał? To znaczy... czy chciał mi przekazać jakąś wiadomość?

Gość zachował wystudiowanie obojętny wyraz twarzy. Nie sposób się było domyślić, czy Jack mówił mu coś na temat tego romansu lub czy odsłaniał przed nim swoje prawdziwe uczucia.

– Wydaje się całkiem zadowolony z wyników sprzedaży pierwszego odcinka *Historii damy* – odrzekł Fretwell trochę zbyt wesołym głosem.

– Ach, tak. Dziękuję. – Amanda pokryła sztucznym uśmiechem rozczarowanie i tęsknotę.

Zrozumiała, że Devlin chce, żeby ich romans całkowicie i nieodwracalnie odszedł w przeszłość, i wiedziała, że musi zrobić to samo. Znów zaczęła przyjmować zaproszenia, zmuszała się do śmiechu i beztroskich rozmów ze znajomymi. Prawda jednak wyglądała tak, że nic nie mogło rozproszyć jej samotności. Ciągle nasłuchiwała, czy ktoś choćby przelotnie nie wspomina o Jacku Devlinie. Wiedziała, że któregoś dnia nieuchronnie spotkają się na jakimś przyjęciu. Napawało ją to strachem, a jednocześnie już nie mogła doczekać się tej chwili.

Ku swojemu wielkiemu zaskoczeniu Amanda dostała zaproszenie na wydawany pod koniec marca bal u Stephensonów, których prawie wcale nie znała. Przypominała sobie jak przez mgłę, że w ubiegłym roku poznała starszych państwa Stephensonów. Przedstawiono ich sobie na przyjęciu u jej prawnika, Thaddeusa Talbota.

Rodzina ta posiadała kilka kopalni diamentów w Afryce Południowej, dzięki czemu znana była nie tylko z szacownego nazwiska, ale i wielkiego bogactwa.

Kierowana ciekawością, Amanda postanowiła udać się na bal. Włożyła swoją najpiękniejszą balową suknię, uszytą z bladoróżowego jedwabiu, odsłaniającą ramiona i ozdobioną wielkim kołnierzem z białego, marszczonego tiulu. Obszerna spód-

nica szeleściła i szumiała przy każdym ruchu, od czasu do czasu na mgnienie oka odsłaniając koronkowe pantofelki do tańca, zawiazane w kostce różowymi wstążkami. Włosy upięła w luźny węzeł na czubku głowy, z którego wymykały się kręcone kosmyki, opadając swobodnie na kark i policzki.

Stephenson Hall był klasycznym angielskim domostwem z czerwonej cegły, ozdobionym wielkimi białymi kolumnami w stylu korynckim, górującymi nad dużym dziedzińcem, brukowanym kamieniami. Na suficie sali balowej wymalowano realistyczne przedstawienia czterech pór roku oraz misterne motywy kwiatowo-roślinne, pasujące do wzorów na wypolerowanym do połysku parkiecie. Setki gości krążyły pod roztaczającymi rzęsiste światło żyrandolami, chyba największymi, jakie Amanda w życiu widziała.

Kiedy tylko się zjawiła, powitał ją najstarszy syn Stephensonów, Kerwin, korpulentny trzydziestolatek, który na tę okazję wystroił się w zadziwiający sposób. We włosach miał połyskujące brylantowe spinki, brylantowe sprzączki przy butach, brylantowe guziki surduta i pierścienie z brylantami na każdym palcu. Widok mężczyzny, który każdą część swojego ciała zdołał ozdobić klejnotami, był tak niezwykły, że Amanda wprost oniemiała. Młody Stephenson dumnie przesunął dłonią po błyszczącym surducie i uśmiechnął się do niej.

– Niezwykłe, prawda? – zapytał. – Widzę, że jest pani olśniona moim błyskotliwym strojem.

– O, tak. Jestem wprost oślepiona – odparła z ironią.

Kerwin uznał jej uwagę za komplement. Przysunął się bliżej i szepnął konspiracyjnie:

– Pomyśl tylko, moja droga... jakże szczęśliwa będzie kobieta, która kiedyś mnie poślubi i będzie mogła przystroić się w podobny sposób.

Amanda uśmiechnęła się blado. Zdała sobie sprawę, że kierują się ku niej zazdrosne spojrzenia zacnych matron i ich córek, które przybyły tu w celu matrymonialnym. Żałowała,

że nie może jakoś dać im do zrozumienia, że w najmniejszym stopniu nie jest zainteresowana tym żałosnym fircykiem.

Niestety, Stephenson nie odstępował jej na krok przez całą resztę wieczoru. Wymyślił sobie, że powierzy Amandzie zaszczytny obowiązek spisania historii swojego życia.

– Będę musiał się wyrzec tak cennej dla mnie prywatności – stwierdził w zadumie, zaciskając pulchną, upierścienioną dłoń na ramieniu Amandy. – Nie mogę jednak odmówić szerokiej publiczności dostępu do historii, która tak bardzo wszystkich interesuje. A tylko pani, moja droga panno Briars, posiada zdolność uchwycenia najważniejszych cech głównego bohatera tej historii, czyli mnie. Jestem pewien, że pisanie o mnie sprawi pani radość. Właściwie nie będzie to praca, tylko przyjemność.

Do Amandy w końcu dotarło, że to był powód, dla którego została zaproszona na bal – rodzina najwidoczniej doszła do wniosku, że należy uszczęśliwić ją zaszczytem napisania biografii pompatycznego synalka i spadkobiercy rodu.

– To bardzo miło z pana strony – burknęła. Rozglądała się wokół, gorączkowo szukając jakiegoś wyjścia z tej niedorzecznej sytuacji. Nie wiedziała, czy wybuchnąć śmiechem, czy może raczej gniewem. – Muszę jednak wyznać, że biografie to nie jest rodzaj pisarstwa, w którym czuję się najlepiej...

– Znajdźmy jakiś ustronny kąt – przerwał jej Kerwin. – Posiedzimy tam do końca przyjęcia, a ja opowiem pani całą historię swojego życia.

Perspektywa takiego spędzenia reszty wieczoru zmroziła krew w żyłach Amandy.

– Panie Stephenson, nie mogę pozbawiać innych kobiet szansy na pańskie urocze towarzystwo...

– Och, będą się musiały jakoś pocieszyć – odrzekł, wzdychając współczująco. – W końcu jestem tylko jeden i dzisiejszego wieczoru należę do pani. Proszę za mną.

Kiedy praktycznie ciągnął ją w stronę małej, obitej aksamitem sofy w rogu salonu, spostrzegła smagłą twarz Jacka Devlina.

Na jego widok serce o mało nie wyskoczyło jej z piersi. Nie wiedziała, że Jack będzie na balu... Z trudem się powstrzymywała, żeby otwarcie się na niego nie gapić.

Jack prezentował się wspaniale w czarnym, wieczorowym stroju, z włosami gładko zaczesanymi do tyłu. Stał w grupie mężczyzn i obserwował ją znad szklaneczki brandy, a jego mina wyrażała pełną ironii satysfakcję. Widząc, w jakich znalazła się tarapatach, błysnął w uśmiechu zębami.

Tęsknota Amandy natychmiast zmieniła się w płomienny gniew. Co za łobuz, pomyślała i spojrzała na niego gniewnie, dając się ciągnąć korpulentnemu dziedzicowi fortuny na pobliską sofę. Nie powinno jej dziwić, że widok kłopotliwej sytuacji, w której się znalazła, sprawia Jackowi przyjemność.

W milczeniu kipiała gniewem przez następne dwie godziny, podczas których Stephenson rozprawiał napuszenie o swoich początkach, osiągnięciach i poglądach. Miała ochotę krzyczeć z bezsilnej wściekłości, ale mogła tylko sączyć poncz i patrzeć, jak inni goście radośnie tańczą, śmieją się i rozmawiają. Ona tymczasem utknęła na sofie w towarzystwie nadętego gaduły.

Co gorsza, za każdym razem, gdy ktoś się do nich zbliżał i już się cieszyła, że nadchodzi wybawienie, Stephenson odpędzał śmiałka ruchem dłoni i ciągnął swój nieprzerwany monolog. Już rozważała, czy nie symulować jakiejś choroby lub omdlenia, żeby się go pozbyć, kiedy nadeszła pomoc i to z najmniej spodziewanej strony.

Stanął przed nimi Jack i z kamiennym wyrazem twarzy, ignorując zniecierpliwione gesty Stephensona, zagadnął:

– Panno Briars, czy dobrze się pani bawi?

Nie zdążyła odpowiedzieć, ponieważ wyręczył ją jej dręczyciel.

– Devlin, ma pan zaszczyt być pierwszym, który usłyszy wspaniałą wiadomość – zaskrzeczał.

Devlin uniósł pytająco brew i spojrzał na Amandę.

– A cóż to za wspaniała wiadomość?

– Udało mi się namówić pannę Briars, żeby napisała moją biografię.

– Doprawdy? – Jack posłał Amandzie lekko kpiące spojrzenie. – Może pani zapomniała, panno Briars, ale jest pani związana umową z moim wydawnictwem. Mimo pani entuzjazmu dla projektu pana Stephensona, będzie pani musiała na jakiś czas wstrzymać się z rozpoczęciem pracy nad tym dziełem.

– Skoro pan tak twierdzi – bąknęła Amanda, czując jednocześnie irytację i wdzięczność. Wzrokiem przesłała mu wiadomość bez słów, że zemści się na nim srogo, jeśli natychmiast nie wybawi jej z tej sytuacji.

Devlin skłonił się i wyciągnął dłoń w rękawiczce.

– Omówimy tę kwestię bardziej szczegółowo? Może podczas walca?

Amandy nie trzeba było dłużej namawiać. Poderwała się na równe nogi z sofy, która przez ostatnie godziny zmieniła się dla niej w salę tortur, i bez namysłu chwyciła Devlina za rękę.

– Oczywiście, jeśli pan nalega.

– Ależ nalegam, jak najbardziej – zapewnił.

– A moja biografia? – zaprotestował Stephenson. – Jeszcze nie zakończyłem opowieści o studiach w Oxfordzie... – Prychnął z pogardą, kiedy Jack poprowadził Amandę do sali balowej, gdzie w tańcu wirowały niezliczone pary. W powietrzu rozbrzmiewały dźwięki porywającego walca, ale gniewu Amandy nie zdoła ułagodzić nawet ta radosna melodia.

– Nie podziękujesz mi? – zapytał Jack. Ujął jej dłoń, a drugą ręką otoczył ją w talii.

– Za co mam ci dziękować? – odrzekła z przekąsem. Po długich godzinach siedzenia na sofie ścierpły jej nogi i taneczne kroki sprawiały jej ból, ale nic nie było w stanie zagłuszyć radości z ucieczki z sali tortur.

– Za to, że wyzwoliłem cię od towarzystwa Stephensona.

– Czekałeś z tym aż dwie godziny – stwierdziła gderliwie. – Nie usłyszysz ode mnie słów podziękowania.

– Skąd miałem wiedzieć, że towarzystwo Stephensona ci nie odpowiada? – zapytał z miną niewiniątka. – Wiele kobiet chętnie by cię zastąpiło.

– Nie miałabym nic przeciwko temu. Pozwoliłeś, żeby dręczył mnie najbardziej pretensjonalny i nadęty bubek, z jakim się w życiu zetknęłam.

– Jest ogólnie szanowany, wykształcony, wolnego stanu i bogaty. Czegóż jeszcze możesz wymagać od mężczyzny?

– Wcale nie jest wykształcony – zaprotestowała Amanda z naciskiem. – A nawet jeśli jest, to jego wiedza ogranicza się do jednego przedmiotu – jego samego.

– Bardzo dużo wie o drogich kamieniach – zauważył spokojnie Jack.

Amanda miała chęć go uderzyć właśnie tam, na samym środku sali balowej, pośród tańczących par. Widząc jej minę, Devlin roześmiał się i starał się wyglądać na skruszonego.

– Przepraszam. Naprawdę mi przykro. Wynagrodzę ci to. Powiedz mi, kogo byś dzisiaj chciała poznać, a ja natychmiast się tym zajmę. Przedstawię cię, komu sobie tylko zażyczysz.

– Nie trudź się – odrzekła zagniewana. – Długotrwałe przebywanie w towarzystwie pana Stephensona popsuło mi humor. Nadaję się jedynie na towarzystwo dla kogoś takiego jak ty.

Jego oczy rozbłysły od tłumionego śmiechu.

– W takim razie tańcz ze mną.

Z gracją porwał ją do walca. Tańczył tak dobrze, że nawet nie przeszkadzała jej znaczna różnica wzrostu. Na nowo uderzyło ją, jaki jest wysoki i dobrze zbudowany, choć teraz jego potężne mięśnie kryły się pod wytwornym wieczorowym strojem.

Prowadził ją zdecydowanie, nie dopuszczając do tego, żeby przypadkiem zmyliła krok. Z wyczuciem opierał rękę na jej plecach, na tyle silnie, żeby ją podtrzymywać w tańcu i sygnalizować zmianę kroków.

Zapach nakrochmalonego płótna mieszał się z wonią jego skóry, słonawą i czystą, wzbogaconą o nutę wody kolońskiej. Jack pachniał o wiele ładniej niż inni znani jej mężczyźni. Marzyła o tym, żeby schwytać ten zapach do butelki i skropić nim jakiegoś innego mężczyznę.

Wokół nich unosiły się dźwięki żwawej muzyki. Amanda poczuła, że rozluźnia się w mocnych objęciach Devlina. W młodości rzadko tańczyła, ponieważ większość znajomych mężczyzn uważała, że tak poważna i stateczna panna na pewno nie przepada za taką rozrywką. Choć nie zdarzało się, żeby przez całe przyjęcie podpierała ścianę, to inne dziewczęta dużo częściej proszono do tańca.

Kiedy wirowali pośród innych par, Amanda zauważyła subtelne zmiany na twarzy Jacka. W tygodniach, które minęły od ich rozstania, stracił trochę animuszu i wojowniczości. Wydawał się starszy, w kącikach ust pojawiły się nowe bruzdy i utrwaliły się dwie poziome zmarszczki między brwiami. Stracił na wadze, więc jego kości policzkowe i zarys szczęki stały się bardziej wydatne. Na dodatek pod oczami pojawiły się cienie, świadczące o braku snu.

– Wyglądasz na zmęczonego – stwierdziła bez ogródek. – Powinieneś więcej spać.

– Usycham z tęsknoty za tobą – powiedział tak lekkim i kpiącym tonem, że sugerował coś wręcz przeciwnego. – Czy to chciałaś usłyszeć?

Zesztywniała urażona.

– Puść mnie. Rozwiązała mi się wstążka przy pantofelku.

– Jeszcze nie teraz. – Jego dłoń nadal spoczywała na jej plecach. – Najpierw podzielę się z tobą dobrymi wiadomościami. Pierwszy odcinek *Historii damy* sprzedał się do ostatniego egzemplarza. Na drugi odcinek mamy tak wiele zamówień, że w tym miesiącu nakazałem podwoić nakład.

– O, to rzeczywiście dobra wiadomość. – Bardziej by ją ta

nowina ucieszyła, gdyby nie istniejące między nimi napięcie. – Jack, mój pantofelek...

– Do diabła! – zaklął pod nosem, przerwał taniec w pół obrotu i sprowadził ją z parkietu.

Amanda wsparła się na jego ramieniu, a on poprowadził ją do pozłacanego fotelika, stojącego pod ścianą salonu. Przeklinała w duchu pantofelek i delikatne wstążki, którymi był przymocowany w kostce. Węzeł rozluźnił się tak bardzo, że pantofelek niemal zsunął się z jej stopy.

– Usiądź – polecił krótko Jack. Sam ukląkł obok niej i sięgnął do jej kostki.

– Przestań – warknęła, świadoma tego, że przyciągają rozbawione i zaciekawione spojrzenia.

Wiele osób nawet chichotało, ukrywając usta za wachlarzami lub dłońmi, patrząc, jak układna panna Amanda Briars daje się uwodzić osławionemu podrywaczowi, Jackowi Devlinowi.

– Ludzie patrzą – powiedziała łagodniejszym tonem, kiedy zdjął pantofelek z jej stopy.

– Nie strosz piórek. Już widziałem rozwiązane wstążki od pantofelków. Niektóre kobiety celowo rozluźniają węzły, żeby zyskać pretekst do pokazania swoim partnerom zgrabnej kostki.

– Jeśli sugerujesz, że posunęłabym się do takiego głupiego wybiegu, żeby... żeby... Jesteś jeszcze bardziej zarozumiały, niż przypuszczałam! – Zaczerwieniła się z zażenowania i zgromiła go wzrokiem. On tymczasem zerknął na delikatny pantofelek i uśmiechnął się.

– Panno Briars – wymamrotał pod nosem. – Co za frywolne buciki...

Pantofelki do tańca kupiła pod wpływem impulsu. W przeciwieństwie do innych jej butów, nie były ani praktyczne, ani wytrzymałe. Miały cieniutką podeszwę, niski obcasik i uszyte były z koronki, połączonej jedwabnymi wstążkami. Noski były ozdobione drobnymi, haftowanymi kwiatkami. Jedna z delikat-

nych wstążek, zawiązywanych w kostce, pękła na dwie części. Jack zręcznie związał dwa postrzępione końce.

Zachowując stosownie obojętną minę, wsunął pantofelek na jej stopę i zawiązał wstążkę wokół kostki. Zdradziły go błyski rozbawienia w oczach i Amanda zrozumiała, że bawi go jej bezradność i uwaga innych gości, jaką na siebie ściągają. Pochyliła głowę i wbiła wzrok w dłonie, splecione kurczowo na kolanach.

Devlin postarał się nie odsłaniać jej kostki, kiedy wsuwał jej pantofelek. Żeby ułatwić sobie zadanie, przytrzymał jej stopę, obejmując jej piętę. Amanda nigdy nie lubiła swoich nóg, były zbyt krępe i krótkie. Nikt nie pisał ód do kobiet o masywnie zbudowanych kostkach, tylko do tych, które miały kostki szczupłe i delikatne. Jednak jej kostki, choć mało romantyczne z wyglądu, były niezwykle wrażliwe na dotyk, więc kiedy zacisnęły się na nich palce Jacka, poczuła przyjemny dreszczyk. Ciepło dłoni Jacka przeniknęło przez jedwabną pończoszkę i zdawało się parzyć skórę.

Dotknął jej przelotnie, ale odczuła ten dotyk na samym dnie duszy. Ku jej zmieszaniu natychmiast obudziło się w niej pożądanie, w ustach jej zaschło i jakaś przyjemna fala ogarnęła całe ciało. Nagle przestała zważać na to, że znajdują się w zatłoczonym salonie. Miała ochotę opaść w jego ramionach na wypolerowany parkiet, przycisnąć usta do jego ciepłej skóry, poczuć w intymnych miejscach dobrze znany ucisk. Od tych prymitywnych, pożądliwych myśli aż zakręciło jej się w głowie.

Jack wypuścił jej stopę i wstał.

– Amando – powiedział cicho. Choć miała spuszczoną głowę, czuła na sobie jego wzrok.

Nie mogła na niego spojrzeć, słowa ledwo przechodziły jej przez ściśnięte gardło.

– Proszę, zostaw mnie – wydusiła w końcu. – Proszę.

O dziwo, chyba zrozumiał, na czym polega jej problem, ponieważ skłonił się uprzejmie i, posłuszny jej prośbie, odszedł.

Kilka razy wciągnęła głęboko powietrze, żeby uspokoić myśli. Czas spędzony z dala od Jacka wcale nie stłumił jej pożądania... Nadal za nim tęskniła, a samotność doprowadzała ją niemal do rozpaczy. Jak ona zniesie te rzadkie spotkania z Jackiem? Czy będzie tak cierpiała do końca życia? A jeśli tak, to jak sobie z tym poradzi?

– Panno Briars?

Niski głos zabrzmiał w jej uszach niezwykle przyjemnie. Podniosła niespokojny wzrok i zobaczyła znajomą twarz. Zbliżył się do niej wysoki mężczyzna o ciemnych, przetykanych siwizną włosach. Jego niezbyt urodziwą, brodatą twarz rozjaśniał uśmiech. Brązowe oczy zabłysły wesoło na widok jej wahania.

– Domyślam się, że pani mnie nie pamięta – powiedział skromnie. – Spotkaliśmy się na świątecznym przyjęciu u pana Devlina. Nazywam się...

– Ależ oczywiście, że pana pamiętam – odrzekła z uśmiechem. Z ulgą stwierdziła, że zapamiętała jego nazwisko. Był to znany autor wierszy dla dzieci, z którym tak dobrze jej się rozmawiało na tamtym przyjęciu. – Miło pana znowu widzieć, Wujku Hartley. Nie miałam pojęcia, że pan tu jest.

Hartley roześmiał się, słysząc, że używa jego literackiego pseudonimu.

– Nie rozumiem, dlaczego najbardziej urocza z kobiet na tym balu siedzi samotnie pod ścianą. Proszę wyświadczyć mi łaskę i zatańczyć ze mną kadryla.

Z żalem potrząsnęła głową.

– Obawiam się, że wstążki moich pantofelków nie zniosłyby tego. Będę zadowolona, jeśli do końca wieczoru całkiem się nie rozpadną.

Hartley spojrzał na nią wzrokiem mężczyzny, który nie jest pewien, czy nie zostaje odprawiony z kwitkiem. Amanda rozwiała jego wątpliwości, uśmiechając się promiennie.

– Wydaje mi się jednak, że moje pantofelki przetrwają

wyprawę do bufetu. Czy będzie pan tak miły i zechce mi towarzyszyć?

– Z ogromną przyjemnością – odrzekł szczerze i z galanterią podał jej ramię. – Miałem nadzieję, że jeszcze panią spotkam, po tym jak rozmawialiśmy na przyjęciu u pana Devlina – oznajmił, prowadząc ją wolno do pokoju, w którym rozstawiono stoły z jedzeniem. – Zauważyłem z żalem, że ostatnio nie bywa pani w towarzystwie zbyt często.

Amanda zerknęła na niego czujnie, zastanawiając się, czy dotarły do niego jakieś plotki o jej romansie z Jackiem. Jednak Hartley jak zwykle miał miłą i uprzejmą minę, bez najmniejszego śladu oskarżycielskiego grymasu czy insynuacji.

– Byłam zajęta pracą – wyjaśniła szybko, starając się stłumić niespodziewane ukłucie wstydu. Po raz pierwszy doświadczyła tego uczucia.

– Oczywiście, kobieta z pani wspaniałym talentem... Stworzenie takich niezapomnianych powieści wymaga czasu. – Podprowadził ją do stołu z przekąskami i dał znak lokajowi, żeby napełnił dla niej talerz.

– A pan? – zapytała Amanda. – Napisał pan ostatnio jakieś nowe wiersze dla dzieci?

– Niestety, nie – odrzekł wesoło. – Większość czasu spędzałem w towarzystwie siostry i jej wesołej gromadki. Siostra ma pięć córek i dwóch synów, a każde z nich jest żywe i psotne niczym małe lisiątko.

– Lubi pan dzieci? – zapytała Amanda, chociaż już znała odpowiedź.

– O, bardzo. Dzieci przypominają człowiekowi, jaki jest prawdziwy sens życia.

– A jaki jest?

– Oczywiście kochać i być kochanym, cóż by innego?

To proste, szczere stwierdzenie zdumiało ją. Uśmiechnęła się z zastanowieniem. Rzadko można było spotkać mężczyznę, który nie bał się posądzenia o sentymentalizm.

Brązowe oczy Hartleya spoglądały otwarcie i ciepło, usta uśmiechały się smutno, kiedy mówił dalej:

– Moja nieżyjąca już żona i ja nie mogliśmy mieć dzieci, ku naszemu wspólnemu rozczarowaniu. Dom bez dzieci jest taki pusty.

Stanęli w kolejce do stołu z napojami, a Amanda nadal się uśmiechała. Hartley zrobił na niej dobre wrażenie, był miły i inteligentny, może nie uderzająco przystojny, ale całkiem atrakcyjny. W jego szerokiej twarzy o regularnych rysach, dużym nosie i brązowych oczach było coś, co chwytało za serce. Na taką twarz można by spoglądać codziennie i nigdy się nią nie znudzić. Przedtem była zbyt olśniona urodą Jacka, żeby zwrócić uwagę na Hartleya. Przyrzekła sobie w duchu, że już nigdy nie popełni tego błędu.

– Pozwoli pani, żebym któregoś dnia ją odwiedził? – zaproponował Hartley. – Z przyjemnością zabrałbym panią na przejażdżkę powozem, kiedy tylko pogoda się poprawi.

Charles Hartley nie był baśniowym bohaterem ani postacią z powieści, tylko cichym, spokojnym dżentelmenem o tych samych zainteresowaniach co Amanda. Jego widok nie ścinał jej z nóg, ale wiedziała, że ten mężczyzna pomoże jej mocno stać na ziemi. Nie wzbudzał w niej wielkich emocji, jednak Amanda przeżyła ich tyle podczas krótkiego romansu z Jackiem, że powinno jej to wystarczyć na całe życie. Teraz chciała kogoś solidnego i stałego, kogo głównym celem będzie zwykłe, przyjemne życie.

– Z przyjemnością wybiorę się z panem na przejażdżkę – powiedziała.

Ku swojej uldze wkrótce odkryła, że w towarzystwie opiekuńczego Charlesa Hartleya nie myśli ciągle o Jacku Devlinie.

13

Podczas ostatniego w tym dniu obchodu firmy Oscar Fretwell odwiedził każde piętro budynku, sprawdził każde urządzenie i pozamykał wszystkie drzwi. Zatrzymał się przed gabinetem Devlina. Wewnątrz paliło się światło, a zza zamkniętych drzwi wydobywał się szczególny zapach... gryząca woń dymu. Trochę zaniepokojony, zapukał i nie czekając na odpowiedź, wszedł do środka.

– Panie Devlin...

Zatrzymał się w progu i z nieukrywanym zdziwieniem spojrzał na człowieka, który był jego pracodawcą i przyjacielem. Devlin siedział za biurkiem, jak zwykle obłożony stosami dokumentów i książek, i palił długie cygaro, wypuszczając metodycznie kłęby dymu. Kryształowa popielnica wypełniona niedopałkami i eleganckie pudło z cedrowego drewna, wypełnione do połowy cygarami, świadczyły o tym, że Devlin palił już od dłuższego czasu.

Chcąc pozbierać myśli, Fretwell swoim zwyczajem zdjął okulary i wyczyścił szkła ze skrupulatną starannością. Kiedy znów włożył je na nos, spojrzał bacznie na Devlina.

Chociaż w pracy rzadko mówił do szefa poufale w przekonaniu, że w obecności innych podwładnych należy okazywać mu absolutny szacunek, teraz postanowił zwrócić się do Devlina

po imieniu. Zaważył na tym fakt, że po pierwsze, wszyscy pracownicy poszli już do domu, a po drugie, chciał zaakcentować bliską więź, łączącą ich niemal od dzieciństwa.

– Jack – powiedział cicho. – Nie wiedziałem, że lubisz palić.

– Dzisiaj lubię. – Devlin znów wypuścił kłąb dymu i spojrzał na Fretwella zmrużonymi oczami. – Idź do domu, Fretwell. Nie mam ochoty na rozmowę.

Ignorując niewyraźnie wypowiedziane polecenie, Fretwell podszedł do okna i otworzył je, żeby wpuścić trochę świeżego powietrza do dusznego pomieszczenia. Gęsty, niebieski dym, który wisiał w powietrzu, powoli zaczął się rozpraszać. Nie bacząc na ironiczne spojrzenie Devlina, Fretwell podszedł do biurka, zajrzał do pudełka z cygarami i wyjął jedno.

– Mogę?

Devlin burknął coś przyzwalająco, podniósł szklaneczkę whisky i opróżnił ją jednym haustem. Fretwell wyjął maleńkie nożyczki z kieszeni i próbował odciąć czubek cygara, ale ciasno zwinięte tytoniowe liście stawiały opór. Uparcie nie dawał za wygraną, aż Devlin parsknął śmiechem i wyciągnął do niego rękę.

– Daj mi to cholerne cygaro.

Z szuflady biurka wyjął bardzo ostry nożyk, naciął cygaro wokół czubka i usunął go nożyczkami. Podał je Fretwellowi wraz z pudełkiem zapałek. Po chwili Fretwell wypuszczał w powietrze kłęby aromatycznego dymu.

Usiadł w stojącym obok fotelu i zastanowił się, co powiedzieć przyjacielowi. Przez chwilę obaj palili w przyjacielskiej ciszy. Devlin wyglądał bardzo źle. Tygodnie wytężonej pracy, picia i braku snu zaczynały odciskać na nim swoje piętno. Fretwell jeszcze nigdy nie widział go w takim stanie.

Devlin nigdy nie wyglądał na człowieka szczególnie szczęśliwego. Życie traktował raczej jak bitwę, którą należy wygrać, a nie jak okazję do poszukiwania radości. Biorąc pod uwagę jego przeszłość, trudno się było temu dziwić, przedtem jednak

zawsze robił wrażenie niezniszczalnego. O ile tylko interesy szły dobrze, zachowywał się z urokliwą arogancją, a na dobre i złe wiadomości reagował z sardonicznym humorem, nigdy przy tym nie tracąc przytomności umysłu.

Teraz jednak było jasne, że coś go dręczy; coś, co ma dla niego wielkie znaczenie. Nie wydawał się już niezniszczalny, jakby spod grubej zbroi wyłonił się człowiek nękany jakąś obsesją, przed którą nie było ucieczki.

Fretwell bez trudu ustalił, kiedy te kłopoty się zaczęły – od spotkania z panną Amandą Briars.

– Jack – odezwał się ostrożnie. – Widzę wyraźnie, że ostatnio coś cię dręczy. Czy jest coś, o czym chciałbyś porozmawiać?

– Nie. – Devlin przeczesał dłonią czarne włosy.

– W takim razie chciałbym zwrócić twoją uwagę na pewien fakt. – Fretwell umilkł na chwilę i wypuścił kłąb tytoniowego dymu. – Zdaje się, że dwoje naszych autorów... nie jestem pewien, jak to określić... zacieśniło ostatnio znajomość.

– Doprawdy? – Devlin uniósł brew.

– A ponieważ lubisz być poinformowany o znaczących wydarzeniach w życiu osobistym wydawanych przez siebie pisarzy, zdecydowałem się powiadomić cię o krążących plotkach. Otóż pannę Briars i Charlesa Hartleya ostatnio bardzo często widuje się razem. Raz byli w teatrze, kilka razy jeździli powozem po parku, a podczas różnych spotkań towarzyskich...

– Wiem – przerwał mu szorstko Jack.

– Wybacz mi, ale wydawało mi się, że kiedyś ty i panna Briars...

– Oscarze, zamieniasz się w starą, wścibską jędzę. Musisz sobie znaleźć kobietę i przestać się zamartwiać problemami innych.

– Mam kobietę – odrzekł Oscar z godnością. – I nigdy nie wtrącam się do twojego prywatnego życia ani nawet go nie komentuję, o ile nie ma ono złego wpływu na twoją pracę. Mam udziały w tej firmie, co prawda niewielkie, ale mam

prawo się martwić. Jeśli doprowadzisz się do ruiny, ucierpią na tym wszyscy pracownicy. Włącznie ze mną.

Jack skrzywił się, westchnął i zdusił niedopałek cygara w kryształowej popielnicy.

– Do diabła! – zaklął znużonym głosem. Tylko kierownik firmy i długoletni przyjaciel mógł się odważyć na takie stanowcze uwagi. – Ponieważ wyraźnie widzę, że nie dasz mi spokoju, dopóki nie udzielę ci odpowiedzi... Więc tak, przyznaję, że swego czasu interesowałem się panną Briars.

– Interesowałeś się nią dość mocno – uściślił Fretwell.

– Ale to już należy do przeszłości.

– Naprawdę?

Devlin roześmiał się ponuro.

– Panna Briars jest o wiele za rozsądna, żeby chcieć się ze mną związać. – Potarł grzbiet nosa i dodał beznamiętnie: – Hartley to dla niej odpowiedniejszy partner, nie sądzisz?

Fretwell musiał odpowiedzieć szczerze.

– Na miejscu panny Briars bez wahania poślubiłbym Hartleya. To jeden z najprzyzwoitszych ludzi, jakich zdarzyło mi się poznać.

– W takim razie sprawa jest jasna – stwierdził szorstko Devlin. – Życzę szczęścia im obojgu. Ich małżeństwo to tylko kwestia czasu.

– Ale... ale co z tobą? Będziesz stał z boku i patrzył, jak panna Briars poślubia innego mężczyznę?

– Nie tylko będę stał i patrzył, ale jeśli sobie tego zażyczy, to osobiście odprowadzę ją do ołtarza. Małżeństwo z Hartleyem to najlepsze rozwiązanie dla wszystkich zainteresowanych.

Fretwell pokręcił głową. Rozumiał, jaki ukryty w głębi duszy lęk sprawiał, że Devlin odtrącał kobietę, która wyraźnie wiele dla niego znaczyła. Wszyscy wychowankowie Knatchford Heath narzucali sobie pewnego rodzaju izolację od innych ludzi. Żaden z nich nie był w stanie zbudować długotrwałego związku.

Ci, którzy odważyli się kogoś poślubić, tak jak Guy Stubbins, kierownik działu księgowości, mieli poważne kłopoty małżeńskie. Darzenie kogoś zaufaniem i dochowanie wierności było bardzo trudne dla mężczyzn ocalonych z piekła Knatchford Heath. Sam Fretwell unikał małżeństwa jak ognia, przez co stracił kobietę, którą kochał, nie mogąc się zdecydować na stały związek.

Nie chciał jednak patrzeć, jak Devlin gotuje sobie ten sam los, zwłaszcza że uczucia szefa okazały się o wiele głębsze, niż się z początku mogło wydawać. Jeśli Amanda Briars poślubi kogoś innego, Devlin nigdy nie będzie już taki jak dawniej.

– Co masz zamiar zrobić, Jack? – zastanawiał się głośno.

Devlin udał, że źle zrozumiał jego pytanie.

– Dzisiejszego wieczoru? Pójdę do przybytku Gemmy Bradshaw. Może zafunduję sobie wieczór w towarzystwie jakiejś chętnej panienki.

– Ale przecież ty nie sypiasz z prostytutkami – zdziwił się Fretwell.

Devlin uśmiechnął się mrocznie i wskazał na kupkę popiołu w popielniczce.

– Zazwyczaj nie palę też cygar.

Jeszcze nigdy nie brałam udziału w pikniku pod dachem – ze śmiechem stwierdziła Amanda, rozglądając się wokół rozpromienionym wzrokiem. Charles Hartley zaprosił ją do swojego niewielkiego majątku pod Londynem, gdzie jego młodsza siostra urządziła piknik. Amanda polubiła Eugenię od pierwszej chwili. Jej ciemne oczy spoglądały z młodzieńczą żywotnością, właściwie nie pasującą do jej pozycji statecznej matrony i matki siedmiorga dzieci. Otaczała ją ta sama pogodna aura, którą Amanda tak ceniła u Charlesa.

Hartleyowie byli dobrą rodziną. Nie należeli do arystokracji,

ale cieszyli się szacunkiem i żyli w dobrobycie. To sprawiło, że Amanda jeszcze bardziej zaczęła podziwiać Charlesa. Był na tyle zamożny, że mógł prowadzić próżniacze życie, a jednak pisał książki dla dzieci.

– To nie jest prawdziwy piknik – przyznał Charles. – Na razie jednak pogoda nie pozwala urządzić przyjęcia na świeżym powietrzu.

– Jaka szkoda, że nie ma tu pani dzieci – zwróciła się Amanda do Eugenii. – Pan Hartley często o nich opowiada, więc mam wrażenie, jakbym je znała osobiście.

– Wielkie nieba! – zawołała ze śmiechem Eugenia. – Dzieci przy pierwszym spotkaniu? Moje dzieci to diablęta z piekła rodem. Wystraszyłyby panią i już nigdy byśmy tu pani nie zobaczyli.

– Bardzo w to wątpię. – Amanda usiadła na krześle, które podsunął jej Charles.

Posiłek podano na oszklonej, ośmiokątnej werandzie o kamiennej podłodze. Wokół kwitły białe róże, lilie i srebrne magnolie, a ich cudowny zapach unosił się nad stołem nakrytym białym obrusem, kryształami i srebrem. Na obrusie rozrzucono płatki różowych róż, pasujące do wzorów malowanych na porcelanowej zastawie.

Eugenia uniosła kieliszek z musującym szampanem i z uśmiechem spojrzała na Charlesa.

– Wzniesiesz toast, drogi bracie?

Charles posłusznie wzniósł kieliszek i zerknął na Amandę.

– Za przyjaźń – powiedział krótko, ale jego ciepłe spojrzenie zdradzało, że chodzi mu o głębsze uczucie.

Amanda sączyła odświeżający, cierpki trunek. W towarzystwie Charlesa czuła się odświętnie, a jednocześnie całkiem swobodnie. Ostatnio wiele czasu spędzali razem. Odbywali przejażdżki jego powozem, uczęszczali na odczyty, brali udział w przyjęciach. Charles był dżentelmenem w każdym calu i często zastanawiała się, czy w jego głowie czasami rodzą się

nieprzyzwoite myśli i pomysły. Wydawał się niezdolny do grubiaństwa i wulgarności. Jack powiedział jej kiedyś, że wszyscy mężczyźni to prostacy i dranie. Cóż, najwyraźniej się mylił. Charles był tego żywym dowodem.

Nieokiełznana namiętność, która kiedyś tak dręczyła Amandę, zniknęła jak dogasające w kominku polana. Nadal myślała o Jacku o wiele częściej, niżby sobie tego życzyła, a kiedy się z rzadka na siebie natykali, przebiegały ją dziwne dreszcze i znów czuła, że czegoś jej brakuje. Na szczęście nie zdarzało się to często. Kiedy się spotykali, Jack zawsze zachowywał się niebywale uprzejmie, spoglądał na nią przyjaźnie, ale chłodno, i rozmawiał z nią jedynie o sprawach wydawniczych.

Natomiast Charles Hartley nie krył swoich uczuć. Łatwo było polubić tego prostolinijnego wdowca, który najwyraźniej potrzebował i pragnął żony. Uosabiał wszystko, co Amanda podziwiała w mężczyźnie: był mądry, przyzwoity i rozsądny, ale nie pozbawiony poczucia humoru.

Jakie to dziwne, że po tylu latach w jej życiu wreszcie nastąpiła taka odmiana... Zalecał się do niej przyzwoity mężczyzna, za którego będzie mogła wyjść za mąż, jeśli tylko się na to zdecyduje. Charlesa Hartleya różniło coś od innych mężczyzn, których poznała – bez wahania potrafiła mu zaufać. Była pewna, że zawsze będzie traktował ją z szacunkiem. Co więcej, wyznawali te same wartości, mieli takie same zainteresowania. Wkrótce został jej najlepszym przyjacielem.

Żałowała tylko, że nie potrafi w sobie obudzić fizycznego pociągu do Charlesa. Kiedy wyobrażała sobie, że są razem w łóżku, w najmniejszym stopniu jej to nie podniecało. Może to uczucie obudzi się w niej wraz z upływem czasu... a może znajdzie zadowolenie w miłym, choć pozbawionym namiętności związku małżeńskim tak jak jej siostry.

Amanda przekonywała się w duchu, że obrała właściwą drogę. Sophia miała rację – nadszedł czas, żeby założyła własną rodzinę. Jeśli Charles Hartley się jej oświadczy, wyjdzie

za niego. Zwolni tempo pracy zawodowej, może nawet całkiem skończy z pisaniem i poświęci się codziennym obowiązkom jak inne mężatki. Sophia twierdziła, że najtrudniej jest tym, którzy płyną pod prąd. Prawda tych słów każdego dnia wydawała się Amandzie coraz głębsza. Jak miło by było wyrzec się czczych pragnień i wreszcie upodobnić się do innych kobiet.

Ubierając się na przejażdżkę z Charlesem, Amanda spostrzegła, że jej najlepsza suknia spacerowa, uszyta z grubego jedwabiu w zielone prążki, robi się za ciasna.

– Sukey – powiedziała z westchnieniem, kiedy pokojówka z wysiłkiem zapinała guziki na plecach. – Może zasznurujesz mi ciaśniej gorset? Muszę chyba zacząć mniej jeść. Sama nie wiem, dlaczego od kilku tygodni stale przybieram na wadze.

Ku jej zaskoczeniu Sukey nie roześmiała się ani nie zaczęła udzielać jej żadnych rad, tylko stała za nią bez ruchu.

– Sukey? – Amanda odwróciła się i zobaczyła, że pokojówka ma bardzo dziwną minę.

– Może lepiej będzie nie sznurować ciaśniej, panienko – powiedziała z wahaniem. – To mogłoby zaszkodzić, jeśli panienka jest... – Nie dokończyła zdania.

– Jeśli jestem co? – Milczenie pokojówki przeraziło Amandę. – Sukey, natychmiast mi powiedz, co ci chodzi po głowie. Wyglądasz tak, jakbyś myślała, że jestem...

Gwałtownie urwała, zrozumiawszy, co podejrzewa pokojówka. Poczuła, że krew odpływa jej z twarzy. Położyła dłoń na brzuchu.

– Panno Amando – zaczęła ostrożnie służąca. – Kiedy ostatni raz miała panienka kobiecą przypadłość?

– Dawno. – Głos Amandy brzmiał dziwnie pusto. – Co najmniej dwa miesiące temu. Byłam tak zajęta i rozkojarzona, że nawet o tym nie myślałam.

Sukey skinęła głową, jakby nagle odebrało jej mowę.

Amanda usiadła na stojącym obok krześle; rozpięta suknia ułożyła się wokół niej w luźne fałdy. Ogarnęło ją dziwne uczucie, jakby jakaś siła zawiesiła ją w powietrzu i nie dawała opaść na ziemię. Nie było to miłe. Bardzo chciała odzyskać pewność ruchów, oprzeć się na czymś stałym i solidnym.

– Panno Amando – odezwała się Sukey po długiej chwili. – Wkrótce przyjedzie pan Hartley.

– Jak przyjedzie, odeślij go z powrotem – odparła półprzytomnie Amanda. – Powiedz mu... powiedz mu, że źle się dzisiaj czuję. A potem poślij po doktora.

– Dobrze, panienko.

Wiedziała, że lekarz tylko potwierdzi to, czego teraz była już pewna. Zmiany w jej ciele i kobieca intuicja podpowiadały tę samą odpowiedź. Była w ciąży z Jackiem Devlinem. Czy mogło jej się przytrafić coś gorszego?

O niezamężnej kobiecie, która zaszła w ciążę, często mówiono, że znalazła się w kłopotliwym położeniu. Na myśl o tym Amanda omal nie roześmiała się histerycznie. Kłopotliwe położenie? To była katastrofa, która mogła odmienić całe jej życie.

– Zostanę z panienką – powiedziała cicho Sukey. – Cokolwiek by się działo.

Mimo panującego w jej głowie zamętu, Amandę wzruszyła bezwarunkowa lojalność Sukey. Po omacku chwyciła szorstką, spracowaną rękę pokojówki i mocno ją uścisnęła.

– Dziękuję, Sukey – rzekła chrapliwie. – Nie wiem, co zrobię, jeśli... rzeczywiście pojawi się dziecko... Pewnie będę musiała gdzieś wyjechać. Chyba za granicę. Będę musiała przez długi czas żyć z dala od Anglii.

– Od dawna mam już dość Anglii – oznajmiła stanowczo służąca. – Ciągle tylko deszcze i szarugi. I zimno takie, że człowiek się trzęsie jak osika. Nie, to nie dla takiej kobiety jak ja. Ja lubię ciepło. Francja albo Włochy... zawsze marzyłam, żeby tam pojechać.

Ponury śmiech uwiązł w gardle Amandy. Mogła tylko wyszeptać w odpowiedzi:

– Zobaczymy, Sukey. Zobaczymy, co trzeba będzie zrobić.

Przez tydzień po tym, jak doktor potwierdził, że jest w ciąży, Amanda nie chciała widzieć ani Charlesa Hartleya, ani nikogo innego. Wysłała Hartleyowi wiadomość, że zapadła na influencę i musi przez kilka dni zostać w domu, żeby wyzdrowieć i odzyskać siły. Odpowiedział liścikiem pełnym współczucia i wysłał jej kosz pięknych, cieplarnianych kwiatów.

Amanda musiała zastanowić się nad wieloma sprawami i podjąć ważne decyzje. Choćby nawet chciała, nie mogła za swój stan winić Devlina. Była dojrzałą kobietą, która rozumiała ryzyko i znała możliwe konsekwencje romansu. Odpowiedzialność spoczywała wyłącznie na jej barkach. Chociaż Sukey niepewnie zasugerowała swojej pani, żeby odwiedziła Devlina i oznajmiła mu nowinę, na samą myśl o tym Amanda wzdrygała się z przerażenia. To było wykluczone. Nie miała najmniejszej wątpliwości, że Jack nie chce być ani ojcem, ani mężem. Nie obciąży go tym problemem – jest w stanie sama utrzymać siebie i dziecko.

Pozostawało jej tylko jedno wyjście: musiała zlikwidować dom w Londynie i jak najszybciej wyjechać do Francji. Tam może rozgłosić, że jej mąż zmarł, pozostawiając ją samą z dzieckiem. Wymyśli jakąś historyjkę, która pozwoli jej wtopić się we francuską społeczność. Nadal będzie mogła zarabiać na wygodne życie, przysyłając rękopisy z zagranicy do wydania w Anglii. Jack nigdy nie dowie się o dziecku, którego przecież nie chciał i którego istnienie na pewno go nie ucieszy. Nikt nie będzie znał prawdy oprócz Sophii i Sukey.

Poświęcając całą energię planowaniu i spisywaniu najpilniejszych spraw do załatwienia, Amanda przygotowywała się do wielkiej życiowej rewolucji. W tym celu zaprosiła też

pewnego przedpołudnia Charlesa Hartleya. Chciała się z nim pożegnać.

Przybył z bukietem pięknych kwiatów. Był ubrany w elegancki, tradycyjny brązowy surdut i o ton jaśniejsze spodnie, a pod brodą miał starannie zawiązany jedwabny fular. Amanda poczuła bolesne ukłucie żalu, że po dzisiejszej wizycie nigdy więcej go nie zobaczy. Będzie jej brakowało jego miłej, szczerej twarzy i życzliwego towarzystwa. Z przyjemnością spędzała czas u boku człowieka, który jej nie podniecał ani nie stanowił dla niej wyzwania, który prowadził spokojne, pogodne życie, krótko mówiąc, był przeciwieństwem Jacka Devlina.

– Piękna jak zwykle, może tylko nieco bledsza – stwierdził Charles, oddając Sukey płaszcz i cylinder. – Martwiłem się o panią, panno Amando.

– Czuję się już lepiej, bardzo dziękuję – odparła, zmuszając się do pogodnego uśmiechu.

Kazała Sukey włożyć kwiaty do wody i poprosiła Charlesa, żeby usiadł obok niej na kanapie. Przez kilka minut rozmawiali na nic nie znaczące tematy, ale Amanda cały czas rozważała w myślach, jak delikatnie powiedzieć przyjacielowi o swoich planach wyjazdu z Anglii. Nie mogła jednak nic wymyślić, więc powiadomiła go o tym z właściwą sobie bezpośredniością.

– Cieszę się, że mamy okazję porozmawiać, bo to nasze ostatnie spotkanie. Niedawno zdecydowałam, że Anglia nie jest dla mnie najlepszym miejscem. Zamierzam się przenieść za granicę, dokładnie mówiąc, do Francji. Wydaje mi się, że cieplejszy klimat i wolniejsze tempo życia dobrze mi zrobią. Będę za tobą bardzo tęskniła i mam nadzieję, że będziemy do siebie pisywać.

Charles patrzył na nią osłupiały. Dopiero po chwili w pełni zrozumiał, co powiedziała.

– Dlaczego? – zapytał wreszcie. Ujął jej dłonie w obie ręce i mocno ścisnął. – Jesteś chora, Amando? Czy dlatego wolisz

zamieszkać w łagodniejszym klimacie? A może okoliczności innej natury zmuszają cię do wyjazdu? Nie chcę być wścibski, ale mam powód, żeby cię o to wypytywać. A jaki to powód, wkrótce ci wyjaśnię.

– Nie jestem chora. – Uśmiechnęła się blado. – Jak to miło z twojej strony, że okazujesz tyle troski o moje zdrowie.

– Nie pytam cię o to z uprzejmości – powiedział cicho. Tym razem jego zazwyczaj gładkie czoło zmarszczyło się z troską, usta się zacisnęły, niemal niknąc w ciemnej brodzie. – Nie chcę, żebyś gdziekolwiek wyjeżdżała. Muszę ci coś powiedzieć. Nie chciałem tego robić zbyt wcześnie, ale okoliczności zmuszają mnie do pośpiechu. Wiesz na pewno, jak bardzo mi na tobie...

– Proszę... – przerwała mu. Serce skurczyło jej się w nagłym strachu. Nie chciała, żeby cokolwiek wyznawał... a już broń Boże, żeby się jej oświadczył, teraz, kiedy się okazało, że nosi dziecko innego! – Jesteś moim najdroższym przyjacielem i mam wielkie szczęście, że cię poznałam. Ale zostawmy naszą znajomość właśnie na tym etapie, proszę. Za kilka dni wyjadę na kontynent i nic, co powiesz, nie zmieni mojej decyzji.

– Obawiam się, że nie mogę milczeć. – Mocniej ścisnął jej dłoń, chociaż jego głos nadal brzmiał spokojnie i ciepło. – Nie pozwolę ci wyjechać, zanim ci nie powiem, jak bardzo cię cenię. Jesteś dla mnie kimś wyjątkowym, jedną z najwspanialszych kobiet, jakie w życiu poznałem. Chciałbym...

– Nie – powiedziała przez boleśnie ściśnięte gardło. – Nie jestem ani wspaniała, ani dobra. Charles, popełniłam w życiu okropne błędy, ale nie chcę ci o nich opowiadać. Proszę, nie mówmy nic więcej i rozstańmy się jak przyjaciele.

Długo zastanawiał się nad jej słowami.

– Masz jakieś kłopoty – stwierdził cicho. – Pozwól mi sobie pomóc. Czy chodzi o finanse? A może o sprawy prawne?

– To jest taki kłopot, którego nikt nie może rozwiązać. – Nie potrafiła spojrzeć mu w oczy. – Proszę, odejdź. – Wstała z kanapy. – Żegnaj, Charles.

Pociągnął ją z powrotem na kanapę.

– Amando – wyszeptał. – Wiesz, co do ciebie czuję, więc chyba powinnaś dać mi szansę, żebym mógł ci jakoś pomóc. Powiedz mi, o co chodzi.

Wzruszona, ale też trochę zirytowana jego uporem, spojrzała mu prosto w oczy.

– Jestem w ciąży – rzuciła. – Widzisz? Nic nie możesz zrobić ani ty, ani ktokolwiek inny. A teraz proszę, zostaw mnie, żebym mogła uporządkować ten zamęt, który wprowadziłam w swoje życie.

Oczy Charlesa rozszerzyły się ze zdumienia. Widać było, że spodziewał się wszystkiego, tylko nie tego, że Amanda jest w ciąży. Pewnie większość ludzi byłaby podobnie wstrząśnięta na wieść, że rozsądna stara panna, powieściopisarka, wdała się w romans, który zaowocował przypadkową ciążą. Mimo powagi sytuacji była niemal dumna z tego, że udało jej się zrobić coś tak oryginalnego i nieprzewidywalnego.

Charles nadal nie wypuszczał z uścisku jej ręki.

– Ojcem, jak się domyślam, jest Jack Devlin – stwierdził raczej, niż zapytał głosem, w którym nie było nawet cienia krytyki.

Amanda zaczerwieniła się po uszy.

– A więc słyszałeś plotki.

– Owszem. Ale wiem też, że to, co było między wami, już się definitywnie skończyło.

Roześmiała się z drżeniem.

– Jak widać, nie tak bardzo definitywnie.

– Devlin nie chce zachować się wobec ciebie jak człowiek honoru?

Nie oczekiwała takiej reakcji ze strony Charlesa. Zamiast odsunąć się od niej z niesmakiem, on nadal był spokojny i przyjacielski, a jedyne, na czym mu zależało, to jej dobro. Mogła być też pewna, że jako prawdziwy dżentelmen nigdy nie zdradzi jej zaufania. Nic, co mu powiedziała, nie stanie się

pożywką dla plotek. Możliwość zwierzenia się komuś ze swoich kłopotów okazała się dla niej wielką ulgą. Instynktownie odpowiedziała na uścisk dłoni Charlesa równie przyjacielskim uściskiem.

– On nic nie wie i nigdy się nie dowie. W przeszłości jasno dał mi do zrozumienia, że nie zamierza się żenić. I na pewno nie byłby mężem, jakiego chciałabym mieć. Właśnie dlatego wyjeżdżam... Nie mogę zostać w Anglii jako niezamężna matka.

– Oczywiście. Oczywiście. Ale musisz mu o tym powiedzieć. Nie znam Devlina zbyt dobrze, ale trzeba mu dać okazję do wzięcia odpowiedzialności za ciebie i za dziecko. Jeśli zachowasz całą sprawę w tajemnicy, nie będzie to uczciwe ani wobec niego, ani wobec dziecka.

– Nie wiem, po co miałabym go o tym zawiadamiać. Z góry wiem, jaka będzie reakcja.

– Nie możesz sama dźwigać tego brzemienia.

– Ależ mogę. – Nagle poczuła, że ogarnia ją spokój i nawet zdołała się uśmiechnąć, spoglądając na zatroskaną twarz Charlesa. – Naprawdę mogę. Dziecko nic na tym nie ucierpi, nie ucierpię także ja.

– Każde dziecko potrzebuje ojca. A ty będziesz potrzebowała męża, żeby cię wspierał.

Zdecydowanie pokręciła głową.

– Jack nigdy by mi się nie oświadczył, a gdyby to zrobił, nie przyjęłabym jego oświadczyn.

Te słowa niespodziewanie ośmieliły Hartleya i dały mu impuls do nagłego wyznania.

– A jeśli ja bym ci się oświadczył?

Patrzyła na niego nieruchomo, zastanawiając się, czy nie oszalał.

– Charles – zaczęła cierpliwie, jakby podejrzewała, że nie zrozumiał nic z tego, co przed chwilą powiedziała. – Jestem w ciąży z innym mężczyzną.

– Bardzo chciałbym mieć dzieci. Traktowałbym to dziecko jak swoje własne. I bardzo bym chciał mieć ciebie za żonę.

– Ale dlaczego? – spytała zdziwiona. – Właśnie ci wyznałam, że urodzę nieślubne dziecko. Wiesz, jak to świadczy o moim charakterze. Wcale nie byłabym odpowiednią dla ciebie żoną.

– Pozwól, że sam ocenię twój charakter. Jak zawsze uważam, że jest godny szacunku. – Uśmiechnął się, patrząc na jej bladą twarz. – Zrób mi zaszczyt i zostań moją żoną. Nie musisz się przeprowadzać za granicę, gdzie musiałabyś żyć z dala od rodziny i przyjaciół. Dobrze by nam się razem żyło. Wiesz, że świetnie do siebie pasujemy. Chcę, żebyś została moją żoną... chcę też tego dziecka.

– Ale czy potrafisz zaakceptować dziecko innego mężczyzny?

– Może wiele lat temu nie mógłbym tego zrobić. Ale teraz wkraczam już w jesień życia, a wraz z dojrzewaniem bardzo się zmienia sposób postrzegania świata. Dostałem od losu szansę na ojcostwo i na pewno z niej skorzystam.

Amanda patrzyła na niego w pełnym zdziwienia milczeniu. Potem roześmiała się.

– Zaskoczyłeś mnie, Charles.

– Ty mnie też zaskoczyłaś – odparł z uśmiechem. – Proszę, nie zastanawiaj się zbyt długo. To mi wcale nie pochlebia.

– Gdybym przyjęła te oświadczyny, uznałbyś dziecko za swoje? – zapytała niepewnie.

– Tak, pod jednym warunkiem. Najpierw musisz powiedzieć prawdę Devlinowi. Nie mógłbym z czystym sumieniem pozbawić innego mężczyzny szansy poznania własnego dziecka. Jeśli naprawdę jest tak, jak mówisz, nie będzie nam robił żadnych trudności. Będzie nawet zadowolony, że ktoś uwolni go od odpowiedzialności za ciebie i dziecko. Nie wolno nam jednak zaczynać małżeństwa od kłamstwa.

– Nie mogę mu tego powiedzieć. – Amanda z uporem

pokręciła głową. Jak by na to zareagował? Gniewem? Oskarżeniami? Pełnym urazy milczeniem albo kpiną? Wolałaby raczej spłonąć na stosie, niż zjawić się u niego z wiadomością, że urodzi mu się bękart!

– Amando – powiedział łagodnie Charles. – Jest bardzo prawdopodobne, że Devlin któregoś dnia się dowie. Nie możesz całymi latami żyć z taką groźbą wiszącą ci nad głową. Zaufaj mi... Trzeba mu powiedzieć o dziecku. Potem nie będziesz musiała niczego się z jego strony obawiać.

Nie miała zbyt uszczęśliwionej miny.

– Sama nie wiem, czy nie zrobię nam obojgu krzywdy, jeśli zgodzę się zostać twoją żoną. Nie jestem też przekonana, czy powinnam mówić Jackowi o dziecku. Tak bym chciała wiedzieć, co robić! Kiedyś byłam taka pewna swoich wyborów... Wydawało mi się, że jestem taka mądra i praktyczna. Teraz wiem, że wcale nie mam dobrego charakteru i...

Charles przerwał jej z uśmiechem.

– A co ty osobiście najbardziej chciałabyś zrobić? Wybór jest prosty. Możesz wyjechać za granicę, żyć wśród obcych i wychowywać dziecko bez ojca. Możesz też zostać w Anglii, poślubić mężczyznę, który cię szanuje i któremu na tobie zależy.

Amanda spoglądała na niego niepewnie. Przy takim ujęciu sprawy wybór wydawał się prosty. Poczuła, że ogarnia ją dziwna mieszanina ulgi i rezygnacji. Łzy zapiekły ją pod powiekami. Charles Hartley okazał się uosobieniem spokoju i siły, a jego wyczucie tego, co słuszne, wydawało się niezawodne.

– Nie wiedziałam, że masz taką siłę przekonywania – wyznała, pociągając nosem.

Twarz Hartleya natychmiast się rozpogodziła.

W ciągu czterech miesięcy, które minęły, odkąd Jack zaczął regularnie wydawać odcinki tej książki, *Historia damy* stała się przebojem. Kiedy ukazywały się miesięczniki i kolejne

wydania powieści w odcinkach, księgarze chcieli tylko jednego – kolejnej części dzieła Amandy.

Popyt przerósł najbardziej optymistyczne oczekiwania Jacka. Do tego sukcesu przyczynił się doskonały styl pisarstwa Amandy, intrygująco niejednoznaczna postać głównej bohaterki i fakt, że Jack bardzo dużo funduszy przeznaczał na reklamę publikacji. Zamieszczał nawet ogłoszenia w najważniejszych londyńskich gazetach.

Sprzedawano też przedmioty związane z powieścią: wspomnianą w niej wodę kolońską, rękawiczki w kolorze rubinu, podobne do tych, jakie nosiła bohaterka, cienkie szale, które można było nosić na szyi lub zawiązane wokół główki kapelusza. Najczęściej granym utworem na każdym modnym balu był walc zatytułowany *Historia damy*, skomponowany przez wielbiciela powieści Amandy.

Jack powtarzał sobie, że powinien być zadowolony. W końcu oboje zarabiali krocie na tej powieści i wszystko wskazywało na to, że jeszcze długo tak będzie. Nie było wątpliwości, że kiedy wyda ją w eleganckich trzech tomach, trzeba będzie robić dodruki. W dodatku Amanda wydawała się chętna do napisania dla jego wydawnictwa nowej powieści, przeznaczonej do wydania w odcinkach.

Ostatnio jednak nie cieszyło go nic, z czego dawniej czerpał przyjemność. Pieniądze już go nie podniecały. Nie potrzebował ich więcej – miał już tyle, że i tak do końca życia nie zdąży ich wydać. Jako największy londyński wydawca i księgarz miał taki wpływ na dystrybucję książek innych wydawców, że mógł narzucać im ceny i nakłady. Nie wahał się korzystać ze swoich wpływów, dzięki czemu stał się jeszcze bogatszy, choć może niezbyt lubiany.

Wiedział, że nazywano go gigantem świata wydawniczego, a na to miano zawsze chciał zapracować. Teraz praca już go tak nie wciągała. Nawet duchy z przeszłości przestały go prześladować. Dni mijały jakby spowite w ponurej, szarej

mgle. Nigdy jeszcze nie był w takim stanie. Nie czuł żadnych emocji, a nawet bólu. Bardzo chciał, żeby ktoś mu powiedział, jak się wyrwać z wszechogarniającego przygnębienia.

– Jesteś po prostu zblazowany, mój chłopcze – poinformował go ironicznie pewien zaprzyjaźniony arystokrata. – I bardzo dobrze. Taki stan jest teraz bardzo modny. Każdy, kto coś w towarzystwie znaczy, jest dzisiaj zblazowany. Jeśli chcesz poprawić sobie nastrój, idź do klubu, napij się czegoś, zagraj w karty, weź sobie kochankę. Albo wyjedź na kontynent, żeby zmienić otoczenie.

Jack wiedział, że żadna z tych propozycji mu nie pomoże. Przesiadywał więc nadal w biurze i pracowicie negocjował nowe umowy albo wpatrywał się niewidzącym wzrokiem w góry dokumentów, takie same, jakie spoczywały na jego biurku miesiąc i rok wcześniej. I cały czas czekał na jakieś wiadomości o Amandzie Briars.

Fretwell, niczym wierny pies myśliwski, przynosił mu interesujące go informacje, ilekroć udawało mu się na nie natrafić: widziano Amandę w operze, w towarzystwie Charlesa Hartleya; siedziała w herbaciarni i wyglądała bardzo ładnie. Jack bez końca analizował każdą informację, przeklinając się w duchu za to, że tak bardzo obchodzą go szczegóły z jej życia, ale Amanda była jedyną osobą, zdolną przyśpieszyć bicie jego serca. On, który zawsze był znany z ogromnego apetytu na życie, teraz interesował się jedynie tym, co robi stateczna stara panna.

Pewnego ranka uznał, że nie potrafi zmusić się dziś do siedzenia za biurkiem, i doszedł do wniosku, że wysiłek fizyczny dobrze mu zrobi. Nie był w stanie zabrać się do papierkowej roboty, a wiedział, że w firmie są inne pilne prace do zrobienia. Zostawił więc stos rękopisów i umów i zajął się przenoszeniem skrzyń ze świeżo oprawionymi książkami do czekających na ulicy wozów, które miały je zawieźć na przycumowany u wybrzeża statek.

Zdjął surdut i w samej koszuli zarzucał sobie na ramię ciężkie skrzynie, po czym znosił jej po schodach na parter budynku. Chociaż chłopcy z magazynu trochę się zdenerwowali na widok prezesa, wykonującego tak przyziemną czynność, praca była tak ciężka, że wkrótce przestali zwracać na niego uwagę.

Kiedy Jack pięć razy zszedł z piątego piętra na parter, za każdym razem obciążony ciężka skrzynią, odnalazł go Oscar Fretwell.

– Panie prezesie – zwrócił się do niego, wyraźnie zaniepokojony. – Panie prezesie, chciałem... – Umilkł na widok Jacka ładującego skrzynię na wóz. – Przepraszam, ale co pan robi? Nie ma potrzeby, żeby osobiście znosił pan skrzynie. Zatrudniamy tylu pracowników, że sami dadzą sobie radę...

– Zmęczyło mnie siedzenie za tym cholernym biurkiem – warknął Jack. – Chciałem rozprostować nogi.

– Spacer w parku przyniósłby ten sam skutek – zauważył Fretwell. – Człowiek na pańskim stanowisku nie musi wykonywać pracy magazyniera.

Jack uśmiechnął się i otarł wigotne czoło rękawem koszuli. Dobrze było tak się spocić, wysilić mięśnie, robić coś, co nie wymagało myślenia, tylko fizycznego wysiłku.

– Oszczędź mi kazania. W biurze nie było dziś ze mnie żadnego pożytku. Wolałem robić coś bardziej użytecznego, niż spacerować po parku. A teraz mów, o co ci chodzi. Mam jeszcze dużo skrzyń do załadowania.

– Jest pewna sprawa – zaczął z wahaniem Fretwell. – Ma pan gościa. Panna Briars czeka w pana gabinecie. Jeśli pan sobie życzy, powiem jej, że pana nie znalazłem... – Zamilkł, ponieważ Jack już rzucił się w stronę schodów, nie czekając na koniec zdania.

Amanda sama do niego przyszła, choć przez tak długi czas go unikała. Czuł dziwny ucisk w piersi, przez co serce biło z większym wysiłkiem. Powstrzymał się przed przeskakiwa-

niem po dwa stopnie i wszedł pięć pięter pod górę miarowym, spokojnym krokiem. Mimo to, kiedy dotarł do celu, oddychał o wiele szybciej niż zwykle i wiedział, że nie ma to nic wspólnego z wysiłkiem fizycznym. Tak bardzo chciał się znaleźć w tym samym pokoju co Amanda Briars, że dyszał jak zadurzony uczniak. Rozważył, czy powinien zmienić koszulę, umyć twarz i włożyć surdut, ale doszedł do wniosku, że to niepotrzebne. Nie chciał kazać jej zbyt długo czekać.

Starając się zachować beznamiętny wyraz twarzy, wszedł do gabinetu, zostawiając lekko uchylone drzwi. Natychmiast wbił wzrok w Amandę, która stała przy biurku, trzymając w ręku zapakowaną w papier paczkę. Kiedy go zobaczyła, jej twarz na sekundę się zmieniła... Dostrzegł na niej zdenerwowanie i radość, zaraz jednak uczucia te zamaskował szeroki, sztuczny uśmiech.

– Witam – powiedziała, podchodząc do niego energicznie. – Przyniosłam panu poprawiony ostatni odcinek *Historii damy...* i propozycję następnej powieści, jeśli wydawnictwo jest nią zainteresowane.

– Oczywiście, że jestem tym zainteresowany – odrzekł nienaturalnie niskim głosem. – Witaj, Amando. Świetnie wyglądasz.

Ta zdawkowa uwaga nawet w części nie oddawała uczucia, jakiego doznał na jej widok. Amanda wyglądała świeżo i dystyngowanie. Miała na sobie niebiesko-białą suknię z nieskazitelnie białą kokardą pod szyją. Gors sukni zdobił rząd perłowych guziczków. Wydawało mu się, że wyczuwa bijący od niej zapach cytryn i lekką woń perfum. Natychmiast poczuł, że budzą się w nim wszystkie zmysły.

Miał ochotę przycisnąć ją do swojej rozgrzanej, spoconej piersi, całować ją łapczywie, zatopić dłonie w jej starannie ułożonej fryzurze, rozerwać zapięcie sukni i obnażyć pełne piersi. Ogarnął go obezwładniający głód, jakby nic nie jadł od wielu dni, i dopiero teraz zdał sobie z tego sprawę. Od tygodni

nie przeżywał tak gwałtownych emocji, więc teraz aż zakręciło mu się w głowie.

– U mnie wszystko w porządku – powiedziała i wymuszony uśmiech zniknął nagle z jej twarzy. Przyjrzała mu się błyszczącymi oczami. – Masz jakąś smugę na policzku – wyszeptała. Wyjęła z rękawa czystą, wyprasowaną chusteczkę i sięgnęła do jego twarzy. Zawahała się nieznacznie, a potem dotknęła nią jego policzka. Jack stał bez ruchu, wszystkie mięśnie mimowolnie mu się napięły i miał wrażenie, że jego ciało zmieniło się w marmur. Amanda wytarła plamę z policzka i drugim końcem chusteczki osuszyła pot na jego czole. – Co ty robiłeś? – spytała zaciekawiona.

– Pracowałem – bąknął. Całą siłą woli powstrzymywał się, żeby się na nią nie rzucić.

Uśmiechnęła się lekko.

– Jak zwykle nie potrafisz żyć w normalnym tempie.

Ta uwaga wcale nie zabrzmiała pochlebnie. Prawie dało się w niej słyszeć ubolewanie, jakby Amanda wreszcie zrozumiała coś, co Jackowi umykało. Skrzywił się lekko, wziął od niej pakunek i położył na biurku, celowo przysuwając się do niej tak blisko, że musiała się cofnąć o krok, żeby się z nim nie zderzyć. Z przyjemnością zauważył, że się zarumieniła i trochę zmieszała.

– Czy wolno zapytać, dlaczego postanowiłaś przynieść mi to osobiście? – zapytał, mając na myśli poprawiony tekst kolejnego odcinka.

– Przepraszam, jeśli wolałeś, żeby...

– Nie o to chodzi – przerwał jej szorstko. – Byłem tylko ciekaw, czy chciałaś się ze mną widzieć z jakiegoś szczególnego powodu.

– W zasadzie jest taki powód. – Chrząknęła nerwowo. – Dziś wieczorem wybieram się na bal, wydawany przez mojego adwokata, pana Talbota. Na pewno również otrzymałeś zaproszenie. Pan Talbot dał mi do zrozumienia, że jesteś na liście gości.

Jack wzruszył ramionami.

– Pewnie jest gdzieś to zaproszenie. Wątpię, czy się tam wybiorę.

Ta wiadomość wyraźnie ją uspokoiła.

– Rozumiem. W takim razie lepiej będzie, jeśli sama przekażę ci pewną nowinę. Ponieważ kiedyś... mając na względzie, że ty i ja... Nie chcę, żebyś był zaskoczony wiadomością...

– Jaką wiadomością, Amando?

Policzki Amandy pokryły się szkarłatem.

– Dzisiaj wieczorem na przyjęciu u pana Talbota pan Hartley i ja ogłosimy swoje zaręczyny.

Spodziewał się, że prędzej czy później to usłyszy, ale mimo to zadziwiła go własna reakcja. Przeszył go nagły ból, a gdzieś na samym dnie serca obudził się wielki gniew. Racjonalnie myśląca część jego umysłu mówiła mu, że nie ma prawa wpadać we wściekłość, ale nic nie mógł na to poradzić. Jego gniew był skierowany na Amandę i Hartleya, ale przede wszystkim na siebie samego. Starał się panować nad wyrazem twarzy i wytężył całą siłę woli, żeby stać bez ruchu, choć miał ochotę chwycić Amandę za ramiona i mocno nią potrząsnąć.

– To dobry człowiek – powiedziała, jakby się chciała usprawiedliwić. – I wiele nas łączy. Jestem pewna, że będę z nim szczęśliwa.

– Nie wątpię w to – burknął.

Wyprostowała się, wyraźnie odzyskując panowanie nad sobą, jakby wkładała niewidzialną zbroję.

– I mam nadzieję, że my nadal będziemy przyjaciółmi.

Jack dokładnie wiedział, o co jej chodzi. Mają zachować pozory luźnej przyjaźni, od czasu do czasu wspólnie pracować i odnosić się do siebie chłodno i bezosobowo. Jakby nie odebrał jej niewinności, jakby nigdy nie dotykał jej w intymny sposób, nie całował, nie zaznał słodyczy jej ciała.

Krótko skinął głową.

– Powiedziałaś Hartleyowi o naszym romansie? – To pytanie wyrwało mu się mimowolnie.

Ku swojemu zaskoczeniu zobaczył, że Amanda potaknęła.

– Pan Hartley wie o wszystkim – powiedziała cicho, z lekkim uśmiechem. – To bardzo wielkoduszny człowiek i prawdziwy dżentelmen.

Jack poczuł, że zalewa go gorycz. Czy on przyjąłby taką wiadomość jak dżentelmen? Wątpił w to. Charles Hartley rzeczywiście był o wiele lepszym człowiekiem niż on.

– Dobrze – odrzekł opryskliwie. Miał ochotę trochę ją zirytować. – Nie chciałbym, żeby pan Hartley utrudniał nam zawodową współpracę. Przewiduję, że zarobię na tobie i twoich powieściach górę pieniędzy.

Zacisnęła usta.

– Tak. Najważniejsze, żeby nic nie przeszkodziło ci w pomnażaniu majątku. Żegnam. Mam dziś wiele spraw do załatwienia. Muszę rozpocząć przygotowania do ślubu. – Odwróciła się i ruszyła do drzwi, a białe pióra na niebieskim kapelusiku poruszały się przy każdym jej kroku.

Jack powstrzymał się przed sarkastycznym pytaniem, czy i on będzie zaproszony na tę wspaniałą uroczystość. Patrzył za nią z kamienną twarzą i nie zaproponował, że ją odprowadzi, choć tak nakazywały dobre maniery.

Amanda zatrzymała się na progu i popatrzyła na niego. Wyglądało to tak, jakby chciała mu coś jeszcze powiedzieć.

– Jack... – Była wyraźnie zdenerwowana i szukała w myślach odpowiednich słów. Przez chwilę patrzyli sobie w oczy; jej były szare i zatroskane, jego niebieskie i zimne jak lód.

Nagle Amanda z rezygnacją potrząsnęła głową i wyszła z gabinetu.

Czując ogień w głowie, sercu i lędźwiach, Jack ciężko usiadł za biurkiem. Poszukał w szufladzie szklaneczki i napełnił ją whisky z kryształowej karafki, którą zawsze miał pod ręką.

Słodkawo dymny smak wypełnił mu usta, a przełykany trunek

lekko sparzył gardło. Opróżnił szklaneczkę i ponownie ją napełnił. Może Fretwell ma rację, pomyślał kwaśno. Człowiek na jego stanowisku ma lepsze zajęcia niż noszenie skrzyń z książkami. Postanowił, że na dzisiaj zakończy pracę. Będzie tu siedział i pił, aż zdusi w sobie wszelkie uczucia i myśli, a przede wszystkim utopi w morzu alkoholu powracający wciąż obraz nagiej Amandy w łóżku z dobrze wychowanym Charlesem Hartleyem.

– Panie prezesie... – Oscar Fretwell stanął w drzwiach. Minę miał zaniepokojoną. – Nie chciałbym przeszkadzać, ale...

– Jestem zajęty – warknął Jack.

– Oczywiście. Ale ma pan następnego gościa. To pan Francis Tode. Zdaje się, że jest prawnikiem nadzorującym wykonanie dyspozycji dotyczących majątku pana ojca.

Jack patrzył na niego bez mrugnięcia okiem. Nadzorujący wykonanie dyspozycji dotyczących majątku ojca. Konieczność zatrudnienia w tym celu prawnika mogła zaistnieć tylko w przypadku...

– Poproś go – powiedział głucho, zanim zdążył do końca się nad tym zastanowić.

Pan Tode, zgodnie z brzmieniem swojego nazwiska, rzeczywiście przypominał ropuchę. Był nieduży, łysy, miał szeroką szczękę i wilgotne, czarne oczy, nieproporcjonalnie duże w stosunku do twarzy. Jednak patrzył bystro i zabrał się do załatwiania sprawy rzeczowo i z powagą, co natychmiast spodobało się Jackowi.

– Panie Devlin – powitał go, wyciągając dłoń do uścisku. – Dziękuję, że zgodził się pan mnie przyjąć. Żałuję, że nie spotykamy się w milszych okolicznościach. Mam panu do przekazania bardzo smutną wiadomość.

– Hrabia nie żyje – powiedział Jack. Tylko taki mógł być powód wizyty Tode'a.

Gość skinął głową; jego ciemne oczy przybrały wyraz uprzejmego współczucia.

– Tak, pański ojciec wczoraj wieczorem odszedł we śnie. – Zerknął na stojącą na biurku karafkę whisky. – Widzę, że już pan o tym słyszał.

Jack roześmiał się krótko. Prawnik najwidoczniej zakładał, że alkohol miał złagodzić smutek po śmierci ojca.

– Nie, nic o tym nie wiedziałem.

Przez chwilę panowała niezręczna cisza.

– Dobry Boże, jaki pan jest podobny do ojca – stwierdził Tode. Jak zauroczony wpatrywał się w twarz Jacka. – Nie może być najmniejszej wątpliwości, kto nim jest.

Jack zakołysał złocistym płynem w szklance.

– Niestety, ma pan rację.

Prawnik nie okazał zaskoczenia tym dziwnym komentarzem. Niewątpliwie hrabia zyskał sobie bardzo wielu wrogów podczas swojego długiego, niezbyt chwalebnego życia, a wśród nich musiało być kilkoro gorzko zawiedzionych nieślubnych dzieci.

– Zdaję sobie sprawę z faktu, że hrabia i pan nie byliście... zbyt zaprzyjaźnieni.

Jack uśmiechnął się lekko, słysząc tak powściągliwe stwierdzenie, ale nic nie odpowiedział.

– Niemniej jednak – mówił dalej prawnik – hrabia przed śmiercią uznał za stosowne umieścić pana w swoim testamencie. To, co panu zapisał, nie ma wielkiego znaczenia dla tak zamożnego człowieka... ale było to coś ważnego dla samego hrabiego i jego rodziny. Ojciec zapisał panu małą posiadłość ziemską w Hertfordshire. Dom jest pięknie położony i świetnie utrzymany. Po prostu klejnocik. Zbudował go pański prapradziadek.

– Co za zaszczyt – zauważył Jack.

Tode zignorował sarkazm w jego głosie.

– Pańscy bracia i siostry tak właśnie uważają – odrzekł. – Wielu z nich liczyło, że ten majątek przypadnie właśnie im. Nie muszę dodawać, jak bardzo byli zaskoczeni, kiedy okazało się, że trafił w pańskie ręce.

I bardzo dobrze, pomyślał Jack ze złośliwą satysfakcją. Cieszył się, że zdenerwował kilkoro uprzywilejowanych snobów, którzy zawsze go lekceważyli. Na pewno teraz narzekali i biadali nad faktem, że ulubiona posiadłość, będąca od pokoleń w rękach rodziny, dostała się przyrodniemu bratu z nieprawego łoża.

– Ojciec pański zmienił zapis niedawno – powiadomił go Tode. – Może zaciekawi pana, że z wielkim zainteresowaniem śledził pańską karierę. Zdaje się, że wierzył, iż pod wieloma względami bardzo go pan przypomina.

– I chyba miał rację – przyznał Jack, czując obrzydzenie do samego siebie.

Prawnik przechylił głowę i przez chwilę uważnie mu się przyglądał.

– Hrabia miał bardzo złożony charakter. Miał wszystko, o czym można zamarzyć, a jednak, biedaczysko, po prostu nie umiał być szczęśliwy.

Takie ujęcie sprawy zainteresowało Jacka, na moment odrywając go od gorzkich myśli.

– Czy bycie szczęśliwym wymaga jakiejś szczególnej umiejętności? – zapytał, wpatrując się w szklankę z whisky.

– Zawsze byłem o tym przekonany. Znam pewnego prostego chłopa, który dzierżawi ziemię od pańskiego ojca. Mieszka w prostej chacie z klepiskiem zamiast podłogi, a jednak czerpie z życia więcej radości, niż kiedykolwiek udało się to pańskiemu ojcu. Przekonałem się, że szczęście to jest coś, co człowiek sam wybiera, a nie stan zupełnie niezależny od jego woli.

Jack sceptycznie wzruszył ramionami.

– Sam nie wiem – bąknął.

Siedzieli w milczeniu, aż w końcu Tode odchrząknął i wstał.

– Życzę panu powodzenia, panie Devlin. Teraz pana opuszczę, ale niedługo przyślę dokumenty konieczne do objęcia spadku. – Zamilkł i dopiero po chwili, z wyraźnym zażenowaniem, dodał: – Obawiam się, że nie można tego powiedzieć

dyplomatycznie... Ślubne dzieci hrabiego prosiły, żebym panu przekazał, że nie życzą sobie jakichkolwiek kontaktów z panem. Innym słowy, na pogrzeb...

– Proszę się nie obawiać, nie wybieram się na tę uroczystość – oznajmił Jack z nieprzyjemnym śmiechem. – Może pan zawiadomić moich przyrodnich braci i siostry, że tak jak i oni nie zamierzam szukać z nimi kontaktu.

– Oczywiście, przekażę. Jeśli mógłbym panu być w czymś pomocny, proszę bez wahania dać mi znać.

Po wyjściu prawnika Jack zaczął krążyć po gabinecie. Whisky trochę mąciła mu myśli, choć zwykle miał bardzo mocną głowę. Czuł pustkę, był głodny i zmęczony. Uśmiechnął się ponuro. Co za przeklęty dzień, a jeszcze nawet nie dobiegł południa.

Czuł się dziwnie oderwany od przeszłości i przyszłości, jakby przyglądał się swojemu życiu z boku. Zastanawiał się, z czego w życiu może być zadowolony. Miał pieniądze, dom, ziemię, a teraz odziedziczył rodzinny majątek na wsi, który z urodzenia należał się prawowitym dziedzicom rodu, a nie bękartowi. Powinien być bardzo zadowolony z życia.

Jednak nie dbał o żadną z tych rzeczy. Pragnął tylko jednego – Amandy Briars w swoim łóżku. Tej nocy i każdej innej. Chciał, żeby do niego należała i chciał sam do niej należeć.

Tylko Amanda mogła sprawić, żeby nie skończył tak jak ojciec – jako bezduszny, niegodziwy bogacz. Jeśli nie będzie jej miał... Jeśli przez resztę życia będzie mógł tylko patrzeć, jak Amanda starzeje się u boku Charlesa Hartleya...

Zaklął i zaczął jeszcze szybciej krążyć po gabinecie niczym tygrys w klatce. Amanda dokonała korzystnego dla siebie wyboru. Hartley nigdy nie sprowokuje jej do zachowania, które nie przystoi damie lub jest niezgodne z konwenansami. Zamknie ją w wygodnym domu i wkrótce ta impulsywna kobieta, która kiedyś chciała wynająć sobie w prezencie na urodziny męską prostytutkę, zamieni się w zacną i stateczną matronę.

Jack zatrzymał się przy oknie i oparł dłonie o chłodną szybę. Ponuro stwierdził, że dla Amandy o wiele lepsze będzie małżeństwo z takim człowiekiem jak Hartley. Postanowił za wszelką cenę zdusić w sobie samolubne pragnienia i wziąć pod uwagę przede wszystkim dobro Amandy. Choćby miał umrzeć, nie okaże niezadowolenia z jej ślubu i postara się, żeby nigdy się nie domyśliła, co naprawdę do niej czuje.

Amanda uśmiechnęła się do przyszłego narzeczonego.

– Charles, o której godzinie ogłosisz nasze zaręczyny? – zapytała.

– Talbot dał mi w tej sprawie wolną rękę. Myślę, że powinienem to zrobić tuż przed rozpoczęciem tańców, bo wtedy będziemy mogli pierwszego walca odtańczyć już jako narzeczeni.

– Doskonały pomysł. – Starała się nie zwracać uwagi na dziwny ucisk w żołądku.

Stali razem na jednym z balkonów, przylegających do salonu Thaddeusa Talbota. Bal był bardzo udany. Przybyło ponad stu pięćdziesięciu gości, muzyka była piękna, a jedzenie wyśmienite jak zwykle na przyjęciach u Talbota.

Tego wieczoru Amanda i Charles mieli powiadomić znajomych i przyjaciół o swoich planach małżeńskich. Potem przez trzy tygodnie w kościele będą odczytywane zapowiedzi, a skromny ślub odbędzie się w Windsorze.

Wiadomość o planowanym zamążpójściu Amandy uszczęśliwiła jej starsze siostry, Sophię i Helen. Sophia napisała, że w pełni popiera jej wybór i cieszy się, że Amanda posłuchała jej rady. Pisała też:

Z tego, co słyszałam, pan Hartley to przyzwoity i spokojny dżentelmen. Pochodzi z porządnej rodziny i jest odpowiednio zabezpieczony finansowo. Nie wątpię, że to małżeństwo przy-

niesie Wam obojgu zadowolenie i pożytek. Z radością powitamy pana Hartleya w naszej rodzinie. Droga Siostro, pragnę Ci pogratulować rozsądnego wyboru życiowego partnera...

Rozsądny wybór, pomyślała Amanda z rozbawieniem. Kiedyś nie wyobrażała sobie, że przy wyborze narzeczonego będzie się kierowała rozsądkiem, a jednak tak właśnie się stało.

Hartley rozejrzał się wokół, żeby się upewnić, czy nikt na nich nie patrzy, a potem pocałował ją w czoło. Amanda nadal nie mogła się przyzwyczaić do dotyku jego ust, otoczonych gęstą, szorstką brodą.

– Uczyniłaś mnie szczęśliwym człowiekiem. Doskonale do siebie pasujemy, prawda?

– Owszem, pasujemy. – Roześmiała się z nerwowo.

Ujął jej dłonie i uścisnął.

– Przyniosę ci trochę ponczu. Porozmawiamy jeszcze chwilę w tym zacisznym miejscu. O wiele tu spokojniej niż na tej gwarnej sali. Zaczekasz tu na mnie?

– Oczywiście, najdroższy. – Amanda również uścisnęła jego dłonie i westchnęła. Niepokój zaczął ją powoli opuszczać. – Pośpiesz się, proszę. Stęsknię się za tobą, jeśli zbyt długo nie będziesz wracał.

– Na pewno się pośpieszę – zapewnił z czułym uśmiechem. – Przecież nie jestem głupcem i nie zostawię najpiękniejszej kobiety na balu samej na dłużej niż kilka minut. – Otworzył przeszklone drzwi, prowadzące do salonu. Natychmiast rozległy się dźwięki głośniej muzyki i gwar rozmów, ale po chwili znów ucichły, kiedy Charles zamknął za sobą drzwi.

Jack w ponurej zadumie spoglądał na tłum eleganckich gości, krążących po salonie Thaddeusa Talbota. Miał nadzieję, że gdzieś mignie mu sylwetka Amandy. Orkiestra grała jakąś

skoczną melodię w bałkańskim rytmie, co bardzo ożywiało atmosferę przyjęcia.

Doskonały wieczór na ogłoszenie zaręczyn, pomyślał smętnie Jack. Nigdzie nie widział Amandy, ale przy stole z napojami dostrzegł wysoką postać Charlesa Hartleya.

Każdy nerw jego ciała buntował się na myśl o uprzejmej rozmowie z tym człowiekiem, a jednak uznał to za konieczne. Postanowił, że zaakceptuje tę sytuację jak dżentelmen, choć takie postępowanie było zupełnie obce jego naturze.

Z wysiłkiem przybrał obojętny wyraz twarzy i podszedł do Hartleya, który właśnie polecił lokajowi, żeby mu nalał dwie czarki ponczu.

– Dobry wieczór, Hartley – powiedział.

Hartley odwrócił się do niego. Twarz miał pogodną, a ukryte w schludnie przystrzyżonej brodzie usta uśmiechały się przyjaźnie.

– Zdaje się, że należą ci się gratulacje – dodał Jack.

– Dziękuję – odrzekł ostrożnie Charles. Obaj zgodnie odeszli od bufetu i stanęli w rogu salonu, gdzie nikt nie mógł ich usłyszeć. – Amanda mi mówiła, że odwiedziła cię dziś przed południem. Myślałem, że po otrzymaniu takiej wiadomości zechcesz... – Urwał i spojrzał na Jacka badawczo. – Widzę jednak, że nie masz nic przeciwko naszemu małżeństwu.

– A dlaczego miałbym się sprzeciwiać? To oczywiste, że pragnę, żeby pannie Amandzie Briars ułożyło się jak najlepiej.

– Więc towarzyszące temu związkowi okoliczności wcale cię nie niepokoją?

Sądząc, że Hartley nawiązuje do jego romansu z Amandą, Jack potrząsnął głową.

– Jeśli ty nie zwracasz na to uwagi, to ja tym bardziej nie będę.

Skonsternowany Hartley powiedział cicho:

– Chcę, żebyś coś wiedział, Devlin. Zrobię wszystko, żeby uszczęśliwić Amandę i będę doskonałym ojcem dla jej dziecka. Może rzeczywiście będzie łatwiej, jeśli pozostaniesz z boku...

– Dziecko? – wyszeptał Jack, wbijając wzrok w Hartleya. – O czym ty, do cholery, mówisz?!

Hartley znieruchomiał i w skupieniu wpatrywał się w jakiś odległy punkt na parkiecie. Kiedy podniósł wzrok, w jego oczach widać było przerażenie.

– A więc ty nic nie wiesz, prawda? Amanda zapewniła mnie, że wszystko ci dziś rano powiedziała.

– Co miała mi powiedzieć? Że jest... – Jack urwał gwałtownie. Miał zamęt w głowie. Co też Hartley chciał mu powiedzieć? Nagle zrozumiał. Dziecko. Dziecko!

Dobry Boże...

Ta wiadomość przeszyła go niczym piorun, poruszyła każdą komórkę ciała, każdy nerw.

– Mój Boże... – wyszeptał. – Ona jest w ciąży, tak? Nosi moje dziecko. I wyszłaby za ciebie, nic mi o tym nie mówiąc.

Milczenie Hartleya wystarczyło mu za odpowiedź.

Z początku Jack był zbyt oszołomiony, żeby cokolwiek czuć. Potem wybuchła w nim furia i ciemny rumieniec zalał mu policzki.

– A więc Amanda jednak nie potrafiła się zmusić, żeby z tobą o tym porozmawiać – stwierdził cicho Hartley. Jego głos ledwie docierał do ogłuszonego gniewem Jacka.

– Ale będzie musiała to zrobić – wycedził Jack przez zaciśnięte zęby. – Lepiej będzie, jeśli wstrzymasz się z ogłoszeniem waszych zaręczyn.

– Tak rzeczywiście będzie lepiej – zgodził się Charles.

– Powiedz mi, gdzie ona jest?

– Na balkonie.

Jack ruszył na poszukiwanie Amandy, a w głowie kłębiły mu się niemiłe wspomnienia. Widział zbyt wielu bezradnych małych chłopców, którzy musieli samotnie walczyć o przetrwanie w bezlitosnym świecie. Starał się ich bronić – ślady tej walki do dziś nosił na plecach. Od tamtej pory jednak chciał być odpowiedzialny tylko za siebie. Jego życie należało wyłącz-

nie do niego, kierował nim według własnych zasad. Nie było to trudne, zwłaszcza że nigdy nie chciał założyć rodziny.

Teraz wszystko się zmieniło.

Do szału doprowadzała go świadomość, że Amanda tak bezwzględnie chciała odsunąć go na bok. Doskonale wiedziała, że nie chciał się wiązać na stałe ani założyć rodziny. Może nawet powinien jej być wdzięczny, że chciała zdjąć z jego barków wszelką odpowiedzialność. Jednak wcale nie czuł wdzięczności. Przepełniał go gniew i nieprzeparta, prymitywna chęć pokazania całemu światu, że Amanda należy do niego i tylko do niego.

14

Lekki wietrzyk szeleścił w gałęziach drzew, przynosząc ze sobą zapach świeżo skopanej ziemi i kwitnącej lawendy. Amanda stanęła z boku, tak żeby nikt z wnętrza domu nie mógł jej widzieć. Oparta o ścianę wyczuwała na plecach szorstkość cegieł.

Miała na sobie jasnoniebieską suknię, wyciętą głęboko na plecach, z przodu ozdobioną udrapowanym tiulem. Długie rękawy sukni również uszyto z przezroczystego tiulu. Na rękach miała białe rękawiczki. Błysk nagich ramion pod zwiewnym materiałem sprawiał, że Amanda czuła się jak odważna, światowa kobieta.

Drzwi na balkon otworzyły się i znów zamknęły. Amanda zerknęła w bok, ale oczy przyzwyczaiły się do ciemności, więc światło z salonu ją oślepiło.

– Już wróciłeś, Charles? Widzę, że kolejka do wazy z ponczem nie była zbyt długa.

Cisza.

Zdała sobie sprawę, że stojąca przed nią ciemna postać to nie Charles Hartley. Zbliżał się do niej rosły mężczyzna o szerokich ramionach. Poruszał się tak sprężyście, że mógł to być tylko Jack Devlin.

Świat wokół Amandy zawirował. Zachwiała się nieco, bo

w pantofelkach na obcasach trudno jej było utrzymać równowagę. W ruchach Jacka było coś niepokojącego. Przypominał tygrysa, który zamierza odciąć jej drogę ucieczki i pożreć ją żywcem.

– Po co tu przyszedłeś? – zapytała czujnie. – Ostrzegam cię, że zaraz wróci pan Hartley i...

– Witaj, Amando. – Jego głos brzmiał cicho i groźnie. – Nie masz mi przypadkiem czegoś do powiedzenia?

– Słucham? – Zaskoczona pokręciła głową. – Przecież miało cię tu dzisiaj nie być. Powiedziałeś, że nie wybierasz się na bal. Dlaczego...

– Chciałem wam życzyć wszystkiego najlepszego, tobie i Hartleyowi.

– Och, to miło z twojej strony.

– Hartley też tak uważa. Przed chwilą z nim rozmawiałem.

Przebiegł ją dreszcz niepokoju. Devlin stał tuż przy niej, znacznie górując nad nią wzrostem. Z niewiadomego powodu zaczęła szczękać zębami, jakby jej ciało pierwsze odgadło nieprzyjemną nowinę, której umysł jeszcze nie przyjął do wiadomości.

– O czym rozmawialiście?

– Zgadnij.

Amanda uparcie milczała, drżąc na całym ciele. Nagle Jack chwycił ją za ramiona.

– Stchórzyłaś – warknął.

Była zbyt oszołomiona, żeby zareagować. Stała sztywno, a Jack obejmował ją mocno. Objął dłonią tył jej głowy i nie zważając na to, że niszczy jej fryzurę, zmusił ją do popatrzenia w górę. Krzyknęła cicho i chciała się wyrwać, ale nakrył ustami jej usta w namiętnym pocałunku, łapczywie wchłaniając jej ciepło i smak. Usiłowała go odepchnąć i stłumić budzące się podniecenie, którego nie studził ani wstyd, ani rozsądek.

Tak bardzo stęskniła się za żarem jego ust, że kiedy się od niej oderwał, jęknęła rozczarowana. Zachwiała się i z trudem

odzyskała równowagę. Próbowała się cofnąć, ale za plecami wyczuła zimną ścianę.

– Oszalałeś – wyszeptała. Serce biło jej gwałtownie, wręcz boleśnie.

– Powiedz mi coś, Amando – zaczął szorstko. Przesunął dłońmi po jej ciele, aż zadrżała pod cienką, jedwabną suknią. – Powiedz mi to, co chciałaś mi powiedzieć dziś rano w gabinecie.

– Odejdź. Ktoś może nas tu zobaczyć. Charles zaraz wróci, a on...

– Zgodził się wstrzymać z ogłoszeniem zaręczyn, dopóki nie porozmawiamy.

– O czym?! – zawołała, odpychając jego ręce. Desperacko starała się udawać, że nie wie, o co mu chodzi. – Nie mamy o czym rozmawiać. A już na pewno nie będziemy wracać do flirtu z przeszłości, który teraz nic nie znaczy.

– Dla mnie znaczy. – Władczym gestem położył dłoń na jej brzuchu. – Zwłaszcza że nosisz w sobie dziecko, które jest jego owocem.

Ze strachu i wstydu ugięły się pod nią kolana. Gdyby nie złość Jacka, osunęłaby się na jego pierś w poszukiwaniu fizycznego wsparcia.

– Charles niepotrzebnie ci o tym powiedział. Ja tego nie chciałam.

– Do diabła, mam prawo wiedzieć!

– To nic nie zmienia. Nadal zamierzam wyjść za Charlesa.

– Niedoczekanie twoje – warknął ostro. – Gdybyś podejmowała tę decyzję tylko w swoim imieniu, nie sprzeciwiłbym się ani słowem. Ale teraz wchodzi w grę jeszcze jedna osoba – moje dziecko. Ja też mam coś do powiedzenia w sprawie jego przyszłości.

– Nie – wyszeptała gorączkowo. – Nie teraz, kiedy zrozumiałam, co będzie najlepsze dla mnie i dla dziecka. Nie możesz mi dać tego co Charles. Mój Boże, przecież ty nawet nie lubisz dzieci!

– Nie zostawię własnego dziecka!

– Nie masz wyboru!

– Czyżby? – Chwycił ją lekko, ale stanowczo. – Posłuchaj mnie uważnie – powiedział cicho, tonem, od którego włosy zjeżyły jej się na karku. – Dopóki tego nie załatwimy, nie ma mowy o żadnych zaręczynach. Zaczekam na ciebie przed domem, w swoim powozie. Jeśli nie zjawisz się tam dokładnie za kwadrans, odnajdę cię i siłą wyniosę z przyjęcia. Możemy wyjść dyskretnie albo wywołać scenę, o której ludzie będą jutro plotkować we wszystkich salonach Londynu. Decyzja należy do ciebie.

Nigdy przedtem tak do niej nie mówił – łagodnie, ale jednocześnie ze stalowym błyskiem w oku. Amanda natychmiast uwierzyła w jego groźbę i okropnie się zdenerwowała. Chciała wymyślać mu i krzyczeć, ale nagle stwierdziła, że zbiera się jej na płacz. Poczuła do siebie obrzydzenie. Zachowywała się jak głupiutkie bohaterki romansów, które zawsze wyśmiewała. Usta jej drżały i musiała użyć całej siły woli, żeby powstrzymać się przed wybuchem.

Jack dostrzegł jej słabość i natychmiast złagodniał.

– Nie płacz. Nie masz powodu do płaczu, *mhuirnin* – powiedział cieplejszym tonem.

Jej głos z trudem wydobywał się przez ściśnięte od powstrzymywanego płaczu gardło.

– Gdzie chcesz mnie zabrać?

– Do domu.

– Najpierw muszę porozmawiać z Charlesem.

– Amando, naprawdę myślisz, że on cię przede mną uratuje? – zapytał łagodnie.

Tak, tak, odpowiedziała mu w duchu. Ale kiedy spojrzała w twarz człowieka, który kiedyś był jej kochankiem, a teraz stał się przeciwnikiem, nadzieja w niej zgasła. Jack Devlin miał dwa oblicza; raz był uroczym łobuzem, raz bezwzględnym

manipulatorem. Jeśli zechce postawić na swoim, nie cofnie się przed niczym.

– Nie, wcale tak nie myślę – wyszeptała z goryczą.

Mimo wielkiego napięcia, Jack uśmiechnął się lekko.

– Piętnaście minut – przypomniał jej ostrzegawczo i odszedł, zostawiając ją drżącą w ciemnościach.

Jack był doskonałym negocjatorem, czego dowiódł, zachowując przez całą drogę strategiczne milczenie. Amanda tymczasem kipiała oburzeniem i gniewem. Fiszbiny gorsetu uciskały ją bezlitośnie, tak że ledwie mogła oddychać. Jasnoniebieska suknia, która wcześniej wydawała jej się taka zwiewna i elegancka, teraz stała się ciasna i niewygodna. Szpilki we włosach drapały ją w głowę. Czuła się jak zwierzę schwytanie w potrzask, bezradne i nieszczęśliwe. Kiedy dotarli do celu, była wyczerpana gonitwą myśli.

Marmurowy hol był słabo oświetlony. Tylko jedna lampa rozpraszała mrok otulający ustawione tu marmurowe posągi. Większość służby udała się już na spoczynek, z wyjątkiem kamerdynera i dwóch lokajów. Przez witrażowe okno wpadało światło gwiazd, rzucając na główne schody lawendowe, niebieskie i zielone smugi.

Trzymając jedną rękę na karku Amandy, Jack poprowadził ją na piętro. Weszli do części domu, której jeszcze nie widziała. Znajdował się tu prywatny salonik i przylegająca do niego sypialnia. Dawniej spotykali się zawsze u niej, więc Amanda ciekawie rozejrzała się po nieznanym wnętrzu. Pokój był urządzony typowo po męsku, w ciemnych barwach. Ściany obito wytłaczaną skórą, na podłodze leżały grube dywany w szkarłatno-złote wzory.

Jack szybko zapalił lampę i podszedł do Amandy. Zdjął jej rękawiczki, delikatnie pociągając za koniec każdego palca

z osobna. Kiedy poczuła na nagich dłoniach ciepło jego silnych rąk, zesztywniała.

– To moja wina, nie twoja – powiedział cicho, gładząc jej palce. – To ja w naszym związku byłem doświadczonym partnerem. Powinienem był bardziej uważać, żeby do tego nie dopuścić.

– Owszem, powinieneś.

Przyciągnął ją do siebie, ignorując jej protesty. Jego bliskość sprawiła, że przebiegł ją dreszcz. Delikatnie ją przytulił i zapytał, wtulając twarz w burzę jej upiętych na czubku głowy loków.

– Kochasz Hartleya?

Dobry Boże, jak bardzo chciała w tej chwili umrzeć. Usta jej drgnęły spazmatycznie, kiedy próbowała przytaknąć, ale nie potrafiła wydobyć z siebie żadnego dźwięku. W końcu z rezygnacją opuściła ramiona.

– Nie – wyszeptała ochryple. – Lubię go i szanuję, ale to nie jest miłość.

Westchnął głęboko i pogładził ją po plecach.

– Pragnąłem cię każdego dnia, odkąd się rozstaliśmy. Chciałem poszukać sobie innej kobiety, jednak nie potrafiłem.

– Jeśli prosisz mnie, żebyśmy nadal ciągnęli nasz romans, to odmawiam. Nie mogę. – Na końcach jej rzęs zawisły łzy. – Nie zostanę twoją kochanką, bo nie chcę skazać swojego dziecka na życie w poniżeniu.

Ujął ją za podbródek i zmusił, żeby na niego spojrzała. Na jego twarzy malowała się dziwna mieszanina czułości i zdecydowania.

– Będąc chłopcem, często się zastanawiałem, dlaczego urodziłem się jako bękart, dlaczego nie mam rodziny jak inne dzieci. Musiałem patrzyć, jak matka zmienia kochanków, i wciąż miałem nadzieję, że któryś się z nią ożeni. Do każdego nowego mężczyzny w jej życiu mówiłem „tato”... aż to słowo

przestało dla mnie cokolwiek znaczyć. Amando, moje dziecko nie będzie dorastało bez prawdziwego ojca. Chcę mu dać swoje nazwisko. Chcę się z tobą ożenić.

Kiedy to usłyszała, zakręciło jej się w głowie i musiała się o niego oprzeć, żeby nie stracić równowagi.

– Przecież ty wcale nie chcesz się ze mną ożenić. Robisz to, żeby ulżyć swojemu sumieniu i móc sobie powiedzieć, że postąpiłeś honorowo. Wkrótce ci się znudzę i zanim się spostrzegę, wyląduję w jakimś wiejskim domu, żebyś łatwiej mógł zapomnieć o mnie i o naszym dziecku...

Jack potrząsnął nią lekko, przerywając potok gorzkich, podszytych strachem słów. Był bardzo poważny.

– Nie wierzysz w moje słowa, prawda? Dlaczego tak mało mi ufasz? – Odpowiedź wyczytał w jej oczach i zaklął pod nosem. – Amando... wiesz, że zawsze dotrzymuję obietnic. Przyrzekam ci, że będę dobrym mężem. I dobrym ojcem.

– Nawet nie wiesz, jak być dobrym mężem i ojcem.

– Nauczę się.

– Nie można się nauczyć, jak kochać rodzinę – odparła pogardliwie.

– Przede wszystkim pragnę ciebie. – Pocałował ją tak mocno i natarczywie, że musiała rozchylić usta i odwzajemnić pocałunek. Gładził ją po plecach i przyciskał do siebie tak, jakby chciał, żeby stopiła się z nim w jedną całość. Nawet przez dzielące ich warstwy ubrania czuła, że jest podniecony. – Amando – szeptał, całując ją po twarzy i włosach. – Cały czas cię pragnę... potrzebuję. Ty też mnie potrzebujesz, chociaż jesteś zbyt uparta, żeby się do tego przyznać.

– Potrzebuję solidnego, stałego w uczuciach i wiernego męża – rzekła cicho. – To, co jest między nami, kiedyś się wypali, a wtedy...

– Nigdy – szepnął i znowu pocałował ją w usta tak namiętnie, że przeszedł ją dreszcz. Uniósł ją do góry i położył na szerokim łożu z baldachimem. Oddychał ciężko, starając się

panować nad sobą. Stojąc nad nią, zdjął kamizelkę, jedwabny krawat i rozpiął koszulę.

Amanda nie mogła pozbierać myśli. Ją również z wolna ogarniało pożądanie. Trudno jej było pogodzić się z tym, że Jack tak bezpardonowo zaciągnął ją do swojej sypialni, ale jej ciało domagało się pieszczot po długich tygodniach samotności.

Pochylił się, zsunął z jej nóg balowe pantofelki i ciepłymi dłońmi ogrzał zziębnięte stopy. Potem odnalazł na udach podwiązki.

– Czy robiłaś to z Hartleyem? – zapytał, zsuwając jej jedwabne pończochy.

– Co mianowicie? – zapytała drżąco.

– Nie żartuj na ten temat. – W jego głosie słychać było ostrą nutę zazdrości.

– Nie spędziłam z Charlesem żadnych intymnych chwil – odparła, patrząc, jak Jack gładzi ją po łydce.

Nie widziała jego twarzy, ale wyczuła, że odetchnął z ulgą. Powoli, z czułością, zdjął z niej suknię i bieliznę. Z zachwytem spojrzał na jej jasne, obnażone ciało. Zaczął pieścić ustami jej piersi, aż niemal zapomniała, gdzie się znajduje.

– Zostaniesz moją żoną? – zapytał i jego ciepły oddech owiał różowe sutki. Kiedy milczała, ścisnął jej piersi dłońmi, ponaglając do odpowiedzi. – Zostaniesz?

– Nie – odrzekła, a on niespodziewanie roześmiał się, patrząc na nią błyszczącymi namiętnie oczami.

– Nie wypuszczę cię z łóżka, dopóki nie zmienisz zdania. – Zdjął z siebie resztę ubrania i położył się przy niej. – W końcu zmienisz zdanie. A może wątpisz w moją wytrzymałość?

Czując dotyk jego ciała, zacisnęła zęby, żeby nie krzyczeć, i wygięła się w łuk.

– Jesteś moja – szeptał jej do ucha, wchodząc w nią wolno. – Twoje serce, ciało, umysł, dziecko rosnące w twoim łonie... cała należysz do mnie. – Poruszał się w niej rytmicznie, aż zaczęła cicho jęczeć. – Powiedz , do kogo należysz? – nalegał.

– Do ciebie – szeptała. – Do ciebie...

Poczuła, że dłużej już nie może się bronić. W obezwładniającym skurczu rozkoszy dotarła do szczytu.

Pozostali złączeni jeszcze przez wiele minut. Ich ciała pokrywała słona mgiełka potu.

Jack objął jej głowę rękami i przyciągnął do ust. Całował ją delikatnie, drażniąc jej wargi ciepłymi ustami.

– Moja słodka Amanda...

Skromny, cichy ślub Amandy z Jackiem Devlinem wywołał burzę wśród jej rodziny i przyjaciół. Sophia z całą mocą wyraziła swoją dezaprobatę i przepowiedziała, że ten związek skończy się kiedyś separacją.

– Jest dla mnie oczywiste, że nic was nie łączy – stwierdziła jadowicie. – Może tylko pewne fizyczne zachcianki, o których wstyd nawet wspominać.

Gdyby nie to, że nadal była wstrząśnięta nagłą zmianą w swoim życiu, Amanda odpowiedziałaby siostrze, że łączy ich coś jeszcze. Na razie nie była jednak gotowa zdradzić, że jest w ciąży, więc zachowała dyplomatyczne milczenie.

Najtrudniej było jej rozmówić się z Charlesem Hartleyem. Kiedy mu wszystko wyznała, okazał jej samą dobroć, chociaż chyba wolałaby, żeby ją zwymyślał i zarzucił oskarżeniami. Był taki wielkoduszny, taki rozumiejący, że powiadamiając go o zmianie planów małżeńskich, czuła się po prostu podle.

– Czy tego naprawdę pragniesz, Amando? – To było jedyne pytanie, jakie jej zadał. Odpowiedziała na nie pełnym skruchy skinieniem głowy.

– Charles – wydusiła z trudem. Poczucie winy ściskało ją za gardło. – Tak bezwstydnie cię wykorzystałam...

– Nie, nie mów tak – przerwał jej. Chciał chwycić ją za rękę, ale się powstrzymał. Cofnął się i posłał jej blady uśmiech. – Bardzo się cieszę, że cię poznałem. Teraz pragnę

tylko twojego dobra. A jeśli małżeństwo z Devlinem ma ci dać szczęście, to pogodzę się z twoją decyzją bez słowa skargi.

Kiedy później powtórzyła tę rozmowę Jackowi, ku jej irytacji nie miał nawet śladu wyrzutów sumienia. Wzruszył tylko nonszalancko ramionami i powiedział zdecydowanym tonem:

– Hartley mógł o ciebie walczyć. Nie zdecydował się na to. Dlaczego ty albo ja mamy się czuć temu winni?

– Charles zachował się jak dżentelmen – odparowała. – A w takich sprawach ty najwyraźniej nie masz zbyt wiele doświadczenia.

Jack uśmiechnął się szeroko, posadził ją sobie na kolanach i bezczelnie pogładził ją po biuście.

– Dżentelmeni nie zawsze zdobywają to, czego pragną.

– A łajdakom to się udaje? – zapytała, co tylko go rozśmieszyło.

– Mnie się udało. – Zaczął ją całować z takim zapałem, że wkrótce wszelkie myśli o Charlesie Hartleyu uciekły jej z głowy.

Ku przerażeniu Amandy wieść o jej pośpiesznym ślubie pojawiła się na plotkarskich stronach londyńskich gazet. Zaroiło się w nich od pokrętnych spekulacji. Oczywiści pisma należące do Jacka zachowały umiar, ale inne były bezlitosne. Wiadomość o ślubie właściciela największego w kraju wydawnictwa ze znaną pisarką rozpaliła ciekawość czytelników. Przez dwa tygodnie po ślubie pojawiały się wciąż nowe szczegóły ich związku – wiele z nich było całkowicie wyssanych z palca. Amanda rozumiała, że gazety stale potrzebują nowych sensacyjnych wiadomości i powtarzała sobie, że plotkarze wkrótce przestaną się interesować nią i jej mężem, i znajdą sobie jakiś nowy kontrowersyjny temat. Jednakże jeden artykuł poważnie ją zdenerwował i chociaż wiedziała, że zawiera nieprawdę,

była na tyle wzburzona, że postanowiła porozmawiać o tym z mężem.

– Jack – zagaiła ostrożnie, gdy znajdowali się w swojej małżeńskiej sypialni.

– Mmm? – mruknął niedbale, wkładając ciemnoszarą kamizelkę, starannie dobraną do spodni. Miał doskonale skrojone ubrania, które podkreślały atletyczną budowę ciała, nie ograniczając jednocześnie ruchów. Wziął przygotowany przez pokojowca jedwabny halsztuk i przyjrzał mu się krytycznie.

Amanda pokazała mu czasopismo.

– Widziałeś tę notatkę w kolumnie towarzyskiej „London Report"?

Jack odłożył halsztuk i sięgnął po pismo. Przebiegł wzrokiem zadrukowaną stronę.

– Wiesz, że nie czytuję plotek.

Amanda splotła ramiona na piersiach.

– Ale tu jest coś o tobie i o mnie.

Uśmiechnął się leniwie, nadal wpatrując się w stronę czasopisma.

– Nie czytam plotek, zwłaszcza jeśli dotyczą mnie. Denerwują mnie jak diabli, jeśli są nieprawdziwe, a jeśli prawdziwe, to jeszcze bardziej.

– W takim razie może mnie oświecisz, do której kategorii zaliczysz tę plotkę. Jest prawdziwa czy nie?

Słysząc w głosie żony rosnące napięcie, Jack zerknął na nią i rzucił gazetę na stół.

– Powiedz mi sama, co tam jest napisane – powiedział wesoło, ale gdy zobaczył, jak jest zdenerwowana, natychmiast spoważniał. – Rozluźnij się – poprosił łagodnie i pogładził ją po ramionach. – Cokolwiek jest tam napisane, na pewno nie ma dla nas większego znaczenia.

Amanda nadał stała sztywna i spięta.

– W tej obrzydliwej notatce autor omawia związki starszych kobiet z młodszymi mężczyznami. Pokpiwa, że taki mężczyzna

jak ty postępuje bardzo mądrze, biorąc sobie starszą kobietę, bo może do woli wykorzystywać jej wdzięczność i entuzjazm. Czytając to, można by pomyśleć, że jestem jakąś oszalałą z pożądania starą jedzą, której udało się zawlec do łóżka młodszego kochanka. Powiedz mi natychmiast, czy w tym jest choć ziarno prawdy?!

Bardzo chciała usłyszeć błyskawiczną, przeczącą odpowiedź.

Jack natomiast spojrzał na nią powściągliwie i Amanda ze ściśniętym sercem zdała sobie sprawę, że mąż nie zamierza wyśmiać przedstawionej w gazecie teorii.

– Data moich urodzin nie jest całkowicie pewna – powiedział ostrożnie. – Urodziłem się jako nieślubne dziecko i matka nie zarejestrowała mnie w księgach parafialnych. Spekulowanie na temat dzielącej nas różnicy wieku jest całkowicie bezpodstawne.

Amanda gwałtownie uniosła głowę i spojrzała na niego z niedowierzaniem.

– Kiedy się pierwszy raz spotkaliśmy, powiedziałeś, że masz trzydzieści jeden lat. Mówiłeś prawdę?

Jack z westchnieniem potarł dłonią kark. Najwyraźniej zastanawiał się, jak wybrnąć z tej sytuacji. Ale ona po prostu chciała, żeby powiedział jej prawdę! Chciała się upewnić, czy nie skłamał w tak podstawowej sprawie jak własny wiek. W końcu chyba doszedł do wniosku, że nie wykręci się kłamstwem.

– Nie mówiłem prawdy – przyznał niechętnie. – Ale przypomnij sobie, jak bardzo wtedy przeżywałaś swoje trzydzieste urodziny. Wiedziałem, że jeśli ci powiem, że jestem rok czy dwa od ciebie młodszy, natychmiast wyprosisz mnie za drzwi.

– Rok czy dwa? – powtórzyła podejrzliwie. – Tylko tyle?

Był wyraźnie zdetonowany.

– No, dobrze. Pięć lat.

Amandzie aż dech zaparło z wrażenia.

– Masz zaledwie dwadzieścia pięć lat? – wyszeptała zduszonym głosem.

– A co to za różnica? – zapytał rzeczowo, ale to tylko jeszcze bardziej ją rozjuszyło.

– Ogromna! – krzyknęła. – A poza tym okłamałeś mnie!

– Nie chciałem, żebyś myślała o mnie jak o młodszym mężczyźnie.

– Ale ty jesteś młodszym mężczyzną! – Spojrzała na niego gniewnie. – Pięć lat... Boże! Nie mogę uwierzyć, że wyszłam za mąż za... po prostu za chłopca!

To określenie zaskoczyło go i ubodło. Twarz nagle mu stężała.

– Przestań – nakazał cicho. Cofnęła się przed nim, ale unieruchomił ją mocnym uściskiem. – Nie jestem chłopcem. Wypełniam swoje obowiązki, a wiesz, że mam ich mnóstwo. Nie kłamię, nie uprawiam hazardu, nie oszukuję. Jestem lojalny wobec przyjaciół i bliskich. Czy trzeba spełniać jeszcze jakieś wymagania, żeby zostać mężczyzną?

– Może przydałoby się trochę uczciwości? – spytała uszczypliwie.

– Niepotrzebnie skłamałem – przyznał. – Przysięgam, że już nigdy tego nie zrobię. Proszę, wybacz mi.

– Tego się nie da tak łatwo rozwiązać. – W bezsilnym gniewie otarła oczy, do których napłynęły łzy. – Ja nie chcę być żoną młodszego.

– Cóż, jesteś nią – odrzekł beznamiętnie. – A twój młodszy mężczyzna nie zamierza z ciebie rezygnować.

– Mogłabym się postarać o unieważnienie małżeństwa!

Jack parsknął śmiechem, co jeszcze bardziej ją rozwścieczyło.

– Jeśli to zrobisz, Brzoskwinko, będę zmuszony ogłosić, ile razy i w jaki sposób skonsumowaliśmy nasze małżeństwo. Po czymś takim żaden sędzia w Anglii nie uzna tego związku za nieważny.

– Nie ośmieliłbyś się!

Przyciągnął ją do siebie z uśmiechem.

– Nie – szepnął. – Bo ty mnie nie opuścisz. Wybaczysz mi i zapomnimy o całej sprawie.

Amanda nie chciała dać za wygraną, choć jej złość powoli słabła.

– Wcale nie chcę ci wybaczyć. – Jej głos brzmiał trochę niewyraźnie, ponieważ przytuliła twarz do ramienia męża. Nie szarpała się już, tylko z rezygnacją pociągała nosem.

Długo trzymał ją w objęciach, szepcząc słowa przeprosin. W końcu rozluźniła się i doszła do wniosku, że w tej sprawie nic już nie poradzi. Była związana z młodszym mężczyzną wobec prawa i pod każdym innym względem.

Nagle wyczuła, że jej bliskość podnieciła Jacka.

– Jeśli myślisz, że po tym wszystkim pójdę z tobą do łóżka, to chyba oszalałeś – stwierdziła kąśliwie.

Ocierał się o nią całym ciałem.

– Tak, oszalałem. Na twoim punkcie. Uwielbiam cię i stale cię pożądam. Kocham twoje docinki, wielkie szare oczy i pulchne ciało. A teraz chodźmy do łóżka, to ci pokażę, na co stać młodszego mężczyznę.

Nie spodziewała się, że usłyszy z jego ust słowo „kocham". Wciągnęła głęboko powietrze, czując, że Jack zaczyna zsuwać z jej ramion cienki szlafroczek.

– Później – szepnęła, ale to go nie zraziło.

– Musi być teraz – upierał się, trochę rozbawiony. – Przecież nie mogę cały dzień chodzić w takim stanie. – Gdy do niej przywarł, wyczuła jego pobudzoną męskość.

– Zdaje się, że to u ciebie stan stały – odcięła zaczepnie.

– Tak, i tylko ty potrafisz dać mi chwilowo ulgę – szepnął.

Wreszcie udało mu się uporać ze wstążkami szlafroka i cienki muślin opadł na ziemię.

– Spóźnisz się do pracy – ostrzegła Amanda.

– Ale za to pomogę ci w twojej pracy. Dostarczę ci materiału do następnej książki.

Roześmiała się rozbawiona.

– Nigdy nie opisałabym takiej wulgarnej sceny w żadnej swoje powieści.

– *Grzechy pani D.* – z zastanowieniem powiedział Jack, niosąc ją do łóżka. – To byłaby niezła konkurencja dla dziełka Gemmy Bradshaw.

– Czy jeszcze w jakiejś sprawie mnie okłamałeś? – zapytała, obejmując go.

Spojrzał jej prosto w oczy.

– Nie – zapewnił bez wahania. – Tylko w tej niewiele znaczącej kwestii wieku.

– Pięć lat – jęknęła, znów sobie wszystko przypomniawszy. – Boże. Każde urodziny będą mi o tym przypominać. Jak ja to zniosę?

– Postaram się jakoś ci ulżyć, kochanie.

Amanda chciała się jeszcze poskarżyć, ale pokrył jej usta pocałunkami i więcej już nic nie mogła powiedzieć.

Kiedy po pewnym czasie leżeli spleceni ramionami, nasyceni i zaspokojeni, z głowy Amandy wywietrzały wszelkie problemy. Oparła rękę na wilgotnej od potu piersi męża.

– Teraz możesz już iść do pracy – oznajmiła.

Chociaż Jack Devlin nie był dogłębnie wykształconym intelektualistą, jego mądrość i instynkt często Amandę zadziwiały. Ogrom obowiązków, związanych z prowadzeniem firmy, przygniótłby niejednego człowieka, on tymczasem ze wszystkim dawał sobie radę, niezmiennie spokojny i kompetentny. Miał wszechstronne zainteresowania i potrafił zarazić nimi Amandę, otwierając jej umysł na nowe idee, o których przedtem nie miała pojęcia.

Ku zaskoczeniu Amandy Jack omawiał z nią sprawy firmy, jakby była partnerem w interesach, a nie tylko żoną. Żaden mężczyzna nie okazał jej tyle szacunku, jednocześnie dogadząjąc na wszelkie sposoby. Zachęcał ją do swobodnego wyrażania opinii, przeciwstawiał się jej, kiedy się z nią nie zgadzał, ale też nie wahał się przyznać do błędów. Starał się ją ośmielić, namawiał do coraz to nowych przedsięwzięć. Wszędzie ją ze sobą zabierał – na zawody sportowe, do restauracji, na wystawy, nawet na spotkania służbowe, na których jej obecność przyjmowano z wielkim zdziwieniem. Chociaż Jack musiał zdawać sobie sprawę, że takie postępowanie budzi powszechne zdziwienie, nic sobie z tego nie robił.

Większość poranków Amanda poświęcała na pisanie. Pracowała w przestronnym pokoju, który został przystosowany do jej potrzeb. Ściany pomalowano w nim na spokojny, zielony kolor, a zamiast ciężkich, tradycyjnych mebli stało tu lekkie, kobiece biurko, fotel i kanapa. Jack stale wzbogacał jej kolekcję obsadek. Niektóre z nich były wysadzane drogimi kamieniami i misternie grawerowane. Trzymała je na biurku, zamknięte w szkatułce ze skóry i kości słoniowej.

Wieczorami często wydawali przyjęcia i zawsze zjawiały się na nich tłumy gości, chętnych do ubiegania się o względy gospodarza. Odwiedzali ich politycy, artyści, kupcy, a nawet arystokraci. Amandę stale zaskakiwało, jak wielkie wpływy posiada jej mąż. Ludzie traktowali go przyjaźnie, choć ostrożnie, wiedząc, że potrafi jedną decyzją wpłynąć na opinię publiczną. Wszędzie też ich zapraszano, na bale, przyjęcia na wodzie i niewyszukane pikniki. Rzadko byli widywani osobno.

Dla Amandy stało się jasne, że mimo pozornej zgodności charakterów między Charlesem i nią Hartley nigdy nie byłby w stanie tak przeniknąć jej duszy, jak zrobił to Jack. Rozumiał ją tak dobrze, że czasem aż ją to przerażało. Sam był nieprzewidywalny – czasami traktował ją jak w pełni dorosłą kobietę, a czasami brał na kolana jak małą dziewczynkę i rozśmieszał, dopóki nie wybuchnęła nieopanowanym śmiechem. Pewnego wieczoru kazał przygotować w ich sypialni

wannę z gorącą wodą, a kolację przysłać na górę. Zwolnił służbę na cały wieczór i sam wykąpał żonę, nie szczędząc przy tym delikatnych pieszczot. Potem uczesał jej długie włosy i nakarmił ją przyniesionymi na tacy smakołykami.

Ich pożycie intymne było tak namiętne i pozbawione wszelkich zahamowań, że czasami Amanda wstydziła się z rana spojrzeć Jackowi w oczy. Nie pozwalał jej niczego przed sobą ukryć, fizycznie i emocjonalnie. Brał, dawał i żądał, aż czasami jej się wydawało, że nie należy już do siebie, tylko do niego. Nauczył ją rzeczy, o jakich dama nie powinna mieć nawet mglistego pojęcia. Był właśnie takim mężem, jakiego potrzebowała: człowiekiem, który wyrwał ją z samozadowolenia, pozbawił zahamowań i zachęcił do zabawy, dzięki czemu zrzuciła z siebie brzemię goryczy, które zebrała w młodości, kiedy ponad miarę obciążono ją obowiązkami.

Po ukazaniu się ostatniego odcinka *Historii damy* pozycja Amandy jako najlepszej pisarki kobiecej ugruntowała się ostatecznie. Jack już poczynił plany wydania tej powieści w formacie trzytomowym, w drogiej wersji oprawnej w skórę, i w tańszej, w płótnie.

Przewidywany popyt na tę powieść był tak wielki, że Jack spodziewał się ze sprzedaży rekordowych wpływów. Dla uczczenia tego sukcesu kupił Amandzie naszyjnik z opali i brylantów z takimi samymi kolczykami. Zaprojektowano go dla Katarzyny Wielkiej, imperatorowej Rosji. Nazwano go „Księżyc i gwiazdy", ponieważ składał się z ognistych opali, które niczym księżyc otaczały roje brylantowych gwiazdek. Klejnot ten był tak cudowny, że na jego widok Amanda ze śmiechem zaprotestowała:

– Nie mogę założyć czegoś tak wspaniałego. – Siedziała na łóżku, okryta tylko prześcieradłem.

Jack zbliżył się do niej z naszyjnikiem, który skrzył się w porannym słońcu.

– Ależ możesz – oznajmił z przekonaniem. Usiadł za nią i odsunął pukle jej rudych włosów na jedno ramię. Po chwili poczuła na szyi zimny dotyk drogich kamieni. Pocałował ją w ramię i podał jej lusterko. – Podoba ci się? – zapytał cicho. – Jeśli nie, to wymienimy go na jakiś inny wzór.

– To wspaniały naszyjnik, ale zupełnie nieodpowiedni dla takiej kobiety jak ja.

– Dlaczego?

– Ponieważ doskonale zdaję sobie sprawę, jak wyglądam. Równie dobrze można by gołębia ubrać w pawie pióra! – Uniosła ręce, żeby rozpiąć naszyjnik. – Jesteś bardzo hojny, ale...

– Zdaje sobie sprawę, jak wygląda – powtórzył z ironicznym prychnięciem. Chwycił ją za ręce i lekko pchnął na łóżko. Rozpalonym wzrokiem spoglądał na jej ciało, na którym kładły się miniaturowe tęcze, rozsiewane przez opale. – Dlaczego nie możesz zobaczyć siebie takiej, jak ja cię widzę?

– Przestań – zaprotestowała, próbując wysunąć się spod niego. – Nie żartuj.

– Jesteś piękna – przekonywał ją. – I nie opuścisz tego łóżka, dopóki się ze mną nie zgodzisz.

– Jack – jęknęła, niecierpliwie wznosząc oczy do góry.

– Powtarzaj za mną: „Jestem piękna".

Przez chwilę się szamotali, aż Jack unieruchomił jej dłonie nad głową.

– Jestem piękna – powiedziała w końcu Amanda tonem, którego mogłaby użyć, gdyby chciała uspokoić rozjuszonego szaleńca. – Czy teraz możesz mnie puścić?

Uśmiechnął się łobuzersko.

– Nie tak prędko, moja droga. – Pochylił głowę, zbliżył usta do jej ust i wyszeptał. – Powiedz to jeszcze raz.

Szarpnęła się, ale nie wypuszczał jej z uścisku. Nie dawał za wygraną i pieścił ją coraz śmielej, aż poczuła, że musi mu ustąpić.

– Powiedz to... – prosił.

Uległa mu z jękiem.

– Jestem piękna – wyszeptała w ekstazie. – Och, Jack...

– Tak piękna, że mogę nosić naszyjnik imperatorowej.

– Tak, tak. Och...

Kiedy w końcu oboje byli w stanie złapać oddech, Jack uśmiechnął się i spojrzał znacząco na Amandę.

– To cię nauczy, że nie powinnaś odrzucać moich prezentów.

– Tak jest – odrzekła, udając skruchę, a on wymierzył jej żartobliwie klapsa w pośladek.

W miarę zaznajamiania się z działalnością wydawnictwa męża Amanda coraz bardziej zaczęła się interesować podupadającym kwartalnikiem „Coventry Quarterly Review", który Jack nieco zaniedbywał. Ukazywały się w nim eseje krytyczne i omówienia najnowszych postępów w literaturze i historii. Stało się dla niej jasne, że czasopismo by odżyło, gdyby ktoś odświeżył jego profil i zadbał o wyższy poziom drukowanych materiałów.

Z głową pełną pomysłów Amanda zasiadła do pisania notki, w której zawarła swoje sugestie na temat poruszanych tematów, współpracowników, książek do omówienia i ogólnego kierunku rozwoju czasopisma. Proponowała, by je przekształcić w postępowy periodyk, wspierający reformy i zmiany społeczne. Miał jednak również wspierać tradycję i istniejące struktury, starając się raczej je ulepszać niż niszczyć, żeby przetrwało to, co najlepsze.

– Bardzo dobry plan – stwierdził Jack po przeczytaniu jej notki. Utkwił wzrok gdzieś w przestrzeni i widać było, że w jego głowie rodzą się jakieś plany. – Świetny plan.

Siedzieli na tarasie przed domem. Jack usadowił się w fotelu, Amanda natomiast półleżała na niewielkiej kanapie, popijając herbatę z filiżanki. Orzeźwiający wietrzyk owiewał ich twarze.

Jack spojrzał na żonę, najwyraźniej podjąwszy w duchu jakąś decyzję.

– Wyznaczyłaś doskonały kurs rozwoju dla „Review". Teraz potrzebuję tylko redaktora naczelnego, który by umiał i chciał się tym zająć.

– Może pan Fretwell? – zasugerowała.

Potrząsnął głową.

– Nie, Fretwell jest zbyt zajęty i nie sądzę, żeby go to zainteresowało. To trochę zbyt intelektualne zajęcie.

– Cóż, musisz kogoś znaleźć. – Amanda spoglądała na niego znad krawędzi filiżanki. – Nie możesz pozwolić, żeby pismo zmarniało do końca.

– Już kogoś znalazłem. Ciebie. Jeśli tylko zechcesz się do tego zabrać.

Roześmiała się smutno, przekonana, że Jack się z nią drażni.

– Przecież wiesz, że to niemożliwe.

– Dlaczego?

Z roztargnieniem pociągała kosmyk włosów, spadający na czoło.

– Nikt nie będzie czytał takiego pisma, jeśli będzie wiadome, że kieruje nim kobieta. Żaden szanowany pisarz nie chciałby do niego pisać. Och, gdyby to był magazyn poświęcony modzie lub lekki tygodnik dla pań... ale coś takiego jak „Review"... – Sceptycznie pokręciła głową.

Jack miał taką minę, jaką przybierał zawsze, kiedy spotkał na swojej drodze jakieś wyzwanie.

– A może poprosimy Fretwella, żeby posłużył nam za figuranta i firmował pismo swoim nazwiskiem? – zaproponował. – Ciebie nazwiemy asystentką redaktora naczelnego, a w rzeczywistości właśnie ty będziesz podejmowała wszystkie decyzje.

– Wcześniej czy później prawda wyjdzie na jaw.

– To prawda, ale przedtem pismo się odrodzi i będzie najlepszym dowodem, że wykonałaś świetną robotę. Nikt się

nie ośmieli choćby zasugerować, żeby ktoś cię zastąpił. – Wstał i zaczął krążyć po tarasie. Widać było, że budzi się w nim entuzjazm. Spojrzał na żonę z dumą. – Będziesz pierwszą kobietą na stanowisku redaktora naczelnego czasopisma o zasięgu krajowym... Ha, już nie mogę się doczekać tej chwili.

Amanda patrzyła na niego zaniepokojona.

– To, co mówisz, to jakaś niedorzeczność. Niczym sobie nie zasłużyłam na powierzenie mi tak odpowiedzialnego stanowiska. Nawet jeśli by mi się powiodło, to i tak ludzie byliby oburzeni.

Uśmiechnął się.

– Gdybyś się przejmowała tym, co ludzie powiedzą, nie wyszłabyś za mąż za mnie, tylko za Charlesa Hartleya.

– Tak, ale... to szokujący pomysł. – Nie mieściło jej się w głowie, że mogłaby zostać redaktorem naczelnym czasopisma. W końcu dodała, marszcząc czoło: – I tak ledwie mam czas na pisanie.

– Czy mam rozumieć, że nie chcesz się podjąć tego zadania?

– Oczywiście, że chcę! Ale w moim stanie? Wkrótce urodzę dziecko, a przy niemowlęciu jest mnóstwo pracy.

– To się jakoś załatwi. Zatrudnimy do pomocy tyle osób, ile zechcesz. No i przecież większość pracy związanej z redakcją będziesz mogła wykonywać w domu.

Amanda spokojnie dopiła herbatę.

– Miałabym całkowitą kontrolę nad pismem? – zapytała. – Zlecałabym pisanie artykułów, zatrudniała pracowników, wybierała książki do recenzji? Przed nikim nie musiałabym odpowiadać?

– Nie musiałabyś odpowiadać nawet przede mną – zapewnił z powagą.

– A kiedy wreszcie wyjdzie na jaw, że to nie pan Fretwell, ale kobieta stoi na czele pisma, i wszyscy rzucą się na mnie, żeby mnie krytykować... będziesz mnie wspierał?

Jack stanął przy niej i spojrzał jej w oczy.

– Oczywiście, że będę cię wspierał. Jak w ogóle możesz o to pytać?

– Zamienię „Review" w czasopismo szokująco liberalne – ostrzegła, patrząc na niego wyzywająco. Dotknęła jego dłoni i wsunęła palce pod mankiet koszuli. Uśmiechnęła się do niego tak promiennie, że odpowiedział tym samym.

– Bardzo dobrze – odrzekł cicho. – Podpal cały świat. Z przyjemnością podam ci zapałki.

Przejęta i trochę zdziwiona, uniosła głowę i nastawiła usta do pocałunku.

15

Opracowując plany rozwoju „Coventry Quarterly Review", Amanda dokonała zaskakującego odkrycia. Nigdy jeszcze nie cieszyła się tak wielką swobodą jak ta, którą zyskała, wychodząc za mąż za Jacka. Dzięki niemu miała pieniądze i wpływy, i mogła robić, co chciała... A najważniejsze było to, że mąż wciąż ją zachęcał do wprowadzania w życie nowych pomysłów i zamierzeń.

Nie onieśmielała go jej inteligencja. Był dumny z jej osiągnięć i ciągle chwalił ją przed innymi. Nakłaniał ją do śmiałego działania, wyrażania własnych poglądów i zachowywania się w sposób, w jaki posłuszne żony nigdy nie powinny się zachowywać. Co noc uwodził ją i prowokował, co Amandzie bardzo się podobało. Nie marzyła nawet, że kiedyś jakiś mężczyzna będzie traktował ją jak wyrafinowaną uwodzicielkę i będzie czerpał tyle przyjemności z dalekiego od ideału ciała.

Jeszcze większym zaskoczeniem było to, że Jack z przyjemnością poświęcał się życiu domowemu. Z zadowoleniem zwolnił nieco tempo i przyjmował niewiele zaproszeń na przyjęcia, chociaż niemal co tydzień dostawali ich całe mnóstwo.

– Możemy więcej bywać, jeśli masz na to ochotę – zasugerowała Amanda, kiedy pewnego wieczoru szykowali się do domowej kolacji we dwoje. – W tym tygodniu zaproszono nas

na trzy bale, nie wspominając o wieczorku w sobotę i przyjęciu na jachcie w niedzielę. Nie chcę, żebyś rezygnował z towarzystwa innych ludzi. Nie zamierzam trzymać cię w domu, tylko dla siebie.

– Amando – przerwał i wziął ją w ramiona. – Przez ostatnie kilka lat wychodziłem gdzieś prawie co wieczór i w tłumie ludzi czułem się samotny. Teraz wreszcie mam dom i żonę i chcę się nimi nacieszyć. Jeśli chcesz wyjść, zabiorę cię, gdzie sobie życzysz. Ale osobiście wolałbym zostać w domu.

Pogładziła go po policzku.

– A więc nie ciągnie cię żadna rozrywka?

– Nie – odrzekł, z zastanowieniem unosząc brew. – Zmieniam się – stwierdził poważnie. – Zmieniasz mnie w nudnego męża.

Amanda przewróciła oczami, słysząc, jak się z nią drażni.

– „Nudny mąż" to ostatnie określenie, jakim można by cię nazwać. Nie wyobrażam sobie bardziej niezwykłego męża niż ty. Bardzo jestem ciekawa, jakim będziesz ojcem.

– Och, dam naszemu synowi wszystko, co najlepsze. Będę go psuł i rozpieszczał bez końca. Wyślę go do najlepszych szkół, a kiedy wróci z podróży po Europie, stanie na czele naszej firmy.

– A jeśli to będzie dziewczynka?

– To wtedy ona będzie rządzić firmą.

– Głuptasie... Kobieta nigdy by nie mogła objąć takiego stanowiska.

– Moja córka będzie mogła – oznajmił.

Nie chciała się z nim spierać, więc tylko się uśmiechnęła.

– A co ty będziesz robić, kiedy twój syn albo córka zajmą się firmą?

– Całe dnie i noce poświęcę na zabawianie żony. To bardzo odpowiedzialne i trudne zadanie. – Roześmiał się i uskoczył w bok, gdy żartobliwie próbowała mu wymierzyć klapsa w pośladek.

Najgorszy dzień w życiu Jacka zaczął się zupełnie niewinnie, od codziennego, przyjemnego rytuału śniadania, pocałunków na pożegnanie i obietnicy powrotu do domu na lunch. Padał lekki, ale uporczywy deszcz, szare niebo zasnuwały chmury, zapowiadające większą ulewę. Kiedy Jack wszedł do ciepłego budynku swojej firmy, gdzie już roiło się od klientów, odczuł radosne zadowolenie.

Interes kwitł, kochająca żona czekała na niego w domu, przyszłość wyglądała obiecująco. Wszystko to wydawało się zbyt piękne, żeby było prawdziwe. Życie, która zaczęło się dla niego tak źle, odmieniło się tak diametralnie. Nie spodziewał się, że dostanie od losu aż tyle. Niczym sobie na to nie zasłużył. Radośnie pobiegł schodami do gabinetu.

Pracował żwawo do południa, a potem poskładał dokumenty i zaczął się szykować do wyjścia. Nagle rozległo się lekkie pukanie i w uchylonych drzwiach zobaczył zatroskaną twarz Oscara Fretwella.

– Właśnie przyniesiono wiadomość. Posłaniec mówi, że to coś pilnego.

Jack wziął od niego kartkę i szybko przebiegł ją wzrokiem. Napisane czarnym atramentem słowa zdawały się skakać mu do oczu. Rozpoznał pismo Amandy, chociaż się nie podpisała.

Jack, źle się czuję. Posłałam po doktora. Wracaj szybko do domu.

Zmiął papier w kulę.

– Coś się dzieje z Amandą. Muszę jechać do domu – wymamrotał.

– Co mam robić? – zapytał Fretwell.

– Zastąp mnie tutaj – rzucił przez ramię Jack i wybiegł z gabinetu.

Po drodze do domu gorączkowe myśli przelatywały mu przez głowę. Co się stało Amandzie? Jeszcze tego ranka

wyglądała kwitnąco. Może zdarzył się jakiś wypadek? Narastająca panika skręcała mu żołądek. Kiedy dotarł do domu, był blady jak ściana.

– Och, proszę pana! – zawołała Sukey, kiedy wszedł do holu. – U pani jest teraz doktor. To stało się tak nagle. Biedna panienka Amanda...

– Gdzie ona jest? – zapytał niecierpliwie.

– W sypialni.

Dopiero teraz spostrzegł, że Sukey trzyma w rękach kłąb prześcieradeł, które po chwili oddała innej służącej z poleceniem, żeby je wyprano. Jack z przerażeniem zauważył krwawe plamy na śnieżnobiałej tkaninie.

Ruszył na górę, przeskakując po trzy stopnie. Kiedy dobiegł do sypialni, wychodził z niej właśnie starszy mężczyzna w czarnym, lekarskim surducie. Był niski i szczupły, ale roztaczał wokół siebie aurę profesjonalizmu. Zamknął za sobą drzwi i spojrzał na Jacka spokojnie.

– Pan Devlin, tak? Jestem doktor Leighton.

Jack znał to nazwisko. Wyciągnął rękę na powitanie.

– Żona mi o panu opowiadała – powiedział krótko. – To pan stwierdził, że jest w ciąży.

– Tak. Niestety, w tych sprawach nie zawsze dochodzi do szczęśliwego rozwiązania.

Jack w milczeniu wpatrywał się w na lekarza. Krew zastygła mu w żyłach. Ogarnęło go poczucie nierzeczywistości. Nie mógł uwierzyć w to, co się dzieje.

– Straciła dziecko – domyślił się. – Jak? Dlaczego?

– Czasami trudno znaleźć przyczynę poronienia – tłumaczył z powagą Leighton. – Zdarza się ono całkowicie zdrowym kobietom. Lata praktyki nauczyły mnie, że natura często sama decyduje, nie licząc się z naszymi życzeniami. Zapewniam pana jednak, że dzisiejsze nieszczęście nie oznacza, że w przyszłości nie będą państwo mogli mieć zdrowych dzieci. To samo powiedziałem pani Devlin.

Jack w skupieniu wpatrywał się w dywan. O dziwo, na myśl przyszedł mu jego własny ojciec, spoczywający już w grobie, zimny i nieczuły już za życia. Jak to możliwe, że dochował się tylu dzieci, ślubnych i nieślubnych, a dbał o nie tak niewiele? Jackowi każde małe życie wydało się nad wyraz cenne, zwłaszcza teraz, kiedy zgasło.

– To może być moja wina – wyszeptał. – Dzielimy z żoną sypialnię... Powinienem był zostawić ją w spokoju...

– Nie, nie, proszę pana. – Mimo powagi sytuacji doktor uśmiechnął się współczująco. – Bywają sytuacje, w których zalecam pacjentce wstrzemięźliwość małżeńską podczas ciąży, ale w przypadku pańskiej żony nie było takiej konieczności. To nie pan się przyczynił do poronienia ani pańska żona. Zapewniam. Zaleciłem pani Devlin kilkudniowy odpoczynek, aż ustanie krwawienie. Odwiedzę ją pod koniec tygodnia, żeby sprawdzić, czy wraca do zdrowia. Przez jakiś czas będzie oczywiście przygnębiona, ale to silna kobieta. Powinna wkrótce dojść do siebie.

Doktor się oddalił, a Jack wszedł do sypialni. Serce mało nie pękło mu z żalu, kiedy zobaczył Amandę. Wydawała się taka drobna, a jej energia i żywiołowość gdzieś zniknęły. Podszedł do niej, pogładził ją po włosach i pocałował w rozpalone czoło.

– Tak mi przykro – wyszeptał, patrząc w jej puste oczy. Czekał na jakąś reakcję, rozpacz, gniew, nadzieję, ale twarz żony, zwykle tak pełna wyrazu, pozostała nieprzenikniona. Amanda zmięła w dłoni skraj koszuli, ale nie odezwała się.

– Amando. – Ujął jej kurczowo zaciśniętą dłoń. – Powiedz coś.

– Nie mogę – odrzekła z wysiłkiem, jakby coś trzymało ją za gardło.

Jack nadal ściskał jej lodowatą piąstkę.

– Amando – wyszeptał. – Rozumiem, co czujesz.

– Skąd możesz wiedzieć, co czuję? – zapytała drewnianym

głosem. Wyrwała rękę z jego uścisku i wbiła wzrok w jakiś odległy punkt na ścianie. – Jestem zmęczona, chce mi się spać – oznajmiła, chociaż oczy miała szeroko otwarte.

Zaskoczony, zraniony, odsunął się od niej. Jeszcze nigdy tak się wobec niego nie zachowywała. Po raz pierwszy nie chciała mu zdradzić swoich uczuć i Jack poczuł się tak, jakby rozcięła łączące ich więzy. Może kiedy odpocznie, zgodnie z zaleceniem lekarza, z jej oczu zniknie ta okropna pustka.

– Dobrze – powiedział cicho. – Będę w pobliżu. Zawołaj mnie, jeśli czegoś będziesz potrzebować.

– Niczego nie potrzebuję – odrzekła głosem, w którym nie było śladu żadnych emocji.

Przez następne kilka tygodni Jack musiał sam dawać sobie radę ze swoim smutkiem, ponieważ Amanda całkowicie zamknęła się w sobie. Nie dopuszczała do siebie nikogo, nie wyłączając męża. Jack odchodził od zmysłów, nie wiedząc, jak do niej dotrzeć. Po prawdziwej Amandzie została jedynie pusta skorupa. Lekarz twierdził, że trzeba jej tylko więcej wypoczynku, ale Jack nie był o tym przekonany. Bał się, że strata dziecka okaże się dla niej ciosem, po którym już się nie podniesie, i że nigdy już nie będzie tą pełną życia kobietą, którą poślubił.

Zdesperowany zaprosił na weekend jej siostrę Sophię, chociaż serdecznie nie znosił tej gderliwej sekutnicy. Sophia, jak umiała, starała się pocieszyć Amandę, ale jej obecność nic nie pomogła.

– Doradzałabym cierpliwość – powiedziała Jackowi na odjezdnym. – Amanda w końcu dojdzie do siebie. Mam nadzieję, że nie będziesz wywierał na nią nacisku i żądał od niej rzeczy, do których jeszcze nie jest gotowa.

– Co to ma znaczyć? – burknął Jack. W przeszłości Sophia nie ukrywała, że uważa go za łobuza z niższych sfer, bez

krzty przyzwoitości. – Boisz się, że jak tylko wyjedziesz, wtargnę do sypialni i zażądam od niej pełnienia małżeńskich powinności, tak?

– Nie, nie o tym mówiłam. – Usta Sophii rozciągnęły się w niespodziewanym uśmiechu. – Chodziło mi o żądania natury uczuciowej. Nawet ty nie jesteś takim prymitywnym zwierzęciem, żeby molestować kobietę w takim stanie.

– Uprzejmie dziękuję za komplement – odrzekł ironicznie.

Przez chwilę przyglądali się sobie badawczo. Na twarzy Sophii nadal gościł uśmiech.

– Może osądzałam cię zbyt surowo – oznajmiła w końcu. – Ostatnio przekonałam się, że... mimo swoich wad rzeczywiście kochasz moją siostrę.

Jack śmiało spojrzał jej w oczy.

– Tak, kocham.

– Cóż, może z czasem zaakceptuję wasz związek. Na pewno daleko ci do Charlesa Hartleya, ale Amanda mogła trafić gorzej.

– Jesteś dziś taka miła – odrzekł z uśmiechem.

– Kiedy Amanda wydobrzeje, przywieź ją do Windsoru – poleciła, a Jack skłonił się, jakby otrzymał osobisty rozkaz od królowej. Uśmiechnęli się do siebie dziwnie przyjaźnie i lokaj odprowadził Sophię do czekającego na nią powozu.

Poszedł na górę i zastał Amandę siedzącą w oknie sypialni. Nieruchomo, niczym zahipnotyzowana, patrzyła na odjeżdżający powóz siostry. Na tacy obok zobaczył nietkniętą kolację.

– Amando – szepnął Jack. Na chwilę zwróciła na niego obojętny wzrok, potem znów spuściła oczy. Stanął za nią i objął ją, chociaż ona w ogóle nie zauważyła tego gestu. – Jak długo to jeszcze potrwa? – zapytał mimo woli. Kiedy nie odpowiedziała, zaklął pod nosem. – Dlaczego nie chcesz ze mną rozmawiać?

– A co tu jest do powiedzenia? – odrzekła bezbarwnie.

Odwrócił ją do siebie.

– Skoro ty nie masz mi nic do powiedzenia, to ja będę

mówił! Nie ty jedna przeżywasz tę stratę. To było również moje dziecko.

– Nie mam ochoty na rozmowę – stwierdziła, wysuwając się z jego objęć. – Nie teraz.

– To milczenie musi się skończyć – nalegał, idąc za nią. – Musimy sobie poradzić z tym, co się stało, znaleźć sposób, żeby o tym zapomnieć.

– Nie zależy mi na tym – oznajmiła głucho. – Chcę zakończyć nasze małżeństwo.

Te słowa wstrząsnęły nim do głębi.

– Co takiego? – zapytał ogłuszony. – Dlaczego tak mówisz?

Amanda usiłowała coś powiedzieć, ale nie znalazła słów. Nagle wszystkie uczucia, które tłumiła w sobie przez minione tygodnie, wydostały się na powierzchnię. Nie mogła powstrzymać szlochu, który zdawał się rozdzierać jej pierś. Objęła głowę ramionami, starając się opanować gwałtowne spazmy. Przestraszyła się własnego braku opanowania... Miała wrażenie, że jej dusza rozpada się na kawałki. Potrzebowała czegoś lub kogoś, kto uchroniłby ją przed całkowitym załamaniem.

– Zostaw mnie – załkała, zasłaniając dłońmi mokrą od łez twarz. Czuła na sobie wzrok męża. Jeszcze nigdy przed nikim tak się nie odsłoniła. Zawsze uważała, że tak gwałtownym emocjom należy dawać upust wyłącznie w samotności.

Jack otoczył ją ramionami i przytulił do piersi.

– Amando, kochanie, obejmij mnie. – Stał obok niej spokojny i solidny jak opoka. Jego zapach i dotyk był jej tak znany, jakby znali się od urodzenia.

Przywarła do niego, a słowa same wyrywały się z jej ust:

– Pobraliśmy się tylko ze względu na dziecko. A teraz dziecka już nie ma. Między nami nic już nie będzie takie samo.

– To nieprawda.

– Nie chciałeś tego dziecka – łkała. – Ale ja chciałam. Tak bardzo go chciałam, a teraz je straciłam. Nie zniosę tego...

– Ja też pragnąłem tego dziecka – powiedział Jack roz-

trzęsionym głosem. – Amando, musimy to jakoś przetrwać. Kiedyś będziemy jeszcze mieć dziecko.

– Nie. Jestem za stara – odrzekła i kolejny strumień łez popłynął z jej oczu. – Dlatego poroniłam. Za długo czekałam. Teraz już nigdy nie będę miała dzieci...

– Ciii... Nie opowiadaj takich rzeczy. Doktor mi mówił, że miał o wiele starsze od ciebie pacjentki, które urodziły zdrowe potomstwo.

Z łatwością wziął ją na ręce, usiadł w fotelu i posadził ją sobie na kolanach. Wziął z tacy serwetkę i osuszył żonie oczy. Był taki opanowany i spokojny, że strach i zdenerwowanie Amandy trochę osłabły. Posłusznie wydmuchała nos w serwetkę i westchnęła drżąco, opierając głowę na jego ramieniu. Czuła ciepło jego ręki na plecach, co koiło jej zszarpane nerwy.

Długo tulił ją do siebie, aż zaczęła oddychać wolno i miarowo, a łzy całkiem wyschły.

– Nie ożeniłem się z tobą tylko ze względu na dziecko – powiedział łagodnie. – Zrobiłem to, ponieważ cię kocham. A jeśli jeszcze kiedyś wspomnisz o tym, że chcesz mnie opuścić, to... – Urwał, nie umiejąc wymyślić odpowiednio surowej kary. – Po prostu wybij to sobie z głowy – zakończył po chwili.

– Jeszcze nigdy nie czułam się tak okropnie. Nawet po śmierci rodziców.

– Ani ja. Teraz już mi lepiej, bo mogę cię trzymać w ramionach. Te ostatnie tygodnie to było dla mnie piekło. Nie mogłem z tobą rozmawiać, dotykać cię.

– Naprawdę myślisz, że jeszcze kiedyś będziemy mogli mieć dziecko? – zapytała bolesnym szeptem.

– Jeśli tylko tego zechcesz.

– A ty tego chcesz?

– Z początku trudno mi było pogodzić się z myślą, że zostanę ojcem – przyznał – ale kiedy zaczęliśmy planować przyszłość, dziecko stało się dla mnie kimś realnym. Myślałem

o wszystkich małych chłopcach z Knatchford Heath, których nie udało mi się obronić, ale zamiast rozpaczy, czułem rodzenie się nadziei. Zdałem sobie sprawę, że to dziecko na pewno będę mógł chronić przed okrutnym światem. Jakbym zaczynał wszystko od nowa... Chciałem mu zapewnić cudowne życie.

Amanda uniosła głowę i spojrzała na Jacka wilgotnymi oczami.

– Na pewno byś tego dokonał – szepnęła.

– Więc nie gaśmy w sobie nadziei, Brzoskwinko. Kiedy będziesz gotowa, nie będę szczędził wysiłków, żebyś znów nosiła w sobie dziecko. A jeśli to nam się nie uda, znajdziemy inny sposób. Przecież tyle dzieci potrzebuje rodziców.

– Zrobiłbyś to dla mnie? – zapytała z niedowierzaniem. Ten człowiek, który kiedyś bardzo niechętnie odnosił się do pomysłu założenia rodziny, teraz był gotów przyjąć na siebie tak poważne zobowiązanie.

– Nie tylko dla ciebie. – Pocałował ją w czubek nosa i miękki policzek. – Również dla siebie.

Amanda zarzuciła mu ramiona na szyję i mocno go uściskała. Przemożny smutek, który żelaznymi mackami obejmował jej serce, zaczął słabnąć. Poczuła taką ulgę, że aż zakręciło jej się w głowie.

– Nie wiem, co mam teraz robić – wyszeptała.

Jack znów ją pocałował, gorąco i czule.

– Choć na kilka godzin powinnaś przestać rozmyślać. Musisz coś zjeść i odpocząć.

Na myśl o jedzeniu skrzywiła się.

– Nie mogłabym przełknąć ani kęsa.

– Od kilku dni nic nie jadłaś. – Zdjął srebrną pokrywkę ze stojącego na tacy talerza i sięgnął po łyżkę. – Spróbuj – powiedział stanowczo. – Wierzę w leczniczą moc... – zajrzał do talerza – zupy ziemniaczanej.

Amanda spojrzała na jego upartą minę i pierwszy raz od trzech tygodni uśmiechnęła się niepewnie.

– Ale z ciebie tyran.

– I jestem od ciebie większy – przypomniał jej.

Wzięła łyżkę i spojrzała na apetyczną zupę, posypaną siekanymi listkami rzeżuchy. Na małym talerzyku obok leżała jeszcze ciepła bułeczka. W miseczce różowił się pudding jagodowy, posypany świeżymi malinami. Kucharka, która teraz wszystkie gotowane przez siebie potrawy nazywała po francusku, serwowała go pod nazwą pudding *à la framboise*.

Jack wstał z fotela i patrzył, jak Amanda zanurza łyżkę w zupie. Jadła nieśpiesznie i miłe ciepło wkrótce zaczęło wypełniać jej żołądek. Kiedy już skończyła kolację, jej policzki znów się zaróżowiły. Usadowiła się wygodniej w fotelu, mile rozluźniona. Spojrzała na swojego przystojnego męża i zalała ją fala miłości. Przy nim czuła, że wszystko jest możliwe. Chwyciła jego rękę i przytuliła do twarzy.

– Kocham cię – powiedziała.

Pogładził ją po policzku.

– Ja też cię kocham, ponad własne życie. – Pochylił się i delikatnie dotknął ustami jej ust, jakby chciał uzdrowić ją pocałunkiem. Położyła mu dłoń na karku, zatopiła palce w gęstych, czarnych włosach i rozchyliła wargi. Powoli ogarniał ją żar.

Odwróciła głowę w bok, senna i osłabiona. Oczy same jej się zamykały, kiedy poczuła, że Jack rozpina guziki jej sukni. Jeden, drugi, trzeci... Materiał rozchylił się, obnażając nagą skórę. Wodził usta po wrażliwych miejscach na jej szyi, aż cicho jęknęła.

– Jack... Jestem taka zmęczona... Chyba nie...

– Nie musisz nic robić – wyszeptał. – Tylko pozwól mi się dotykać. Już tyle czasu minęło, najdroższa.

Amanda wzięła głęboki oddech i nie próbowała nic więcej mówić. Odchyliła głowę i niczym w sennym marzeniu pozwoliła mu coraz śmielej pieścić dłońmi i językiem każdy zakamarek swojego ciała. Gdy myślała, że już dłużej nie wytrzyma tych tortur, rozkosz eksplodowała w niej niczym ognista kula.

Kiedy po dłuższej chwili szaleńcze bicie jej serca wreszcie się uspokoiło, wyciągnęła ramiona do Jacka, a ten wziął ją na ręce i ułożył w pościeli.

– Chodź ze mną do łóżka – wyszeptała.

– Musisz odpocząć – odrzekł, stając obok.

Chwyciła go za spodnie i szarpnęła do siebie tak energiczne, że jeden guzik sam się rozpiął.

– Zdejmij to – poleciła, pomagając mu rozpiąć resztę guzików.

Błysnął zębami w uśmiechu i posłusznie się rozebrał. Kiedy się do niej przytulił, zadrżała i uspokoiła się.

– A co teraz? – zapytał.

– Nie skończyłam jeszcze deseru – powiedziała, a potem już nie było żadnych słów ani myśli, tylko oni dwoje i łącząca ich namiętność.

Gdy zupełnie wyczerpani leżeli wtuleni w siebie, Jack nagle wybuchnął śmiechem.

– Z czego się śmiejesz? – zaciekawiła się Amanda.

– Wspominałem tamten wieczór, kiedy się poznaliśmy... Chciałaś mi wtedy za to zapłacić. Próbowałem obliczyć, ile mi jesteś winna teraz, kiedy już tyle razy byliśmy w łóżku.

Roześmiała się.

– Jak możesz w takiej chwili myśleć o pieniądzach?

– Bardzo mi odpowiada, że jesteś u mnie zadłużona po uszy. Dzięki temu nigdy się ode mnie nie uwolnisz.

Uśmiechnęła się i przyciągnęła go do siebie.

– Jestem twoja – wyszeptała z ustami przy jego ustach. – Teraz i zawsze. Jesteś zadowolony?

– O, tak. – I przez resztę nocy niestrudzenie dowodził, jak bardzo jest z tego zadowolony.

Epilog

Tato, miałeś mnie złapać! – zawołał mały chłopczyk i przydreptał do wyciągniętego na trawie ojca.

Jack uśmiechnął się leniwie do ciemnowłosego malca. Synek nazywał się Edward, po ojcu Amandy. Nieustannie rozpierała go energia, a słownictwo miał o wiele bogatsze niż przeciętny trzylatek. Mały Edward lubił mówić, co nie było niczym dziwnym, zważywszy na to, kim byli jego rodzice.

– Synu, bawiłem się z tobą w berka prawie godzinę – tłumaczył cierpliwie Jack. – Daj swojemu staruszkowi kilka minut wytchnienia.

– Ale jeszcze nie skończyliśmy!

Jack ze śmiechem chwycił malca, pociągnął go na ziemię i połaskotał.

Amanda uniosła wzrok znad papierów i popatrzyła na nich z radością. Najgorętszą część lata spędzali w odziedziczonym przez Jacka wiejskim majątku. Posiadłość była tak pięknie położona, że zasługiwała na uwiecznienie przez Rubensa. Brakowało tylko amorków i obłoków na niebie.

Za siedemnastowiecznym domem rozciągał się piękny ogród, który tuż przy domu był starannie utrzymany, a dalej przekształcał się w dziki park, pełen bujnej zieleni. W oddali połyskiwał niewielki staw. Rodzina często urządzała sobie

pikniki pod majestatycznym starym jaworem, wokół którego rosły hortensje. W stawie, otoczonym soczyście zieloną trawą i kwitnącymi żółtymi irysami, można było dla ochłody moczyć nogi.

Czując miłą sytość po obfitym posiłku, który przyrządziła i zapakowała dla nich kucharka, Amanda starała się skupić na pracy. Od czterech lat była redaktorem naczelnym „Coventry Quarterly Review" i pod jej rządami pismo to stało się jednym z najbardziej poczytnych periodyków w Anglii. Amanda była dumna ze swojego sukcesu, a zwłaszcza z tego, że udało jej się dowieść, iż kobieta na kierowniczym stanowisku może być równie śmiała, mądra i wolnomyślna jak mężczyzna. Kiedy czytelnicy wreszcie się dowiedzieli, że siłą napędową kwartalnika jest kobieta, szum wywołany tym faktem tylko pomógł zwiększyć jego sprzedaż. Jack zgodnie z obietnicą wspierał żonę i bronił jej, ostro zaprzeczając wszelkim sugestiom, jakoby to on, a nie ona, w rzeczywistości o wszystkim decydował.

– Moja żona nie potrzebuje pomocy do wyrażania własnych opinii – ironicznie oznajmił krytykom. – Jest zdolniejsza i bardziej profesjonalna niż wielu znanych mi mężczyzn. – Zachęcał Amandę, żeby cieszyła się świeżo zdobytą popularnością i korzystała z każdego zaproszenia na przyjęcie czy bal. Jej „przenikliwy umysł" i „oryginalne poczucie humoru" budziły zachwyt w najwyższych kręgach literackich i rządowych.

– Wszyscy chcą mnie oglądać jak żyrafę w menażerii – pożaliła się pewnego razu Jackowi po jakimś przyjęciu, na którym każda jej wypowiedź była skrupulatnie analizowana. – Dlaczego niektórym tak trudno uwierzyć, że ktoś, kto nosi suknię, może samodzielnie myśleć?

– Nikt nie lubi, kiedy kobieta jest zbyt mądra – odparł Jack i uśmiechnął się, widząc jej irytację. – My, mężczyźni, chcemy utrzymać swoją uprzywilejowaną pozycję.

– A dlaczego ty nie czujesz się zagrożony kobiecą inteligencją? – zapytała, marszcząc czoło.

– Bo wiem, jak cię utrzymać tam, gdzie twoje miejsce – odparł z szerokim uśmiechem i musiał szybko się cofnąć, kiedy rzuciła się na niego, żeby go ukarać za to bezczelne stwierdzenie.

Uśmiechając się do swych wspomnień, Amanda słuchała, jak Jack opowiada synowi bajkę o smokach, tęczy i magicznych zaklęciach. Znużony malec w końcu zasnął na ojcowskich kolanach, a Jack ostrożnie ułożył go na rozłożonym na trawie kocu.

Amanda udawała, że nie zauważa męża, kiedy usiadł obok niej.

– Odłóż to – polecił i ukrył twarz w jej rozpuszczonych włosach.

– Nie mogę.

– Dlaczego?

– Mam wymagającego pracodawcę, który strasznie gdera, kiedy się spóźniam z nowym wydaniem.

– Wiesz, jak przerwać jego gderanie.

– Nie mam na to teraz czasu – oznajmiła rzeczowo. – Proszę cię, pozwól mi pracować w spokoju. – Nie zaprotestowała jednak, kiedy otoczył ją ramieniem. Pocałował ją w szyję, przyprawiając ją o słodki dreszczyk.

– Wiesz, jak bardzo cię pragnę? – Położył rękę na brzuchu żony, gdzie delikatnie poruszało się w niej ich drugie dziecko. Potem powiódł dłonią w dół i wsunął ją pod suknię. Papiery wysunęły się z rąk Amandy i spadły na trawę.

– Jack – szepnęła zdyszanym głosem i przysunęła się do niego. – Nie przy Edwardzie.

– Przecież śpi.

Amanda odwróciła się do męża i pocałowała go wolno i namiętnie.

– Musisz zaczekać, aż zapadnie wieczór – powiedziała,

kiedy ich usta się rozłączyły. – Niepoprawny z ciebie drań. Jesteśmy małżeństwem od czterech lat. Dawno powinieneś się mną znudzić jak każdy przyzwoity mąż.

– Na tym właśnie polega twój problem – zauważył rozsądnie, gładząc ją pod kolanem. – Nigdy nie byłem przyzwoity. Sama powiedziałaś, że jestem draniem.

Amanda z uśmiechem osunęła się na rozgrzaną trawę i pociągnęła go za sobą. Zarys jego szerokich ramion przesłonił jej słoneczne błyski, przedzierające się przez gęste listowie nad głową.

– Na szczęście już się przekonałam, że o wiele zabawniej jest być żoną drania niż dżentelmena.

Jack uśmiechnął się, ale w jego spojrzeniu widać było cień zadumy.

– Gdybyś mogła cofnąć się w czasie i coś zmienić... – powiedział cicho, odgarniając jej włosy z twarzy.

– Za żadne skarby świata nic bym nie zmieniła – odparła Amanda. – Mam wszystko, o czym kiedykolwiek śmiałam marzyć.

– A więc nie bój się marzyć dalej – wyszeptał i przywarł ustami do jej ust.